독해를 잡는 자가 수능까지 잡는다

은 독해 시대!
독해 DNA를 깨우자

아이들의 읽기 능력에 대한 흔한 고민

글을 어떻게 읽어야 할지 모르겠어요.

다 읽었는데 무슨 말인지 모르겠어요.

문제에 나온 이 단어가 무슨 뜻이죠?

문장과 문단에 담긴 의미를 파악하는 기본 독해 연습이 필요해요!

의미 단위를 통해 글을 제대로 읽는 독해 기초 원리를 익히고 적용하면 글의 의미가 쏙쏙 이해될 거예요.

배경지식을 동원하며 읽는 독해 연습을 해야 해요!

실전 편에 수록된 교과 연계 지문을 읽으면서 자연스럽게 학습 단계에 맞는 배경지식을 충분히 쌓을 수 있어요.

문맥을 통해 어휘를 이해하는 연습이 필요해요!

어휘력은 단기간에 기를 수 없지만 꾸준한 연습을 통해 얼마든지 좋아질 수 있어요. 지문에 나온 어휘의 뜻을 확인하고, 관련 문제를 풀면서 어휘력을 키워요.

독해력이 고민일 때,
<비문학 독해 DNA 깨우기>가 그 해결책을 제시합니다!

이 책을 집필해 주신 분들

노수경 경원중학교 교사
박혜영 효원고등학교 교사
윤여정 백석고등학교 교사
박의용 계성고등학교 교사
유성주 보성고등학교 교사
정지민 이화여자고등학교 교사

이 책을 검토해 주신 분들

학부모 검토단

강라희(서울) 권신자(경기) 권영현(충북) 김문희(경남) 김정민(대구) 김정아(경기) 김지민(경북) 김현미(경기)
김현정(서울) 류희영(경기) 문보영(인천) 민병림(경기) 박경미(경기) 박경숙(경남) 박현아(경기) 방혜숙(서울)
백재은(서울) 손영미(경북) 심미선(경기) 양승아(대전) 오미단(서울) 원진주(서울) 유은석(경기) 윤미숙(서울)
윤재나(서울) 윤정현(대구) 이경미(서울) 이미화(경기) 이상은(부산) 이은미(부산) 이창숙(인천) 임주현(서울)
전혜정(경기) 정은숙(경남) 정지연(서울) 정현진(서울) 정희정(대구) 조미영(광주) 채경미(서울) 최지남(경기)
홍연희(서울) 황정희(서울)

교강사 검토단

가유림(경기) 강경애(경기) 강주희(대전) 김기홍(경기) 김민정(경기) 김성애(경기) 김정욱(경기) 김주현(서울)
김태영(부산) 김현경(대구) 김희연(경기) 박보희(경북) 박승현(전북) 박진영(충남) 방제숙(충남) 백승미(경기)
백승재(경남) 부경필(경기) 서우종(서울) 서정현(경기) 신영수(서울) 신준호(경기) 오지희(제주) 유대형(서울)
윤인영(서울) 이서후(경기) 이용수(경기) 이유림(울산) 이태범(전남) 임성애(경기) 임양현(경기) 장정아(서울)
정경은(경기) 정기후(서울) 정승교(경기) 정해연(전남) 조일양(광주) 조혜원(대전) 최진수(경기) 최홍민(경기)
홍성훈(부산) 홍승억(경기)

기획·편집 김덕유, 고명선, 박소연, 최지수
내지 삽화 신동민
표지 디자인 윤순미, 김지현
내지 디자인 퍼블릭디자인섬(김윤현)
조판 대진문화(구민범, 강성희)

해법 중학 국어

비문학 독해 DNA 깨우기

비문학 독해 DNA 깨우기 _ ⓪ 독해 기초

기초 원리를 익히고 연습하면서 독해 실력을 기르고, 교과 내용 연계 지문으로 배경지식을 쌓자!

1단계 독해 기초 원리

2단계 연습 문제

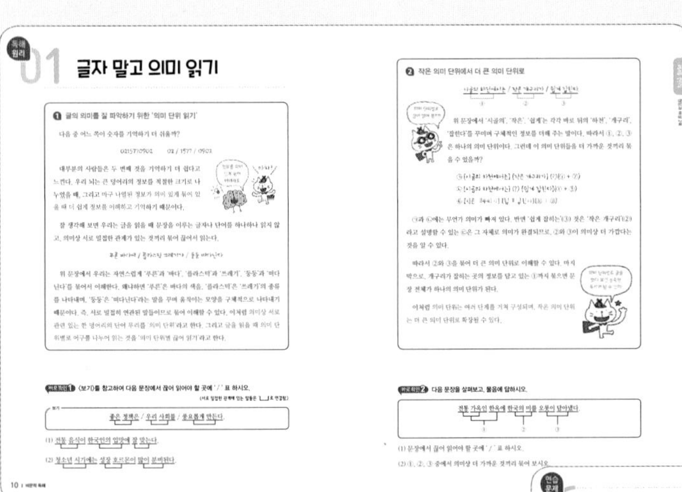

독해 기초 원리

- 기초부터 단단하게! 비문학 독해를 위해 꼭 알아 두어야 할 기초 원리를 수록하였습니다.
- 친절한 설명으로 기초 원리의 내용을 쉽게 이해할 수 있게 하였습니다.

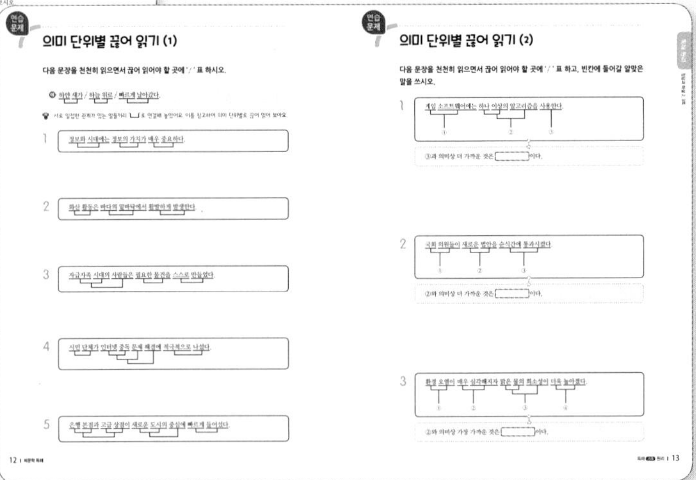

연습 문제

- 기초 원리를 학습하고 이를 바로바로 적용할 수 있는 다양한 연습 문제를 제시하였습니다.
- 반복적인 활동으로 구성된 연습 문제를 풀면서 독해 기초 원리를 확실하게 체득할 수 있습니다.

독해 기초 원리와 연습·실전 문제로 탄탄한 기본기를 다지는 독해서

이 책에는 글을 제대로 읽고 정확히 이해할 수 있는 방법을 알려 주는 독해 기초 원리가 담겨 있습니다. 독해 기초 원리를 학습하고 다양한 연습 문제와 실전 문제를 푸는 과정에서 독해의 기본기를 탄탄히 다질 수 있습니다.

중학교 교과 학습 배경지식이 고루 쌓이는 독해서

이 책의 실전 편에는 중학교 교과 내용과 연계된 지문이 수록되어 있습니다. 교과 학습 내용과 관련된 다양한 지문을 읽으면서 비문학 독해 실력을 기를 뿐만 아니라 교과 학습의 배경지식까지 쌓을 수 있습니다.

3단계 독해 실전

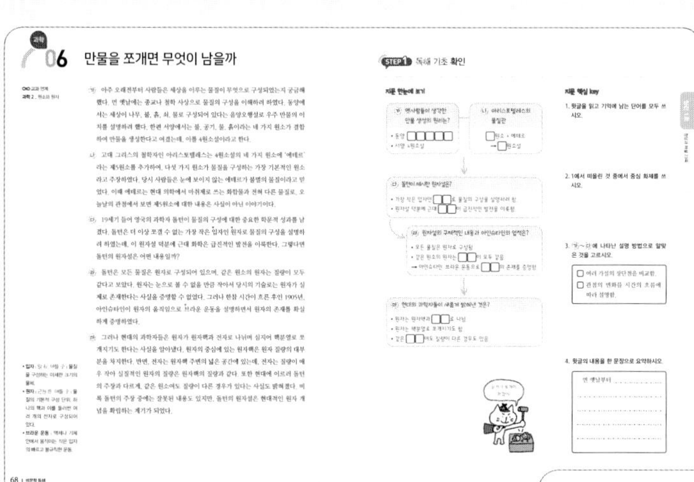

독해 실전

지문들은 중학교 교과에서 배우는 내용 가운데 학생들의 흥미와 호기심을 끌 만한 것으로 선정하였습니다. 지문을 읽은 뒤에는 단계별 독해 훈련을 통해 독해력을 향상할 수 있습니다.

STEP 1 독해 기초 확인

- 지문 한눈에 보기 | 지문 구조도를 통해 지문의 핵심 내용을 확인할 수 있습니다.
- 지문 핵심 key | 패턴화된 단답형, 서술형 문제를 통해 지문 이해도를 점검할 수 있습니다.

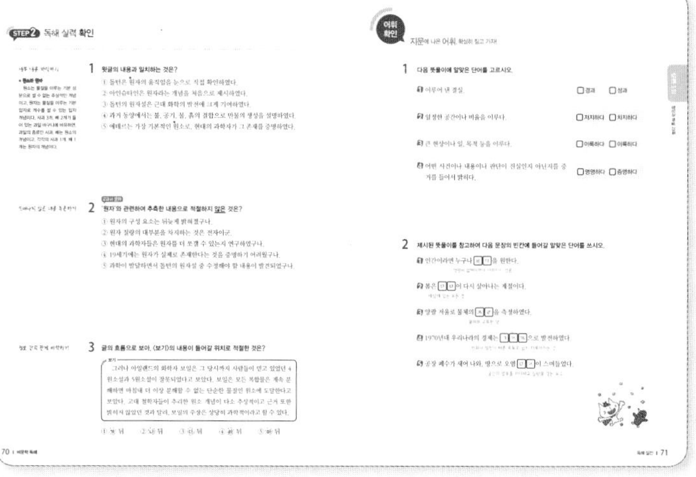

STEP 2 독해 실력 확인

- 다양한 문제를 풀며 실전 감각을 익힐 수 있습니다.
- 교과서 문제 | 국어, 사회, 과학 등 교과 내신 시험에 출제될 만한 교과서 문제를 수록하였습니다.

어휘 확인

지문에 나온 다양한 어휘를 문제를 통해 한 번 더 정리할 수 있습니다.

이 책의 차례

독해 기초 원리

독해 실전 1회

독해 실전 2회

독해 실전 3회

이 책의 학습 계획표

✎20일, 4주 완성의 학습 계획표를 통해 체계적으로 학습할 수 있어요.

일자	학습 내용		쪽수	공부 날짜	점검
1일	독해 기초 원리	원리 01, 연습 문제	10쪽~15쪽	월 일	
2일		원리 02, 연습 문제	16쪽~23쪽	월 일	
3일		원리 03, 연습 문제	24쪽~29쪽	월 일	
4일		원리 04, 연습 문제	30쪽~39쪽	월 일	
5일		원리 05, 연습 문제	40쪽~45쪽	월 일	
6일	독해 실전 1회	인문 01, 02	48쪽~55쪽	월 일	
7일		사회 03, 04	56쪽~63쪽	월 일	
8일		과학 05, 06	64쪽~71쪽	월 일	
9일		기술 07, 08	72쪽~79쪽	월 일	
10일		예술 09, 10	80쪽~87쪽	월 일	
11일	독해 실전 2회	인문 01, 02	90쪽~97쪽	월 일	
12일		사회 03, 04	98쪽~105쪽	월 일	
13일		과학 05, 06	106쪽~113쪽	월 일	
14일		기술 07, 08	114쪽~121쪽	월 일	
15일		예술 09, 10	122쪽~129쪽	월 일	
16일	독해 실전 3회	인문 01, 02	132쪽~139쪽	월 일	
17일		사회 03, 04	140쪽~147쪽	월 일	
18일		과학 05, 06	148쪽~155쪽	월 일	
19일		기술 07, 08	156쪽~163쪽	월 일	
20일		예술 09, 10	164쪽~171쪽	월 일	

수록 지문의 중학교 교과 내용 연계표

실전 1회

번호	지문	연계 교과	단원
01	인공 지능이 대신할 수 없는 것	중학교 국어 3	문제 해결 과정으로서의 읽기
02	권력 언어의 탄생과 언어의 미래	중학교 국어 1	언어의 본질
03	몽골의 가옥, 게르	중학교 사회 ①	기후 환경 극복
04	경제학과 합리적 선택	중학교 사회 ②	합리적 선택
05	기후 변화, 이제는 외면할 수 없다	중학교 과학 3	지구 온난화
06	만물을 쪼개면 무엇이 남을까	중학교 과학 2	원소와 원자
07	출동! 로봇 구조대가 간다	중학교 기술·가정 ①	기술과 사회 변화
08	냉장고에서 소리가 나는 까닭은	중학교 기술·가정 ①	기술과 사회 변화
09	성당을 지키는 괴물, 가고일	중학교 미술 ②	미술의 변천과 맥락
10	장수와 행복을 기원합니다	중학교 미술 ②	미술의 변천과 맥락

실전 2회

번호	지문	연계 교과	단원
01	〈흥부전〉이 보여 주는 조선 사회의 모습	중학교 국어 3	작품의 사회· 문화적 배경
02	새로운 단어는 어떻게 탄생할까	중학교 국어 1	언어의 본질
03	도시 환경 문제와 벽면 녹화	중학교 사회 ②	도시 문제
04	사형 제도를 둘러싼 논쟁	중학교 사회 ①	법과 재판
05	하나의 대륙에서 일곱 개의 대륙으로	중학교 과학 1	베게너의 대륙 이동설
06	식량 자원의 다양성이 줄어들고 있다	중학교 과학 1	생물의 다양성
07	유전자 기술의 발전 방향은	중학교 기술·가정 ②	미래의 기술과 생명 기술
08	엘리베이터는 어떻게 움직일까	중학교 기술·가정 ①	기술적 문제 해결
09	피아니스트의 뇌에 무슨 일이	중학교 음악 ①	자세와 연주법
10	사람들은 왜 화장을 할까	중학교 미술 ②	이미지와 시각 문화

실전 3회

번호	지문	연계 교과	단원
01	평화와 평등을 실현하는 길	중학교 도덕 ①	편견과 차별
02	수도를 옮기고 금나라를 정벌하자	중학교 역사 ②	묘청의 서경 천도 운동
03	세계에서 두루 쓸 수 있는 화폐, 국제 통화	중학교 사회 ②	국제 거래
04	조선 시대에도 출산 휴가가 있었다	중학교 사회 ①	한국 사회의 변동
05	광합성이 밝혀지기까지	중학교 과학 2	광합성에 필요한 물질
06	안경을 쓰면 잘 보이는 까닭은	중학교 과학 1	빛과 파동
07	태양광 발전의 미래	중학교 기술·가정 ②	신·재생 에너지
08	전기 차가 움직이는 원리	중학교 기술·가정 ②	수송 기술
09	천의 얼굴, 하회탈	중학교 미술 ①	조형 요소와 원리
10	마법처럼 사라진 립스틱 자국	중학교 미술 ②	미술과 다양한 분야

※ 교과 이름 옆의 숫자는 권 구분 표시입니다. 국어, 과학 등은 학년을 구분하여 1, 2, 3으로 표기하고, 교과서가 두 권으로 구성된 사회, 도덕, 기술·가정, 미술 등은 ①, ②로 표기하였습니다.

독해의 기초 원리부터 탄탄하게!

독해 기초 원리

글자 말고 의미 읽기

❶ 글의 의미를 잘 파악하기 위한 '의미 단위 읽기'

다음 중 어느 쪽이 숫자를 기억하기 더 쉬울까?

0215770902　　02 / 1577 / 0902

대부분의 사람들은 두 번째 것을 기억하기 더 쉽다고 느낀다. 우리 뇌는 큰 덩어리의 정보를 적절한 크기로 나누었을 때, 그리고 마구 나열된 정보가 의미 있게 묶여 있을 때 더 쉽게 정보를 이해하고 기억하기 때문이다.

잘 생각해 보면 우리는 글을 읽을 때 문장을 이루는 글자나 단어를 하나하나 읽지 않고, 의미상 서로 밀접한 관계가 있는 것끼리 묶어 끊어서 읽는다.

푸른 바다에 / 플라스틱 쓰레기가 / 둥둥 떠다닌다.

위 문장에서 우리는 자연스럽게 '푸른'과 '바다', '플라스틱'과 '쓰레기', '둥둥'과 '떠다닌다'를 묶어서 이해한다. 왜냐하면 '푸른'은 바다의 색을, '플라스틱'은 '쓰레기'의 종류를 나타내며, '둥둥'은 '떠다닌다'라는 말을 꾸며 움직이는 모양을 구체적으로 나타내기 때문이다. 즉, 서로 밀접히 연관된 말들이므로 묶어 이해할 수 있다. 이처럼 의미상 서로 관련 있는 한 덩어리의 단어 무리를 '의미 단위'라고 한다. 그리고 글을 읽을 때 의미 단위별로 어구를 나누어 읽는 것을 '의미 단위별 끊어 읽기'라고 한다.

바로 확인 1 〈보기〉를 참고하여 다음 문장에서 끊어 읽어야 할 곳에 ' / ' 표 하시오.

(서로 밀접한 관계에 있는 말들은 '└─┘'로 연결함.)

보기

좋은 정책은 / 우리 사회를 / 풍요롭게 만든다.

(1) 전통 음식이 한국인의 입맛에 잘 맞는다.

(2) 청소년 시기에는 성장 호르몬이 많이 분비된다.

❷ 작은 의미 단위에서 더 큰 의미 단위로

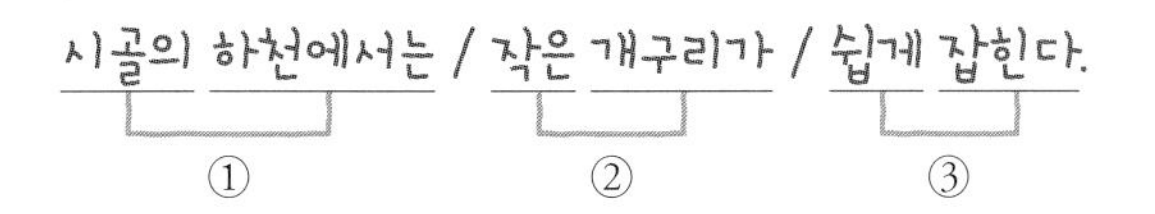
시골의 하천에서는 / 작은 개구리가 / 쉽게 잡힌다.
①
②
③

의미 단위별로 끊어 읽어 볼까?

위 문장에서 '시골의', '작은', '쉽게'는 각각 바로 뒤의 '하천', '개구리', '잡힌다'를 꾸미며 구체적인 정보를 더해 주는 말이다. 따라서 ①, ②, ③은 하나의 의미 단위이다. 그런데 이 의미 단위들을 더 가까운 것끼리 묶을 수 있을까?

㉠ [시골의 하천에서는] [작은 개구리가] (?)(① + ②)
㉡ [시골의 하천에서는] (?) [쉽게 잡힌다](① + ③)
㉢ [작은 개구리가] [쉽게 잡힌다](② + ③)

㉠과 ㉡에는 무언가 의미가 빠져 있다. 반면 '쉽게 잡히는'(③) 것은 '작은 개구리'(②)라고 설명할 수 있는 ㉢은 그 자체로 의미가 완결되므로, ②와 ③이 의미상 더 가깝다는 것을 알 수 있다.

따라서 ②와 ③을 묶어 더 큰 의미 단위로 이해할 수 있다. 마지막으로, 개구리가 잡히는 곳의 정보를 담고 있는 ①까지 묶으면 문장 전체가 하나의 의미 단위가 된다.

의미 단위별로 글을 읽다 보면 능숙한 독자가 될 수 있어!

이처럼 의미 단위는 여러 단계를 거쳐 구성되며, 작은 의미 단위는 더 큰 의미 단위로 확장될 수 있다.

바로 확인 2 다음 문장을 살펴보고, 물음에 답하시오.

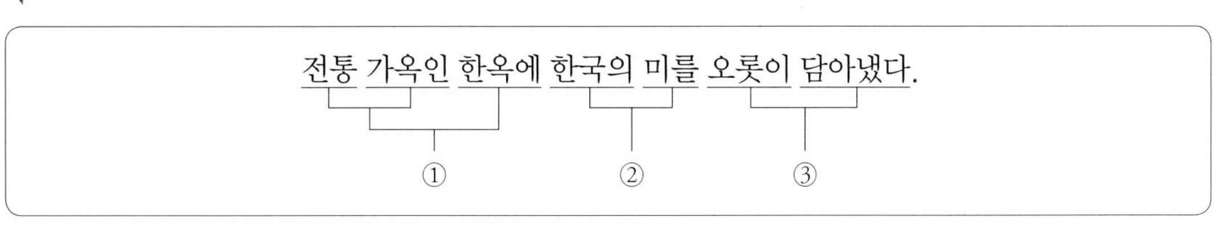
전통 가옥인 한옥에 한국의 미를 오롯이 담아냈다.
①
②
③

(1) 문장에서 끊어 읽어야 할 곳에 ' / ' 표 하시오.

(2) ①, ②, ③ 중에서 의미상 더 가까운 것끼리 묶어 보시오.

의미 단위별 끊어 읽기 (1)

다음 문장을 천천히 읽으면서 끊어 읽어야 할 곳에 ' / ' 표 하시오.

예 하얀 새가 / 하늘 위로 / 빠르게 날아갔다.

서로 밀접한 관계가 있는 말들끼리 '└─┘'로 연결해 놓았어요. 이를 참고하여 의미 단위별로 끊어 읽어 보아요.

1 정보화 시대에는 정보의 가치가 매우 중요하다.

2 화산 활동은 바다의 밑바닥에서 활발하게 발생한다.

3 자급자족 시대의 사람들은 필요한 물건을 스스로 만들었다.

4 시민 단체가 인터넷 중독 문제 해결에 적극적으로 나섰다.

5 은행 본점과 고급 상점이 새로운 도시의 중심에 빠르게 들어섰다.

의미 단위별 끊어 읽기 (2)

정답과 해설 2, 3쪽

다음 문장을 천천히 읽으면서 끊어 읽어야 할 곳에 '/' 표 하고, 빈칸에 들어갈 알맞은 말을 쓰시오.

1

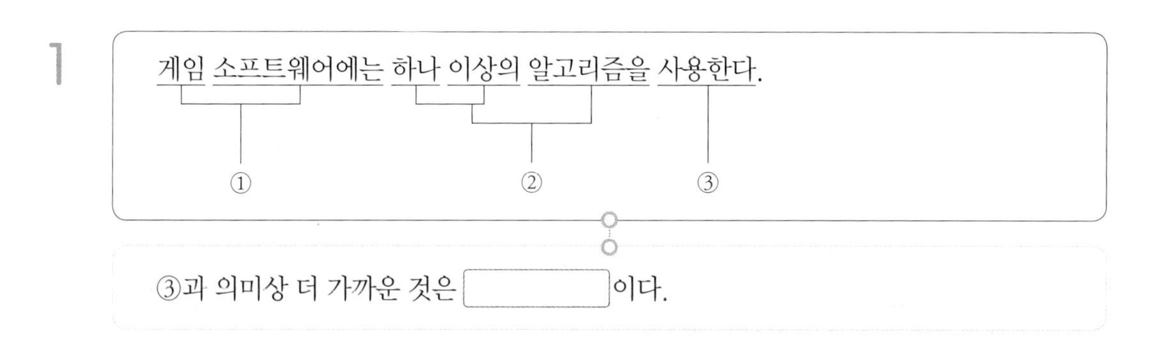

③과 의미상 더 가까운 것은 [　　　　]이다.

2

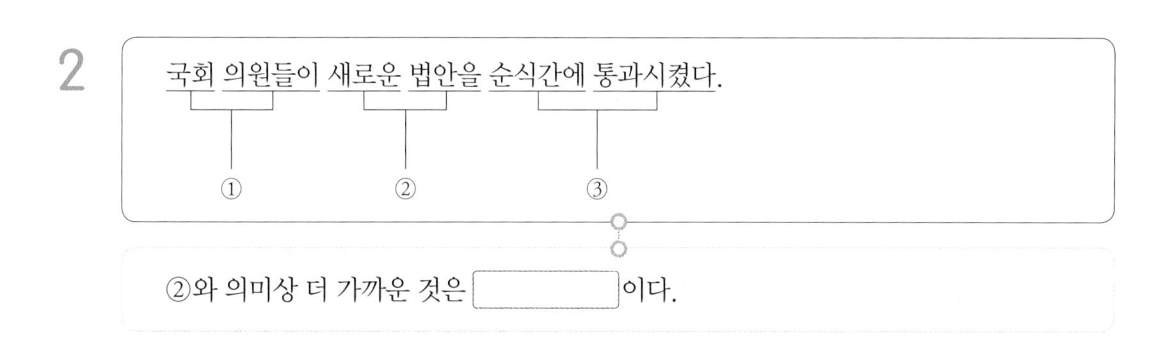

②와 의미상 더 가까운 것은 [　　　　]이다.

3

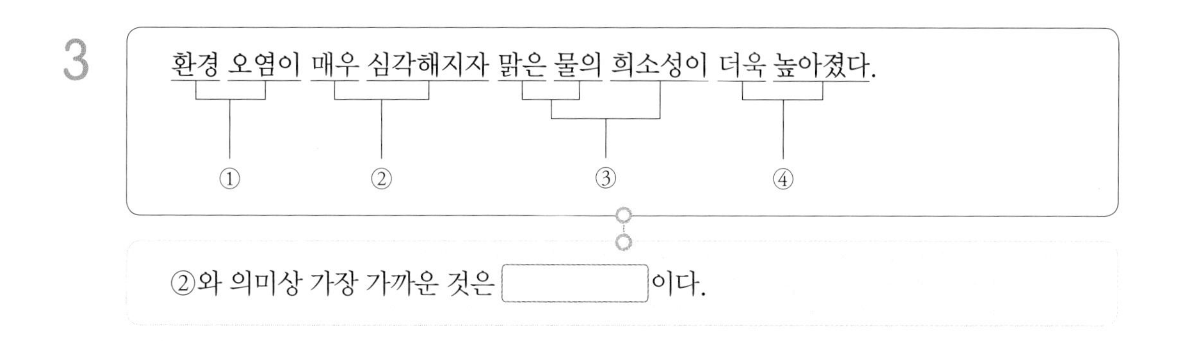

②와 의미상 가장 가까운 것은 [　　　　]이다.

의미 단위별 끊어 읽기 (3)

점선을 연결하며 '/' 표를 따라 의미 단위별로 끊어 읽은 다음, 빈칸에 들어갈 알맞은 말을 쓰시오.

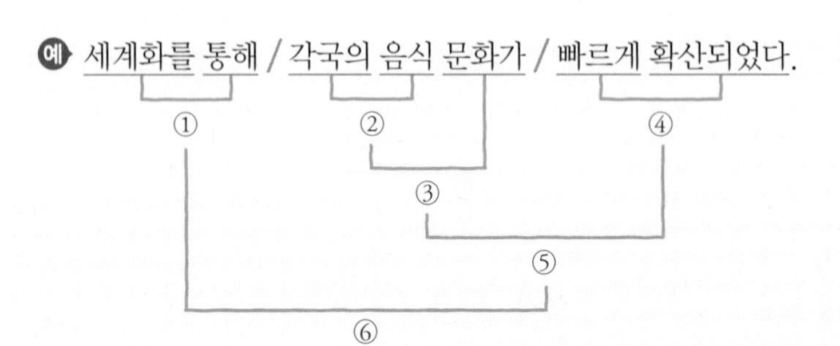

번호순으로 단어를 덩어리 지으면서 의미 단위의 크기를 확장해 나갈 수 있어요.

1

지구의 대기는 / 질소와 산소 등으로 / 이루어졌다.

• 지구의 대기를 이루는 것 중에는 [　　　　]가 있다.

2

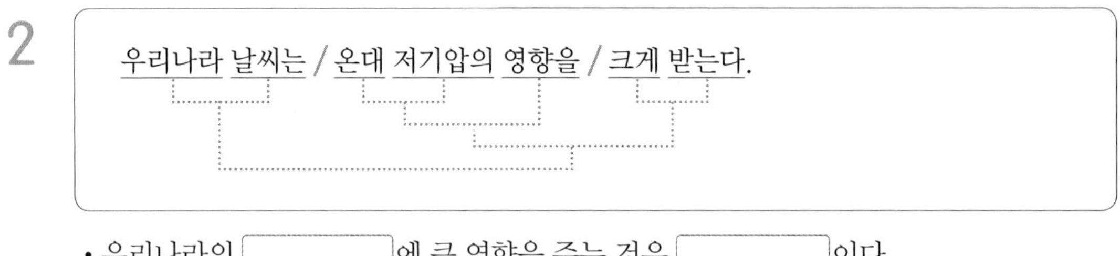

• 우리나라의 [　　　　]에 큰 영향을 주는 것은 [　　　　]이다.

3

어떤 어른들은 / 팬클럽 활동을 / 부정적으로 생각한다.

• [　　　　] 활동을 부정적으로 생각하는 [　　　　]들도 있다.

독해 원리

정답과 해설 3쪽

4

서해안의 해안선은 / 복잡하지만 / 동해안의 해안선은 / 단조롭다.

• 해안선이 복잡한 곳은 [ ]이고, 단조로운 곳은 [ ]이다.

5

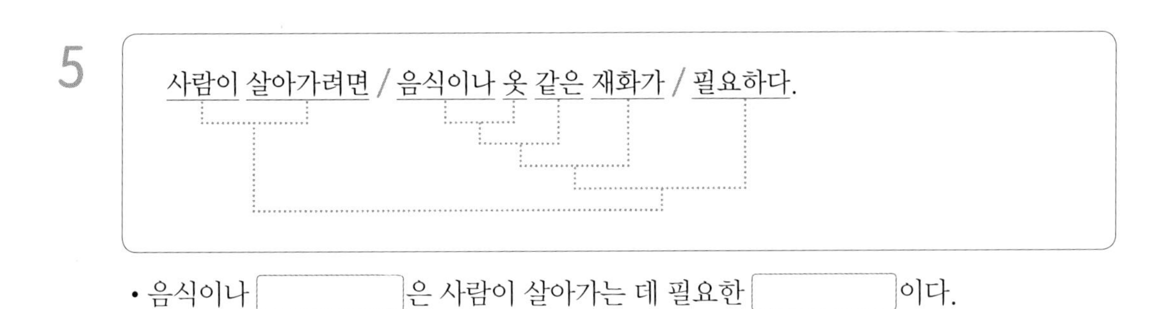

사람이 살아가려면 / 음식이나 옷 같은 재화가 / 필요하다.

• 음식이나 [ ]은 사람이 살아가는 데 필요한 [ ]이다.

6

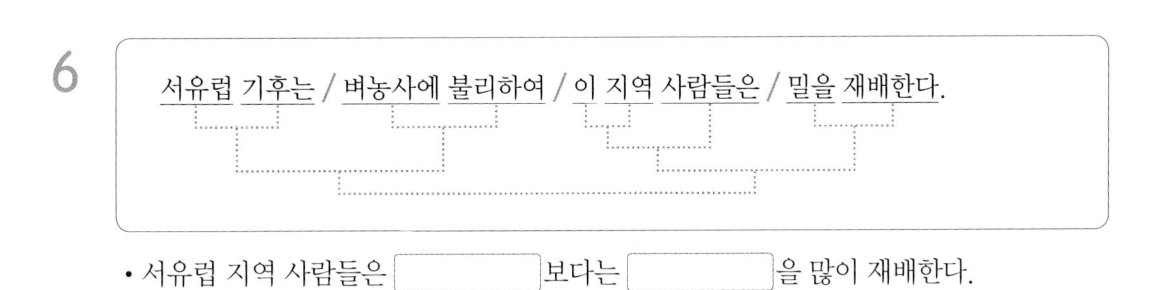

서유럽 기후는 / 벼농사에 불리하여 / 이 지역 사람들은 / 밀을 재배한다.

• 서유럽 지역 사람들은 [ ]보다는 [ ]을 많이 재배한다.

7

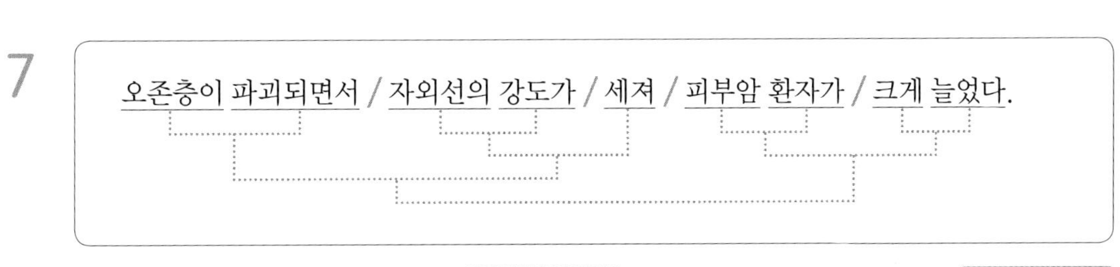

오존층이 파괴되면서 / 자외선의 강도가 / 세져 / 피부암 환자가 / 크게 늘었다.

• 자외선의 강도가 세진 원인은 [ ]이 파괴된 데 있고, 그 결과 [ ] 환자가 크게 늘었다.

독해 원리 02

문장 연결하며 읽기

❶ 문장 간의 연결 관계를 고려하며 읽기

한 편의 글은 많은 문장으로 이루어져 있다. 글쓴이는 자신이 전달하려는 내용을 의미상 관련이 있는 여러 문장으로 나타내며, 이 문장들이 서로 긴밀하게 연결되도록 한다.

나는 피아노를 잘 치고 싶다. 피아노 연주가 어렵다.

두 문장이 서로 관련 있는 이유는 '피아노'라는 화제를 공통으로 다루고 있기 때문이다. '피아노'가 두 문장을 연관 짓는 연결 고리인 것이다. 이 두 문장을 더 밀접하게 연결할 방법이 있을까?

나는 피아노를 잘 치고 싶다. 그런데 피아노 연주가 어렵다.

'그런데'는 이야기를 앞의 내용과 관련시키면서 다른 방향으로 바꾸는 접속 표현이다. 이 표현을 사용하면, 피아노를 잘 치고 싶은 바람과 달리 피아노 연주에 어려움을 겪는 글쓴이의 상황이 드러나면서 앞뒤 문장이 자연스럽게 연결된다.

이처럼 글을 이루는 각 문장은 서로 연관되어 있다. 따라서 글을 읽을 때는 문장들 사이의 연결 고리를 고려하면서 읽어야 글의 의미를 제대로 파악할 수 있다.

바로 확인 1 두 문장을 연결하는 공통 화제와 접속 표현을 찾아 〈보기〉와 같이 표시하시오.

보기

지역 방언에는 그 지역 사람들의 삶의 방식과 정서가 녹아 있다. 그래서 지역 방언은 그 자체로 가치가 있다.

(1) 대화는 두 사람 이상이 모여 말로써 서로의 생각과 느낌을 주고받는 의사소통 방법이다. 하지만 모든 대화가 생각대로 잘 이루어지지는 않는다.

(2) 우리나라를 찾는 점박이물범은 여름에는 백령도 근처에 머물러 지낸다. 그리고 늦가을이 되면 점박이물범들은 모두 중국 보하이만으로 이동한다.

2 문장을 연결하는 고리

문장과 문장을 연결하는 방식에는 여러 가지가 있다. 문장을 연결하는 요소를 하나씩 살펴보자.

❶ 대용 표현

'대용(代用)'이란 대신하여 다른 것을 쓴다는 뜻으로, 대용 표현은 앞에서 언급한 내용을 대신하는 표현이다.

㉠ 수아는 오늘 학교에 갔다. 주하도 그랬다.

㉡ 정하는 가게에 갔다. 아빠가 그곳에 있었다.

㉠에서 '그랬다'는 앞 문장의 '오늘 학교에 갔다'를 대신하는 대용 표현이고, ㉡에서 '그곳'은 앞 문장의 '가게'라는 장소를 대신하는 대용 표현이다. 대용 표현으로는 '이때', '그때', '이 점', '그 점', '이 중', '그중'처럼 '이'나 '그'가 붙은 말을 많이 사용한다.

대용 표현

우리나라 전래 동화 중에 다른 나라 동화와 놀랍도록 비슷한 것이 있다. 〈콩쥐팥쥐〉도 그중 하나다.

대용 표현이 대신한 내용

앞서 나온 내용과 대용 표현 사이의 연결 관계를 놓치면 글을 이해하기 어려워진다. 그러므로 글을 읽다가 대용 표현을 발견하면 위와 같이 대용 표현이 앞 문장의 어떤 내용을 받아 대신하고 있는 것인지를 찾아 연결해 보는 것이 좋다.

무엇을 대신
나타낸 건지
다 찾아내야지!

바로 확인 2 〈보기〉와 같이 대용 표현을 찾고, 무엇을 대신한 내용인지 찾아 연결하시오.

보기

조선 시대 때 신문고가 설치되었다. 이는 백성들이 억울한 일이 있을 때 왕에게 직접 호소할 수 있는 장치였다.

(1) 석주명은 나비 연구를 생물학에 국한하지 않았다. 그의 나비 연구는 자연 과학을 넘어 인문학적 탐구까지 포괄하였다.

(2) 남과 구분되는 나만의 고유한 특성을 개성이라고 한다. 이를 잘 가꾸어 나가면 자신을 더 매력적인 존재로 만들 수 있다.

❷ 접속 표현

접속 표현은 '그리고', '그러나'처럼 문장과 문장을 이어 주는 말로, 글에 사용된 접속 표현은 문장 사이의 연결 관계를 명확히 드러내 준다. 문장에 쓰인 접속 표현을 보면 문장 간의 의미 관계를 쉽게 짐작할 수 있다.

사람들이 수도권과 대도시로 몰려드는 현상이 심해지고 있다. 그래서 지방과 소도시는 점차 활력을 잃고 있다.

'그래서'는 '원인과 결과' 관계인 두 문장을 이어 준다. 위 예문에서도 '그래서'를 기준으로 하여 앞 문장은 원인을, 뒤 문장은 그에 따른 결과를 드러내고 있다. 이처럼 접속 표현을 알아 두면 이어진 문장의 앞뒤 의미 관계를 파악하는 데에 도움이 된다.

앞 내용	접속 표현	뒤 내용
원인, 까닭, 근거	그래서, 그러므로, 따라서, 때문에	결과, 주장
비슷한 내용	그리고, 또한	비슷한 내용
앞 문장의 내용	그러나, 하지만, 그렇지만, 반면에	앞 문장과 반대되는 내용

그런데 접속 표현이 직접 드러나지 않는 문장도 있다. 이때에는 문장들이 내용상 서로 어떤 관계인지 생각해 보고, 생략된 접속 표현이 무엇일지 추측해 보아야 한다. 그리고 두 문장 사이에 들어갈 적절한 접속 표현을 넣어 보면서, 문장 간의 의미 관계를 파악해 볼 수 있다.

바로 확인 3 접속 표현을 고려해 문장들 사이의 의미 관계를 파악하시오.

(1)

①학생들의 스마트폰 중독이 점점 심각해지고 있다. ②따라서 학생들은 스마트폰 사용 습관을 바로잡아야 한다.

▶ ①과 ② 사이의 의미 관계: 근거 – ☐☐

(2)

①자율 주행차는 운전자에게 많은 편의를 가져다준다. ②하지만 운전자의 안전은 아직 충분히 보장하지 못한다.

▶ ①과 ② 사이의 의미 관계: 앞 문장의 내용(자율 주행차의 장점) – 앞 문장과 ☐☐되는 내용(자율 주행차의 단점)

❸ 연관된 단어 · 어구의 연결

문장을 구성하는 단어와 어구들 사이에서도 연결 고리를 발견할 수 있다. 어떤 글에서는 앞서 나온 단어와 뜻이 같거나 비슷한 단어, 또는 뜻이 반대되는 단어를 써서 내용을 확장시킨다. 때로는 서로 포함 관계에 있는 단어를 통해 내용이 연결되기도 한다.

돈은 화폐의 제조를 담당하고 있는 조폐공사에서 생산된다.
'돈'과 '화폐'는 비슷한 의미를 가진 단어임.

글에 제시된 많은 정보를 각각 받아들이면 기억할 정보가 많아져 글을 이해하기 힘들어진다. 하지만 의미상 서로 관련 있는 단어나 어구들을 연결해서 이해하면 정보를 더 쉽고 정확하게 파악할 수 있다.

한 번 파괴된 자연은 복원하기 어렵다. 생태계는 개발해야 하는 대상이 아니라, 공존해야 할 생명이라는 점을 기억해야 한다.

위 예문에 사용된 단어 간의 관계를 파악하면 '자연', '생태계', '공존해야 할 생명'은 비슷한 의미를 가진 말로 연결해 이해할 수 있다. 그리고 '개발해야 할 대상'은 이들과 반대되는 의미를 가진 말이다.

자연 – 생태계 – 공존해야 할 생명 ↔ 개발해야 할 대상

단어
어구
단어
연관된 단어와 어구라면
연결해서 이해할 수 있지!

이와 같이 정보를 다발로 묶어서 이해하면, 정보 간의 관계가 명확하게 파악되고 글에서 말하고자 하는 핵심 내용이 무엇인지도 쉽게 알 수 있다.

바로 확인 4 다음 글에서 연관된 단어와 어구를 찾아 연결해 읽을 때, 빈칸에 알맞은 말을 쓰시오.

직업을 신의 명령으로 이해하고, 근면과 절약을 통해 이룬 개인의 성공을 구원의 증거로 본 청교도 윤리의 등장은 생산 활동과 부의 축적에 대한 부정적 인식을 사라지게 한 계기가 되었다.

▶ 연결해 읽을 단어 및 어구

(1) 직업 – 신의 ☐☐ – ☐☐ 활동

(2) 근면과 ☐☐을 통해 이룬 개인의 성공 – 구원의 증거 – ☐의 축적

대용 표현을 고려해 문장 연결하며 읽기

표시된 대용 표현이 어떤 내용을 대신하였는지 알맞은 것을 골라 ◯ 표 하시오.

1

최근에는 동요를 새롭게 작곡하는 대신, 우리의 전통 민요를 찾아 [그것]을 동요로 고쳐서 다시 짓기도 한다.

동요	전통 민요

2

신라, 백제, 고구려 삼국은 한반도 중앙에 위치한 한강 유역을 두고 다투었는데, 가장 먼저 [이곳]을 영토로 삼은 국가는 백제였다.

한반도	한강 유역

3

청소년은 주어진 시간을 어떻게 사용할지 스스로 계획하여 실천하는 자기 관리 능력을 갖추어야 한다. [이]와 함께 자신에게 닥친 다양한 문제 상황을 직접 해결하는 주체적인 삶의 태도도 지녀야 한다.

자기 관리 능력을 갖추어야 한다	주체적인 삶의 태도를 지녀야 한다

4

수용액에서 이온이 반응을 일으키려면 특정한 양이온과 음이온이 만나야 한다. [그러한] 조건이 아니면 이온 사이의 반응은 일어나지 않는다.

수용액에서 이온 반응이 일어나야 한다	특정한 양이온과 음이온이 만나야 한다

접속 표현을 고려해 문장 연결하며 읽기 (1)

정답과 해설 5쪽

표시된 접속 표현을 기준으로 할 때, 앞 내용과 뒤 내용의 의미 관계로 적절한 것을 골라 ◯ 표 하시오.

1

사이버 공간은 인종, 국적 등에 상관없이 누구나 평등하게 자신의 의견을 밝히는 공간이다. [이 때문에], 사이버 공간에는 매우 다양한 생각과 문화들이 함께 공존한다.

비교	원인 – 결과	문제 – 해결 방안

2

해바라기, 샐러리와 같은 쌍떡잎식물은 관다발이 줄기 가장자리에 규칙적으로 배열되어 있다. [반면] 백합, 옥수수와 같은 외떡잎식물은 관다발이 불규칙적으로 흩어져 있다.

대조	결과 – 이유	문제 – 해결 방안

'대조'란 앞 내용과 반대되거나 일치하지 않는 내용이 뒷부분에 나타나는 의미 관계를 뜻합니다.

3

멕시코 출신의 화가 프리다 칼로는 수없이 많은 자화상을 그렸다. [왜냐하면] 자신의 모습을 직접 그림으로써 외로움을 극복할 수 있고 진정한 내면을 표현할 수 있다고 믿었기 때문이다.

결과 – 원인	목적 – 수단	문제 – 해결 방안

4

우리나라가 분단국가가 된 요인은 크게 두 가지로 나누어진다. [첫째] 한반도를 둘러싼 강대국이 서로 대립하였다는 국제적 요인과 [둘째] 민족의 역량을 한데 모으지 못하고 분열하였다는 국내적 요인이 그것이다.

과정	예시	나열

'첫째', '둘째', '하나', '둘', '우선', '먼저' 등은 여러 가지 사실이나 예를 늘어놓을 때 쓰입니다.

접속 표현을 고려해 문장 연결하며 읽기 (2)

다음 제시된 문장들 사이의 의미 관계를 고려하여, 빈칸에 들어갈 알맞은 접속 표현을 골라 ◯ 표 하시오.

1

파라오의 통치 아래 고대 이집트인들은 ①나일강의 범람을 예측하고 관개 시설을 정비하였다. [ ] ②태양을 기준으로 하는 태양력을 사용하여 농사를 짓기에 적절한 시기를 알아냈다.

①과 ②는 서로 대등한 내용이다. 따라서 빈칸에는 (그리고 , 그러므로 , 그러나)가 들어가는 것이 자연스럽다.

'대등하다'는 '어느 한쪽이 낫거나 못하지 않고 서로 비슷하다.'라는 뜻이에요.

2

①기상 이변으로 각국에 큰 피해가 발생하고 있다. [ ] ②태국에서는 수백 명의 사람이 최악의 대홍수로 목숨을 잃었고, 오스트레일리아에서는 소와 양을 방목하며 살던 사람들이 극심한 물 부족 사태를 겪었다.

①은 어떤 현상에 대한 설명이고, ②는 ①의 구체적인 예이다. 따라서 빈칸에는 (가령 , 반면 , 하지만)이 들어가는 것이 자연스럽다.

3

①한 사람의 힘으로 세상을 긍정적으로 바꾸기는 어렵다. [ ] ②한 사람이 지닌 힘은 미약하기 때문이다. [ ] ③그 한 사람의 영향력을 지지하고 그 지지를 행동으로 보여 주는 더 많은 사람의 힘이 필요하다.

(1) ①은 결과, ②는 이유에 해당한다. 따라서 ①과 ② 사이의 빈칸에는 (또한 , 만일 , 왜냐하면)이 들어가는 것이 자연스럽다.

(2) ③은 주장이고 ①과 ②는 이를 뒷받침하는 근거에 해당한다. 따라서 ②와 ③ 사이의 빈칸에는 (그리고 , 그래서 , 특히)가 들어가는 것이 자연스럽다.

연관된 단어·어구 연결하며 읽기

정답과 해설 6쪽

다음 글에서 의미상 연관된 단어와 어구를 연결해 읽을 때, ㉠~㉤ 중 연관성이 가장 적은 것을 고르시오.

1

군인들이 정치를 하던 고려의 무신 정권기에는 ㉠이의민을 비롯한 ㉡천민 출신이 권력을 쥐는 경우가 종종 나타났다. 이처럼 ㉢노비나 ㉣낮은 지위에 있던 사람이 ㉤윗사람을 꺾고 권력을 잡는 풍조가 널리 퍼지자, 고려 사회의 신분 질서는 흔들리게 되었다.

2

미술 작품 중에는 현실이 아닌 ㉠상상의 세계를 표현한 작품들이 많다. ㉡무의식 속 장면, ㉢실제로 없을 것 같은 기묘한 풍경, ㉣신비로운 동화 속 세상 등을 표현한 작품들은, 우리에게 ㉤일상의 단조로움에서 벗어나 생동감을 느끼게 한다.

3

물질이 ㉠액체에서 기체로 변할 때는 물질을 이루고 있는 ㉡분자들이 점점 불규칙하게 배열된다. 이 과정에서 ㉢분자 사이의 거리가 멀어지므로 그 결과 ㉣물질의 부피가 증가한다. 반대로, 물질이 기체에서 액체로 변할 때에는 ㉤분자들이 점점 규칙적으로 배열되면서, 분자 사이의 거리가 가까워지고 물질의 부피가 감소한다.

4

사람에게는 ㉠주관적인 눈과 객관적인 눈이 있다. 암스트롱이 아폴로 11호를 타고 인류 최초로 달에 발을 내디딘 후, 달에 생명체가 살지 않는다는 것은 ㉡과학적 사실로 증명되었다. 하지만 우리는 ㉢'달에 계수나무가 있다'는 믿음을 여전히 마음 한편에 갖고 있다. 이 믿음은 사실과 다르지만 우리의 ㉣마음을 따뜻하게 만들어 준다. 사실은 사실대로 인정하면서도 우리의 ㉤마음에 풍요로움을 느끼게 하는 눈을 함께 갖는 것은 어떨까?

독해 원리 03 중심 화제와 핵심 정보 찾으며 읽기

❶ 가장 빛나는 주연을 찾아라! – 중심 화제 찾으며 읽기

콜라 싫어 싫어, 홍차 싫어 싫어, 새까만 커피 Oh~ no!
핫초코 싫어 싫어, 사이다 싫어 싫어, 새하얀 우유 Oh~ yes!
맛 좋고 색깔 좋고 영양도 최고, 깔끔한 내 입맛엔 우유가 딱이야.

위 동요는 '무엇'을 노래한 곡일까? 앞부분만으로는 짐작하기 어렵지만, 노래를 다 부르고 나면 맛과 영양이 뛰어난 '우유'가 노래의 주연이고, '콜라', '홍차', '핫초코'는 주연을 빛내기 위해 등장한 조연임을 알 수 있다.

글을 읽을 때는 글의 주연인 '무엇', 즉 글의 '중심 화제'를 찾으며 읽어야 한다. 일단 중심 화제만 찾아내면 그것을 바탕으로 하여 글쓴이의 의도와 글의 주제를 파악할 수 있다.

위 노래의 '우유'처럼 글에서 핵심이 되는 단어 하나가 중심 화제인 경우도 있지만, '우유의 장점', '우유의 기능'처럼 핵심 단어를 포함한 구체적 내용이 중심 화제일 때도 있다. 또한 위 노래에서 두 번 반복되어 제시되는 '우유'와 같이 가장 많이 반복되는 말이 중심 화제일 가능성이 크다. 반복되는 말이 여러 개일 때는, 이것들의 관계를 고려해 글쓴이가 무엇을 가장 주연으로 내세운 것일지 생각해 중심 화제를 찾아야 한다.

바로 확인 1 다음 글을 읽고, 물음에 답하시오.

> 시의 운율은 시를 읽을 때 느껴지는 말의 리듬을 말한다. 운율은 시에 음악성을 더하는 요소로, 일정한 위치에 같은 소리, 단어 등이 반복되면서 만들어지기도 하고, 같거나 비슷한 문장 구조를 반복하면서 형성되기도 한다. 운율의 종류로는 외형률과 내재율이 있는데, 외형률은 시의 바깥에 뚜렷이 드러나는 운율이며, 내재율은 시 안에서 은근히 느껴지는 운율이다.

(1) 윗글에서 가장 많이 반복되는 말을 두 개 찾아 쓰시오.

(2) 반복되는 말 중, 중심 화제에 더 가까운 것을 고르시오.

❷ 질문과 맥락을 활용하자! – 핵심 정보 찾으며 읽기

아래 노래에는 '우유'와 관련된 다양한 정보가 담겨 있다. 그렇다면 많은 정보 중에서 '핵심 정보'는 무엇일까?

> ㉠단백질 칼슘도 왕, 비타민 가득, 건강한 내 입맛엔 우유가 딱이야.
> 우유 좋아, 우유 좋아, 우유 주세요, 더 주세요~
> ㉡우유 좋아, 우유 좋아, 세상에서 제일 좋아~ 우유 없는 세상은 상상하기도 싫어, 싫어.

핵심 정보란 글쓴이가 글에서 특별히 더 관심을 두거나 중요하게 강조하는 정보이다. 만약 글쓴이가 '우유가 왜 좋을까?'라는 질문을 던지며 노래를 만들었다면 그 물음의 답인 ㉠이 핵심 정보이다.

반면 '나는 무엇이 좋을까?'라는 질문을 던지며 노래를 만들었다면 ㉡이 핵심 정보이다. 이처럼 같은 내용의 글이라도 글쓴이가 어떤 의도로 글을 구성했는지에 따라 핵심 정보는 달라질 수 있다.

글쓴이는 '~은 무엇일까?/~에 대해 살펴보자.'와 같은 표현을 써서 눈여겨보아야 할 핵심 정보를 넌지시 알려 주기도 한다.

이런 표현이 없더라도 글의 흐름 즉, 맥락을 통해 글쓴이의 의도를 고려하여 핵심 정보를 찾을 수 있다.

질문과 맥락에
주목해서
핵심 정보를
찾을 수 있어.

바로 확인 2 다음 글에서 핵심 정보를 찾으려 한다. 물음에 답하시오.

> 매사냥은 언제, 어디에서 시작되었을까? ①기록에 따르면 매사냥은 4,000여 년 전 고대 중앙아시아와 서아시아에서 시작되어 세계로 퍼져 나갔다. ②메소포타미아 유적지에서는 매사냥꾼을 새긴 유물이 발견되었고, 마르코 폴로의 《동방견문록》에는 쿠빌라이 황제가 사냥터로 떠날 때 다양한 매 500마리를 동원한 기록이 남아 있다.

(1) 핵심 정보를 찾을 수 있는 단서가 나타난 문장을 쓰시오.

(2) ①, ② 중 윗글의 핵심 정보를 담고 있는 문장의 번호를 쓰시오.

중심 화제 찾기 (1)

다음 글을 읽고, 중심 화제로 알맞은 것을 골라 ○ 표 하시오.

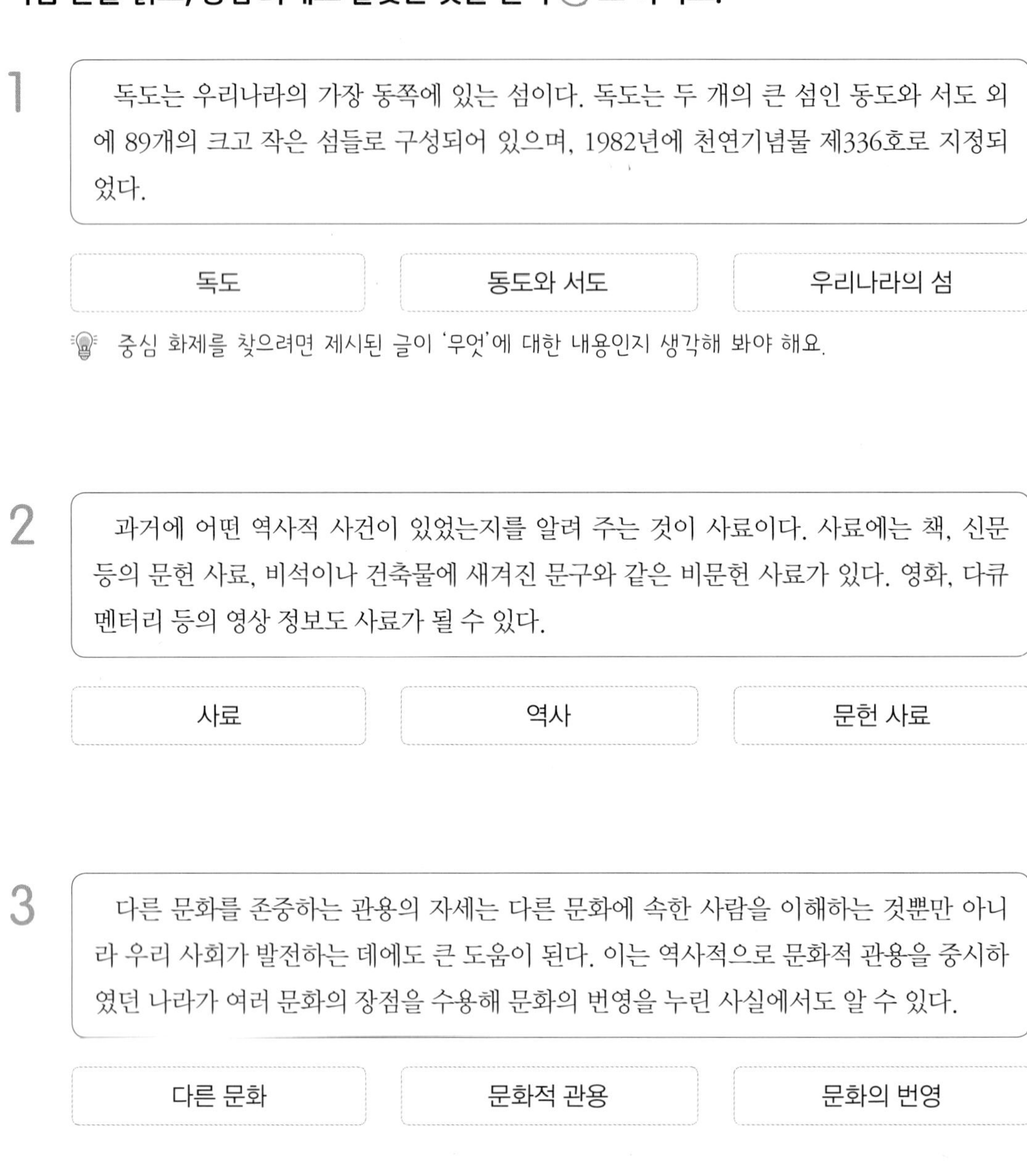

1

독도는 우리나라의 가장 동쪽에 있는 섬이다. 독도는 두 개의 큰 섬인 동도와 서도 외에 89개의 크고 작은 섬들로 구성되어 있으며, 1982년에 천연기념물 제336호로 지정되었다.

독도	동도와 서도	우리나라의 섬

중심 화제를 찾으려면 제시된 글이 '무엇'에 대한 내용인지 생각해 봐야 해요.

2

과거에 어떤 역사적 사건이 있었는지를 알려 주는 것이 사료이다. 사료에는 책, 신문 등의 문헌 사료, 비석이나 건축물에 새겨진 문구와 같은 비문헌 사료가 있다. 영화, 다큐멘터리 등의 영상 정보도 사료가 될 수 있다.

사료	역사	문헌 사료

3

다른 문화를 존중하는 관용의 자세는 다른 문화에 속한 사람을 이해하는 것뿐만 아니라 우리 사회가 발전하는 데에도 큰 도움이 된다. 이는 역사적으로 문화적 관용을 중시하였던 나라가 여러 문화의 장점을 수용해 문화의 번영을 누린 사실에서도 알 수 있다.

다른 문화	문화적 관용	문화의 번영

4

좋은 기업이, 좋은 뜻을 갖고, 좋은 방식으로 만든 상품을 소비하겠다는 윤리적 소비가 점차 늘고 있다. 이는 만들어진 상품만 보고 소비하는 것이 아니라 원재료를 얻은 후 제품을 만들고 이를 유통하는 과정까지 살펴보고, 더 나아가 기업의 정신까지 따지며 소비하는 것을 가리킨다. 이웃, 사회, 자연에 미칠 영향까지 고려한 소비 행위인 것이다.

소비 행위	기업의 정신	윤리적 소비

중심 화제 찾기 (2)

정답과 해설 7, 8쪽

다음 글을 읽고, 중심 화제를 찾아 ☐ 표 하시오.

예 [두부로 만들 수 있는 음식]은 매우 다양하다. 두부부침, 두부찌개, 두부조림 등이 그 예이다.

중심 화제는 한 단어일 수도 있고, 예와 같이 두세 단어 이상의 어구일 수도 있어요.

1

음악을 더 가까이하고, 즐기고 싶은데 뜻대로 되지 않아 아쉬워하는 사람들이 있다. 그런 사람들이 음악과 친해지는 방법이 있다. 음악을 많이 듣는 것에서 머물지 말고 그 음악이 어떠한 배경에서 어떠한 형식으로 만들어졌는지, 작곡자는 누구인지, 관련된 에피소드는 무엇인지 등을 알아보면 더 좋다. 다른 사람들이 그 음악을 듣고 느낀 점을 참고하거나, 자신이 느낀 점과 비교해 보는 것도 좋은 방법이다. 이렇게 하면 자신도 모르는 사이에 음악에 대한 이해와 흥미가 더 높아질 것이다.

2

무게와 질량의 차이는 다음과 같다. 무게는 물체에 작용하는 중력의 크기이고, 질량은 물체의 고유한 양이다. 중력은 지구에서뿐만 아니라 달이나 화성과 같은 다른 천체에서도 작용한다. 이때 천체마다 중력의 크기가 다르므로 물체의 무게도 다르게 측정된다. 그러나 질량은 물체가 가지고 있는 고유한 양이므로 장소가 달라지더라도 변하지 않는다. 예를 들어 질량이 300g인 사과의 무게는 지구에서 2.94N이다. 이 사과는 달에서도 질량은 300g이지만 무게는 지구에서의 1/6인 0.49N이다.

• N은 힘의 단위로, 뉴턴이라 읽는다. 무게의 단위로도 쓰인다.

3

옛날에는 '과학자'라는 용어가 없었다. 고대 그리스의 아리스토텔레스는 철학뿐만 아니라 과학 분야도 연구한 학자였다. 르네상스 시대의 레오나르도 다 빈치는 화가로 알려져 있으나, 그가 남긴 노트에는 오늘날에 볼 수 있는 최신 공학 기구들의 설계도와 인체를 해부한 기록이 남아 있다. 그러나 우리는 이 두 사람을 가리켜 과학자라고 부르지는 않는다.

우리가 생각하는 의미의 과학자는 그보다 훨씬 나중에야 등장했다. '과학자'라는 용어를 처음 쓴 사람은 영국의 자연 철학자 휴엘이다. 그는 1840년경 자연 과학 분야의 지식을 연구하고 이해하는 사람을 뜻하는 말로 '과학자'라는 용어를 사용했다.

질문과 맥락을 고려해 핵심 정보 찾기 (1)

밑줄 친 부분을 고려하여 글의 핵심 정보가 담긴 문장을 고르시오.

1

모든 신념이 바람직하다고 할 수 있을까? ①한 식품 판매업자의 신념이 '수단과 방법을 가리지 않고 큰돈을 벌면 된다.'라면 어떨까. ②그는 자신의 신념에 따라 이윤을 늘리기 위해 식품의 원산지를 속이고 값싼 식품을 비싸게 팔지도 모른다. ③이처럼 타인에게 해를 끼치는 바람직하지 않은 신념도 있다.

2

선사 시대 미술의 특징은 무엇일까? ①흔히 미술은 대상의 아름다움과 가치를 표현하는 예술로 알려져 있다. ②그러나 선사 시대의 라스코 동굴 벽화, 빌렌도르프의 비너스에는 그런 미술의 특징이 잘 드러나지 않는다. ③그 대신 더 많은 생산과 출산을 비는 주술적 성격이 강하게 나타난다.

3

조선 후기 서민 음악에는 민요, 판소리, 산조 등이 있었다. 그중에서도 서민 음악을 대표하는 민요는 이 시기에 큰 변화를 겪는다. ①보통 사람들이 일상에서 부르던 노래가 민요였다. ②그런데 조선 후기에 직업적으로 노래를 부르는 전문 소리꾼이 등장해 민요를 예술적으로 재구성하였다. ③그래서 이 시기의 민요를 과거의 향토 민요와 구분해 통속 민요라고도 부른다.

4

19세기 초반에 내연 기관 자동차보다 먼저 등장했던 전기 차가 20세기 후반에 들어서서 다시 주목받게 된 이유는 무엇일까? ①이를 알기 위해서는 친환경성 같은 전기 차의 장점 외에도 자동차 개발과 국제 유가 사이의 관계를 함께 살펴봐야 한다. ②19세기 중반에는 석유 가격이 높았기 때문에 석유가 소모되지 않는 전기 차의 개발과 이용이 활발하였다. ③하지만 이후 20세기 들어서 유가가 하락하면서 굳이 효율이 좋지 않은 전기 차를 이용할 필요가 없어져 휘발유를 연료로 사용하는 내연 기관차의 개발이 활발해졌다. ④그러나 20세기 후반 다시 유가가 폭등하자 전기 차의 인기가 늘어 전기 차 개발과 이용이 활발해졌다.

질문과 맥락을 고려해 핵심 정보 찾기 (2)

정답과 해설 9쪽

밑줄 친 부분을 고려하여 글의 핵심 정보와 가장 거리가 먼 것을 고르시오.

1

문학 작품에 대한 해석과 평가는 독자마다 다를 수 있다. 물론 자유로운 해석과 평가는 최대한 보장되어야 하지만 모든 해석과 평가가 허용될 수는 없으므로 독자들이 유의해야 할 것이 있다. 문학 작품을 해석하고 평가할 때에는 항상 작품을 바탕으로 하여 그에 대한 타당한 근거를 제시할 수 있어야 한다는 것이다.

모든 해석을 허용함.	작품을 바탕으로 해석함.	평가의 타당한 근거를 제시함.

2

우주선에 김치를 싣고 가려면 김치에 포함된 수분을 제거해서 무게를 줄여야 한다. 그런데 김치에 열을 가해서 수분을 증발시키면 김치 고유의 맛이 사라져 버린다. 식품의 맛을 유지하면서 수분을 제거하는 방법은 무엇일까? 영하 50~70도 정도의 저온에서 식품 속의 수분을 급속 냉동시켜 얼린 뒤, 진공 상태의 건조기에서 얼음을 수증기로 바꾸어 증발시키는 진공 동결 건조법을 사용하면 된다. 열을 가하지 않은 채 수분을 제거하는 방식이기 때문에 음식의 맛을 지킬 수 있는 것이다.

높은 열을 가함.	진공 동결 건조법	얼음을 수증기로 증발시킴.

3

가짜 뉴스는 개인이나 사회에 부정적인 영향을 미친다. 개인에게는 명예 훼손이나 사생활 침해 등의 피해를 입힐 수 있고, 사회적으로는 구성원 간의 신뢰를 떨어뜨리고 혼란을 야기할 수 있다.

그렇다면 가짜 뉴스 문제를 해결하는 방법은 무엇일까? 사회적 차원에서는 기술적 대응 방안을 마련해야 한다. 예컨대 가짜 뉴스 여부를 자동으로 확인할 수 있는 프로그램을 개발하여 가짜 뉴스를 차단하는 것이다. 개인적 차원에서는 뉴스를 접할 때 아무 의심 없이 정보를 수용하기보다는 신중하고 비판적인 태도로 정보의 신뢰성을 따지는 태도를 가지는 것이다.

기술적 대응 방안	가짜 뉴스의 영향력	신중하고 비판적인 태도

중심 내용 찾으며 읽기

① 글에서 가장 중요한 내용을 파악하며 읽기

[1] 엄마! 저 승훈이에요. 아침에 제가 갑자기 화를 냈어요. [2] 어제 친구와 싸워서 계속 기분이 좋지 않아 그랬나 봐요. [3] 그렇다고 해도 엄마한테 화를 내면 안 됐는데. [4] 많이 당황하고 서운하셨죠? [5] 저도 학교 가는 길에 계속 후회했어요. [6] 엄마! 제가 잘못했고, 정말 미안해요.

승훈이가 엄마에게 쓴 위 편지를 문자로 보내기 위해 내용을 줄이려면 어떻게 해야 할까? 이 문장들 중에서 핵심이 되는 내용을 선택해야 한다.

총 여섯 개의 문장 중 승훈이가 가장 하고 싶은 말이 핵심인데, 바로 [6]이다. 그리고 무엇을 사과하는지를 밝히는 [1]도 없어서는 안 될 내용이다. 즉 '아침에 제가 엄마에게 화를 냈어요. 제가 잘못했고, 정말 미안해요.'라고 간추릴 수 있다.

이렇게 글은 목적에 따라 내용을 간추릴 수 있으며, 간추릴 때는 글에서 '더 중요한 내용'과 '덜 중요한 내용'을 판단해야 한다. 글을 간추렸을 때 끝까지 남아 있는 내용이 글에서 가장 중요한 '중심 내용'이다. 나머지는 중심 내용을 뒷받침하는 '세부 내용'이다.

바로 확인 1 다음 글의 [1], [2] 중 '더 중요한 내용'으로 볼 수 있는 것은?

인간이 스스로 삶을 이끌어 나가기 위해서는 일을 해야 한다. 그렇다면 일이란 무엇일까? [1] '일'은 인간이 의식주를 비롯한 욕구를 충족하기 위해 신체나 도구를 이용하여 자연이나 환경을 쓸모 있게 변형하는 활동을 뜻한다. [2] 농사를 짓는 행위, 옷을 만드는 행위, 집과 도로를 건설하는 행위, 다른 나라와 교역을 하는 행위 등이 모두 일에 해당한다.

① 일의 뜻을 정의하는 [1]
② 일의 구체적인 사례를 보여 주는 [2]

❷ 중심 내용을 찾는 방법 – 중심 문장 찾기

중심 내용을 파악하려면 먼저 문단에서 '중심 문장'을 찾아야 한다.

'중심 문장'은 그 문단을 대표하는 핵심 내용을 담은 문장이다. 중심 문장은 그 문단의 내용을 압축해서 나타내므로 대체로 문단 전체를 아우르는 일반적이고 포괄적인 내용을 담고 있다.

그렇다면 중심 문장이 아닌 나머지 문장들은 무엇일까? 중심 문장의 내용을 풀어 설명해 주는 '뒷받침 문장'이다. 그래서 뒷받침 문장에서는 중심 문장의 이유나 근거, 구체적이고 개별적인 사례나 상황, 관련된 추가 정보 등을 제시한다. 이때 다른 문장을 뒷받침하는 내용임을 나타내는 접속 표현을 함께 쓰기도 한다.

- 우리는 언어 규범을 지켜야 한다.(중심 문장) 『규범을 지키지 않고 사람들마다 말과 글을 다르게 사용하면 의사소통이 원활하게 이루어지기 어렵기 때문이다.』 『 』: 뒷받침 문장 – 중심 문장의 이유

- 선조들은 사람의 덕성을 자연물을 통해 표현했다.(중심 문장) 『예를 들어, 예부터 사대부들은 매화, 대나무, 국화 등을 그리며 자신이 지향하는 지조와 절개를 드러내곤 했다.』 『 』: 뒷받침 문장 – 중심 문장의 사례

중심 문장은 문단의 처음이나 끝에 나오는 경우가 많은데, 비슷한 내용의 중심 문장을 문단의 처음과 끝에 반복하여 중심 내용을 강조하기도 한다.

바로 확인 2 ㉠이 다음 글의 중심 문장일 때, 그 이유로 적절한 것은?

㉠불은 인류의 삶에 획기적인 변화를 가져왔다. 인간은 불을 사용하면서 추위와 맹수의 위협에서 벗어날 수 있었다. 어두운 밤을 밝혀 생산 활동을 지속하게 된 것도, 음식을 익혀 먹어 건강한 삶을 살게 된 것도 불 덕분이다. 또한 인간이 쇠붙이를 녹여 가공하고 새로운 도구를 만들 수 있게 된 것도 모두 불이라는 강력한 도구가 있었기 때문이다.

① 인간이 불을 사용하면서 생긴 변화를 구체적으로 밝히고 있어서
② 인간이 불을 사용하게 된 일의 의의를 종합적으로 평가하고 있어서

❸ 중심 내용을 찾는 방법 – 요약하며 읽기

앞서 승훈이의 편지글에서 핵심만 뽑아냈던 것처럼, 읽은 내용을 체계적으로 간추리는 활동을 '요약하기'라고 한다. 글을 요약하는 원리를 떠올리며 글을 읽으면 중심 내용을 더 잘 파악할 수 있고, 글의 내용을 기억하는 데도 도움이 된다. 그럼 글을 요약하는 방법에는 무엇이 있을까?

❶ 선택하기 & 삭제하기

'선택하기'는 글에서 중요도가 높은 정보, 즉 핵심 내용을 골라내는 방법이다. 글의 화제나 핵심어를 포함한 문장이 핵심 내용일 가능성이 높고, 글쓴이가 제기한 질문을 통해 핵심 내용을 추측할 수도 있다.

'삭제하기'는 글에서 중요도가 낮은 내용을 지우는 방법이다. 주로 중심 문장을 남기고 뒷받침 문장들을 삭제한다. 특히 구체적이고 개별적인 사례, 중심 내용과 다소 거리가 있는 부가적인 내용, 또는 중복되는 말이나 표현을 삭제할 수 있다.

[1] 많은 동물들이 먹이를 나를 때 볼주머니를 이용한다. [2] ~~다람쥐는 볼주머니를 이용하여 먹이를 나를 수 있다.~~ [3] ~~귀여운 외모를 가진 코알라도 볼주머니가 있어 먹이 저장 시 볼주머니를 이용한다.~~

위 예문에서는 첫 번째 문장인 [1]에 중심 내용이 들어 있다. [2], [3]에서는 볼주머니를 이용하는 동물들의 구체적인 사례로 다람쥐와 코알라를 소개하고 있다. 이는 부가적인 내용이므로 삭제하여 글을 요약할 수 있다.

바로 확인 3 다음 글을 '선택하기'와 '삭제하기'의 방법으로 요약할 때, 표시한 부분 외에 삭제할 수 있는 문장 하나를 찾아 지우시오.

'부패'란 개인이나 집단이 도덕적으로나 정신적으로 잘못된 길로 빠져 있음을 뜻하는 말이다. ~~영어에서 '부패(corruption)'라는 단어가 '함께 파멸하다'라는 뜻인 것에서 알 수 있듯이,~~ 부패가 심한 사회는 유지되기가 어렵다. 마치 몸에 심각한 질병이 있으면 사람이 생명을 유지하기 어려운 것처럼 말이다. 정의롭고 건강한 사회를 구현하려면 사회의 부패를 막는 장치를 마련해야 한다.

❷ 일반화하기 & 재구성하기

글에 개별적이고 구체적인 말들이 세세하게 나열되어 있다면, 그 단어들을 한번에 묶는 상위어로 바꿔 내용을 간략하게 정리할 수 있다. 이를 '일반화하기'라고 한다.

올림픽 기간 우리나라 국민이 좋아하는 축구, 야구, 농구, 탁구 등의 종목은 시청률이 높았다. 하지만 그에 비해 인기가 없는 달리기, 멀리뛰기, 높이뛰기 등의 종목은 시청률이 낮았다.
(→ 구기 종목)
(→ 육상 종목)

➡ [요약] 올림픽 기간 우리나라 국민이 좋아하는 구기 종목은 시청률이 높았다. 하지만 그에 비해 인기가 없는 육상 종목은 시청률이 낮았다.

중심 문장이 분명히 드러나지 않은 글은 '재구성하기'를 통해 중심 내용을 담은 새로운 문장을 만들어 요약할 수 있다.

김치의 색이 붉어진 것은 얼마 되지 않은 일이다. 고추가 우리나라에 들어온 것은 17세기였고, 본격적으로 음식에 사용된 것은 18세기였다.

➡ [요약] 붉은 김치는 고추가 음식에 사용된 18세기에 본격적으로 등장했다.

이처럼 '재구성하기'는 원래 글의 순서나 표현을 바꾸거나, 다소 길고 산만한 내용을 간결하고 분명하게 바꿔 글의 중심 내용을 만드는 방법이다.

글의 내용을 요약하며 읽으면, 글을 더 꼼꼼하고 정확하게 읽을 수 있고 글 전체에 대한 이해력도 높일 수 있다. 이는 결국 글을 독해하는 능력과 연결되므로 글을 읽은 후에 요약하는 연습을 꾸준히 하는 것이 좋다.

바로 확인 4 다음 글을 '일반화하기'와 '재구성하기'의 방법으로 요약할 때, 빈칸에 들어갈 말로 알맞은 것을 순서대로 묶은 것은?

> 금강석은 가공하여 사파이어, 다이아몬드와 같은 보석으로 이용하고, 석영은 유리를 만드는 데 사용한다. 자철석이나 적철석에서 뽑아낸 철과 황동석에서 뽑아낸 구리도 우리 주변에서 다양한 용도로 쓰이고 있다.
>
> ➡ [요약] 다양한 (　　　　)들이 우리 생활 곳곳에서 (　　　　) 쓰이고 있다.

① 광물 – 유용하게　　② 자원 – 충분하게　　③ 도구 – 해롭게

중요도를 고려해 중심 문장 찾기 (1)

다음 글을 읽고 (1)~(4)의 내용이 맞으면 O, 틀리면 X 표 한 후, 중심 문장에 밑줄을 치시오.

1

[1] 우리는 일상생활에서 바람직하지 않은 행동을 하는 사람을 보았을 때, "저 사람은 정말 비인간적인 사람이군."이라고 말한다. [2] 반대로, 선한 행동을 하는 사람에게는 "저 사람은 정말 인간적인 사람이군."이라고 말한다. [3] 우리는 이미 우리도 모르는 사이에 '도덕적인 관점'을 가진 채로 '인간다움'이 무엇인지를 판단하고 있는 것이다.

(1) [1], [2]는 인간적인 사람과 비인간적인 사람을 판단한 사례를 제시하고 있다. (　　)
(2) [3]은 '인간다움'의 뜻을 정의하고 있다. (　　)
(3) [1], [2]는 서로 대등한 관계이므로 중요도가 같다. (　　)
(4) [3]은 [1], [2]를 바탕으로 하여 사람들이 어떤 관점으로 '인간다움'을 판단하는지 정리하고 있으므로 중요도가 높다. (　　)

앞에서 설명한 세부 내용을 요약, 정리하는 문장은 문단에서 중요도가 높은 중심 문장입니다.

2

[1] 환경을 오염시키는 것은 순식간이지만 오염된 환경을 되살리는 데는 수십, 수백 배의 시간과 노력이 든다. [2] 예를 들어, 어린나무 한 그루가 아름드리나무로 성장하는 데는 약 30년에서 50년이 걸린다고 한다. [3] 또, 우유 한 컵으로 오염된 물을 물고기가 살 수 있는 깨끗한 물로 만들려면 우유 한 컵의 약 2만 배의 물이 필요하다. [4] 이는 자연이 자정 능력을 넘어설 정도로 심각한 환경 오염은 감당하지 못하기 때문이다. [5] 자연이 아예 회복 불가능한 상태가 되지 않게 이제부터라도 환경 오염을 줄여야 한다.

(1) [1]은 [2]의 내용을 포괄하고 있으므로 [2]보다 중요도가 높다. (　　)
(2) [2]와 [3]은 구체적인 사례를 제시한 문장으로, 문장의 중요도는 같다. (　　)
(3) [4]는 문제 상황의 원인을 제시하고 있으므로 중요도가 가장 높다. (　　)
(4) [5]는 [1]~[4]를 바탕으로 하여 글쓴이의 주장을 분명하게 드러내고 있으므로 윗글에서 중요도가 가장 높다. (　　)

글쓴이의 주장, 의견, 관점을 압축해 설명하는 문장은 문단에서 중요도가 높은 중심 문장입니다.

3

[1] 동아시아, 동남아시아 등 강수량이 많아 벼농사를 짓는 지역에서는 음식의 주재료로 쌀을 사용하는 음식 문화가 발달했다. [2] 반대로 유럽과 같이 강수량이 적어 밀 농사를 짓는 지역에서는 음식의 주재료로 밀을 사용하는 음식 문화가 발달했다. [3] 즉, 지역의 음식 문화는 자연환경의 영향을 받는 것이다. [4] 아마도 강수량이 너무 적어서 곡물 재배가 어려운 사막, 극지방 같은 지역이라면, 쌀이나 밀을 재료로 사용하는 것과는 다른 음식 문화가 발달했을 것이다.

(1) [1], [2]는 강수량에 따라 음식 문화가 지역별로 차이가 있음을 설명하고 있다. ( )
(2) [3]은 [1], [2]를 바탕으로 하여 음식 문화와 자연환경의 관계를 정리하고 있다. ( )
(3) [4]는 글의 주제를 직접적으로 드러내므로 중요도가 가장 높다. ( )
(4) [1], [2], [4]는 세부적인 내용을 담고 있으므로 중요도가 낮고, [3]은 가장 포괄적인 내용을 담고 있으므로 중요도가 높다. ( )

화제의 특징을 압축하여 결론을 이끌어 내는 문장은 문단에서 중요도가 높은 중심 문장입니다.

4

[1] '스티로폼 A'에는 리모넨 오일이 함유된 과일즙을 떨어뜨리고, '스티로폼 B'에는 촛불을 갖다 대는 실험을 진행했다. [2] 관찰 결과, '스티로폼 B'는 녹으면서 많은 그을음이 발생했다. [3] 하지만 리모넨 오일이 함유된 과일즙을 떨어뜨린 '스티로폼 A'에는 오염 물질이 발생하지 않고 스티로폼만 깨끗하게 녹았다. [4] 실험을 통해, 리모넨 오일이 함유된 과일즙을 활용해 스티로폼을 분해하는 방식은 친환경적 방식으로 활용될 수 있음을 확인할 수 있다.

(1) [1], [2], [3]은 실험의 과정과 결과를 구체적으로 설명하고 있다. ( )
(2) [2], [3]은 관찰 결과를 정리하고 있으므로 [1]보다 중요도가 낮다. ( )
(3) [3]은 실험의 의의와 더 직접적으로 연관되므로 [2]보다 중요도가 더 높다. ( )
(4) [4]는 실험의 의의를 정리하고 있으므로 중요도가 가장 높다. ( )

앞에서 제시한 세부 과정을 바탕으로 하여 결론을 이끌어 내는 문장은 문단에서 중요도가 높은 중심 문장입니다.

중요도를 고려해 중심 문장 찾기 (2)

다음 글을 이루는 각 문장의 역할을 아래와 같이 정리하였을 때, 빈칸에 들어갈 알맞은 문장 번호를 쓰시오.

1

1 지구를 둘러싼 대기는 어떤 역할을 할까? 2 대기는 지구의 기온을 일정하게 유지해 생명체들의 생명 활동을 가능하게 해 준다. 3 현재 지구의 평균 기온은 약 15℃이다. 4 하지만 대기가 사라진다면, 대기에 의한 온실 효과가 줄어들면서 지구의 평균 기온은 -18℃까지 내려가게 된다. 5 결국 인간은 물론 동식물들도 생존하기 어려운 극한의 환경이 되는 것이다.

▶ 각 문장의 역할

- 1은 질문을 던져 윗글에서 다루는 화제가 '대기'임을 밝히고 있다.
- 2는 대기의 역할을 설명하며 1의 물음에 답을 제시하고 있다.
- 3~5는 구체적인 상황을 가정하면서 예상되는 변화의 모습을 제시하여 2의 내용을 뒷받침하고 있다.

▶ 윗글에서 가장 중요한 문장은 [ ]이다.

글에서 던진 질문의 답을 압축하여 밝히는 문장은 중요도가 높은 중심 문장입니다.

2

1 '적극적 국가관'은, 국가가 국민의 인간다운 삶을 위해 개인의 생활에 적극적으로 개입해야 한다는 관점이다. 2 이 관점은 국가가 개인의 삶에 개입하면, 개인의 자유와 권리를 제약하지 않고 오히려 더욱 증진한다고 본다. 3 수술비를 마련하기 어려운 사람에게 국가가 적극적으로 의료 혜택을 제공하여 인간답게 살 권리를 보장해 주는 것을 보면 알 수 있다.

▶ 각 문장의 역할

- 1은 '적극적 국가관'의 개념을 소개하고 있다.
- 2는 '적극적 국가관'이 개인의 자유와 권리를 증진하는 효과가 있음을 설명하고 있다.
- 3은 2의 내용을 뒷받침하기 위해 구체적인 사례를 제시하고 있다.

▶ 윗글에서 가장 중요한 문장은 [ ]이다.

화제의 세부 특징을 포괄하여 정리하는 문장은 중요도가 높은 중심 문장입니다.

중심 내용 요약하며 읽기

정답과 해설 12, 13쪽

다음 글을 읽고, 물음에 답하시오.

1

1 대화를 할 때 인간의 얼굴 표정은 다른 포유류와 어떻게 다를까? 2 인간, 침팬지, 여우는 모두 동료들과 소통할 때 얼굴의 표정 변화가 나타난다. 3 하지만 인간의 얼굴 표정은 훨씬 다양하고 섬세하다. 4 인간은 여우나 침팬지와 달리, 대화를 나누면서 여러 가지 표정을 순식간에 만들어 말의 의미를 보강하기 때문이다. 5 예를 들어, 실눈을 뜨면서 이마를 살짝 찌푸리는 표정은 이해하지 못해 혼란한 상태임을 나타낸다. 6 또 입술이 벌어진 상태에서 입꼬리를 살짝 위로 올려서 행복함이나 즐거움을 나타내는 반면, 입술을 꽉 다물어서 상대에 대한 불신을 나타내기도 한다. 7 인간이 짓는 다양한 얼굴 표정은, 말을 주고받는 행위의 뒤에서 그림자처럼 따라다니며 대화 내용과 관련된 또 다른 의미나 감정 상태를 정교하게 표현하는 역할을 하는 것이다.

(1) 윗글의 중심 화제를 쓰시오.

(2) 문장의 중요도를 판단할 때, 그 내용이 맞으면 O, 틀리면 X 표 하시오.

① 1의 질문에 대한 답이 3, 4에 있으므로, 3, 4는 2보다 중요도가 더 높다. (　　)

② 5, 6은 예를 들어 3, 4의 내용을 구체화하고 있으므로 3, 4보다 중요도가 낮다. (　　)

(3) 윗글을 요약할 때, '삭제하기'를 할 수 있는 뒷받침 문장을 두 개 고르시오.

(4) 3, 4를 '재구성하기'의 방법으로 다음과 같이 요약할 때, 빈칸에 들어갈 알맞은 말을 쓰시오.

인간은 □□으로 □의 의미를 보강하기 때문에 다른 □□□보다 표정이 다양하고 섬세하다.

2

가 2050년에 세계 인구는 90억 명을 넘을 것이고, 그에 따라 식량 생산량도 늘어나야 한다. 하지만 식량 생산량을 늘리는 것은 쉽지 않다. 그래서 유엔 식량 농업 기구는 식용 곤충을 유망한 미래 식량으로 꼽고 있다.

나 우선 식용 곤충은 매우 경제적인 식재료이다. 누에는 태어난 지 20일 만에 몸무게가 1,000배나 늘어나고, 큰메뚜기의 경우에는 하루 만에 몸집이 2배 이상 커질 수 있다. 이처럼 곤충은 성장 속도가 놀랍도록 빠르다. 또한 식용 곤충을 키우는 데 필요한 토지는 가축 사육에 비해 상대적으로 훨씬 적으며 필요한 노동력과 사료도 크게 절감된다.

다 또 식용 곤충은 영양이 매우 풍부하다. 식용 곤충의 단백질 비율은 쇠고기, 생선과 유사하고 오메가 3의 비율은 쇠고기, 돼지고기보다 높다. 또한 리놀레산, 키토산, 각종 미네랄과 비타민까지 골고루 함유하고 있다.

라 또한 식용 곤충 사육은 친환경적이다. ㉠소, 돼지, 닭, 오리 등을 사육할 때는 비료, 분뇨 등에서 발생하는 온실 가스가 지구 전체 온실 가스 발생량의 18% 이상을 차지한다. 반면 갈색거저리 애벌레, 귀뚜라미 등의 곤충을 사육할 때 발생하는 온실 가스는 약 100배 정도 적다.

마 이처럼 식용 곤충은 성장 속도가 빠르고 비용도 적게 들며, 각종 영양분도 충분할 뿐 아니라, 온실 가스도 적게 발생한다. 그래서 식량을 충분히 늘리지 못하는 인류가 주목하고 있는 식량 자원이다.

(1) 윗글의 중심 화제를 쓰시오.

(2) 가~라의 각 문단에서 중요도가 가장 높은 문장을 하나씩 찾아 밑줄을 치시오.

(3) 라의 ㉠을 포괄할 수 있는 상위어를 윗글에서 찾아 쓰시오.

(4) 마를 '재구성하기'의 방법으로 다음과 같이 요약할 때, 빈칸에 들어갈 알맞은 말을 쓰시오.

식용 곤충은 □□□이고, □□이 풍부하며, □□□□이어서 미래의 식량 자원으로 주목받고 있다.

3

가 ㉠인류는 오래전부터 자연에서 영감을 얻고 이를 모방해 왔다. 비행기는 새의 모양과 비행 기술을 연구한 결과이고, 카메라 렌즈는 사람의 눈을 모방하여 만든 것이다. ㉡이처럼 생명체가 가지고 있는 물질, 구조, 기능, 행동 등을 연구하여 이를 적용하는 기술을 '생체 모방 기술'이라고 한다.

나 연잎에 비가 내리면 물방울이 스며들지 않고 잎 표면에 맺힌다. 이는 육안으로는 확인할 수 없는, 연잎 표면의 미세 돌기 때문이다. ㉢연잎의 이러한 특성을 모방한 하나의 예로 기능성 의류를 들 수 있다. 의류를 만들 때 연잎의 표면과 유사한 구조가 되도록 옷감을 처리하면, 음식이 묻어도 쉽게 더러워지지 않고 비를 맞아도 잘 젖지 않는다.

다 홍합은 바닷물 속에서도 표면이 거친 바위에 잘 붙어 있는다. 이는 홍합의 '족사'에 있는 특수한 단백질 때문이다. 족사의 접착 단백질은 질기고 탄성이 뛰어나 천연 접착제로 활용될 수 있다. 홍합에서 접착 단백질을 추출하여 여기에 접착력과 유연성 등을 강화하는 과정을 거치면 의료용 접착제로 만들 수 있다.

라 생명체를 모방해 인간의 삶에 적용하려는 생체 모방 기술은 다양한 분야에서 시도되고 있다. 자연에 적응하며 살아온 생명체의 원리와 장점을 연구하는 생체 모방 기술은 인류의 삶의 질을 높이는 데 기여할 것이다.

(1) 윗글의 중심 화제를 쓰시오.

(2) ㉠~㉢의 중요도를 비교할 때, 그 내용이 맞으면 O, 틀리면 X 표 하시오.

① 중심 화제를 고려할 때 ㉠보다는 ㉡의 중요도가 높다. ( )

② ㉢은 생체 모방 기술의 사례로 ㉡을 뒷받침하므로 ㉡보다 중요도가 낮다. ( )

(3) 윗글을 다음과 같이 요약할 때, 이에 대한 반응으로 적절하지 않은 것은?

> 연잎 표면의 미세 돌기를 활용한 기능성 의류, 홍합의 족사를 추출해 만든 의료용 접착제는 모두, 생명체의 특성을 연구해 적용하는 생체 모방 기술의 사례이다. 생체 모방 기술은 다양한 분야에서 시도되고 있으며 인류의 삶의 질을 높이는 데 기여할 것이다.

① 가, 나, 다에 소개된 사례들의 차이점을 일반화하여 요약했구나.

② 나, 다에서 부가적인 설명은 삭제하고 핵심만 선택해서 요약했구나.

③ 라에서 중복되는 내용을 삭제하고 문장을 연결해서 요약했구나.

독해 원리 05

내용 추론하며 읽기

① 숨어 있는 내용을 추론하며 읽기

맛있는데 가격까지 착하다!　-○○통닭

이 문장은 ○○통닭 가게가 맛과 가격을 모두 잡아낸 맛집이라는 사실을 표현하고 있다. 그런데 이 광고를 제대로 이해하려면 겉으로 드러나지 않은 내용도 파악해야 한다. 이 광고는 사람들이 보통 "맛있는 음식은 가격이 비싸다."라고 생각한다는 것을 전제하고 있다. 즉, ○○통닭은 일반적인 생각과 다른 특별한 제품임을 강조함으로써 ○○통닭을 사라는 의도를 독자에게 자연스럽게 전달한다.

글쓴이는 모든 내용을 글에 드러내지 않는다. 표현을 줄이려고, 또는 의도를 자연스럽게 전달하려고 어떤 내용은 일부러 숨기기도 한다. 따라서 겉으로 드러나지 않은 내용을 추론하면서 글을 읽어야 글쓴이의 의도와 생각을 정확하게 파악할 수 있다.

이처럼 '추론하며 읽기'란 글에 드러난 정보를 바탕으로 하여 글에 직접적으로 드러나지 않은 내용을 미루어 생각하며 읽는 방법을 말한다.

바로 확인 1 다음 문장을 읽고 추론한 내용으로 알맞은 것은?

(1) 건조한 날씨에는 산불이 자주 발생한다.

① 산불은 대기를 건조하게 만든다.
② 대기의 습도는 산불 발생과 관련이 깊다.

(2) 자신의 신체 발달 수준을 고려해 적합한 운동을 선택해야 한다.

① 신체 발달 수준은 사람마다 다르다.
② 운동을 하려면 신체 발달 수준이 높아야 한다.

❷ 내용을 추론하며 읽는 방법

글에 드러나지 않은 내용을 파악하려면 이미 글에 드러나 있는 상황이나 대상을 바탕으로 하여 정보를 추측해 보아야 한다. 제시된 상황은 어떠한지, 대상은 어떤 성격을 지녔는지, 만약 상황이나 대상을 바꾸면 어떤 변화가 생기는지를 생각해 본다.

- 건강식품 섭취량을 지켜야 건강에 도움이 된다.
  → 건강식품은 일정량만 먹도록 정해 놓았구나.
- 안개가 끼면 운전자는 차량 앞쪽의 등을 켜고 운전해야 한다.
  → 안개가 끼면 등을 켜야 할 만큼 앞이 보이지 않는구나.
- 유리를 배송할 때는 완충 포장재를 사용한다.
  → '완충'은 충격을 완화한다는 뜻이니까 유리는 충격에 약하구나.

이때 자신의 경험이나 배경지식을 활용할 수도 있고, 육하원칙(누가, 언제, 어디서, 무엇을, 왜, 어떻게)에 따른 물음을 던지고 그 답을 떠올리며 생략된 내용을 짐작해 볼 수도 있다. 한편, 문맥을 이용하여 추론하는 방법도 있다.

㉠ 인간은 생태계를 너무 많이 파괴하고 있다. ㉡ 그런데 자연과 인간은 서로 영향을 주고받는다.
➡ (㉢)

㉢에는 어떤 결론이 이어질 수 있을까? 앞에 나온 두 문장의 의미와 흐름을 고려하면, '생태계가 파괴되면 인간도 위험하다.' 정도가 들어가는 것이 적절하다. 이는 앞뒤 문장의 의미 관계인 문맥을 살펴서 생략된 내용을 추론한 것이다.

문맥을 고려해
생략된 내용을
추측할 수 있어.

바로 확인 2 다음 문장을 읽고 추론한다고 할 때, 빈칸에 들어갈 알맞은 말을 골라 ◯표 하시오.

(1) 우리나라의 전통 건축물은 자연과 조화를 이루고 있다.

전통 건축물이 자연과의 조화를 강조했다는 것으로 볼 때, 조상들은 자연을 (가까이하려고 , 멀리하려고) 했다.

(2) 수원 화성은 정조 임금이 직접 엄격하게 고른 자리에 지어졌다.

정조 임금이 신하에게 시키지 않고 직접 자리를 골랐다는 것으로 볼 때, 정조는 수원 화성을 짓는 일을 (하찮게 , 중요하게) 여겼다.

드러나지 않은 내용 추론하기 (1)

다음 글을 읽고, ㉠이 의미하는 바로 적절한 것 하나를 골라 ◯ 표 하시오.

1

㉠저출생에 관한 정책의 실패가 계속되면서, 향후 우리나라의 전체 인구에서 노인 인구가 차지하는 비율이 더욱 가파르게 상승할 것으로 보인다.

출산율이 증가함.	혼인율이 증가함.
고령층 인구가 감소함.	저연령층 인구가 감소함.

2

어떤 상품의 가격이 오르면 소비자는 그 대신에 다른 상품을 구입한다. 이처럼 시장에서 소비자에게 ㉠신호등 역할을 해 주는 것이 바로 가격이다.

소비자에게 혼란을 줌.	소비자가 손해를 보게 함.
소비의 판단 기준이 됨.	소비에 영향을 주지 않음.

3

역사서에는 수많은 나라와 민족이 발전하고 쇠퇴하는 과정이 기록되어 있다. 그래서 우리는 ㉠역사라는 거울을 들여다보면서 미래에 대한 답을 구할 수 있다.

역사의 가치를 부정하면서	우리나라의 역사를 기록하면서
우리나라의 미래를 그려 보면서	발전과 쇠퇴의 과정을 되새겨 보면서

드러나지 않은 내용 추론하기 (2)

정답과 해설 15, 16쪽

다음 글을 읽고, 추론한 내용으로 적절한 것을 고르시오.

1

자외선 차단제는 여름에만 필요하다고 생각할 수 있지만, 이는 잘못된 상식이다. 덥지 않은 봄, 심지어 추운 겨울에도 햇볕을 오래 쬐면 피부가 상할 수 있다.

① 기온이 낮으면 자외선이 더 세다.
② 피부가 타는 것은 자외선 때문이 아니다.
③ 계절에 상관없이 햇볕을 오래 쬐면 자외선 때문에 피부가 상한다.

2

돈, 직업, 사회적 지위가 행복의 조건 같지만 인간은 자기보다 더 돈이 많거나 사회적 지위가 높은 사람들을 보면 이들과 끊임없이 비교하면서 불행을 느낀다.

① 돈은 절대적인 행복의 조건이 아니다.
② 남들이 좋다고 평가하는 직업을 가지면 행복해질 수 있다.
③ 높은 사회적 지위를 추구할수록 더 큰 행복을 느낄 수 있다.

3

야생에서는 약한 동물이 잡아먹히거나, 굶어 죽는 일이 많다. 동물원이 동물의 자유를 구속하지만, 이것이 동물원 밖의 생존 위협보다 더 심각한 문제라고 보기는 어렵다.

① 동물원에는 약한 동물이 없다.
② 강한 동물은 동물원에서 자유를 누린다.
③ 동물원의 환경과 야생의 환경은 서로 다르다.

4

우리는 일상생활에서 양심의 기능을 쉽게 확인할 수 있다. 예를 들어, 뻔뻔하게 거짓말을 하는 사람에게 우리는 "양심의 소리를 들어 보아라."라고 한다. 그런가 하면 자신이 저지른 잘못을 후회할 때 "양심의 가책을 받는다."라고 한다.

① 양심은 우리가 거짓말하는 것을 허용하지 않는다.
② 양심의 소리는 잘못을 저지른 사람만 들을 수 있다.
③ 양심은 우리에게 올바른 행위를 하라고 요구하는 내면의 소리이다.

빈칸에 들어갈 내용 추론하기

다음 글을 읽고, 빈칸에 들어갈 내용으로 적절한 것을 고르시오.

1

인간은 욕구를 조절해야 한다. 왜냐하면 (   ). 그래서 나의 욕구를 충족하기 위해 한 행위가, 다른 사람이 그의 욕구를 채우기 위해 한 행위와 충돌하는 경우가 생기고, 서로의 이익이나 권리를 침해하기도 한다.

① 인간은 동물과 달리 욕구를 조절할 수 있기 때문이다
② 인간은 누구나 자신의 욕구를 채우고 싶어 하기 때문이다
③ 인간은 욕구를 억누르며 살아가는 사회적 존재이기 때문이다

2

자동차가 보급되면서 인간의 삶은 편리해졌다. 하지만 교통사고로 발생하는 인명 피해가 늘어났으며 자동차가 배출하는 배기가스는 대기를 오염시켰다. 한편 언제 어디서든 원하는 정보를 찾을 수 있게 우리에게 광활한 정보의 바다를 열어 준 인터넷은, (   ). 이처럼 과학의 산물은 편리함과 함께 또 다른 부작용과 폐해를 낳고 있다.

① 전통적인 의사소통 방식에 큰 변화를 주었다
② 기존에 없었던 새로운 형태의 소통 창구가 되고 있다
③ 왜곡되거나 가치가 없는 정보들을 대량으로 만들어 내고 있다

3

발달 초기에 성장 호르몬이 분비되면서 성장판을 자극한다. 그러면 성장판의 연골 세포가 분열하면서 크고 두꺼워지고 그 과정에서 뼈의 크기가 커진다. 그러다가 청소년기에 과다한 용량의 성호르몬이 분비되면 성장판이 닫히기 시작하여 뼈의 성장 속도도 줄어든다. 이처럼 (   ).

① 성장 호르몬은 성호르몬의 분비를 촉진한다
② 성장 호르몬과 성호르몬은 몸의 성장을 함께 돕는다
③ 과도한 성호르몬은 성장 호르몬의 효과를 감소시킨다

4

같은 수신호도 문화에 따라 다르게 해석할 수 있다. 상대에게 손등이 보이도록 들어 올린 V 표시는 독일에서는 승리를, 미국에서는 숫자 2를, 프랑스에서는 평화를 의미하지만, 호주에서는 심한 욕설을 뜻한다. 이처럼 [   ]. 따라서 대화 상대의 문화를 이해하고 원활한 소통이 이루어지도록 유의해야 한다.

① 문화가 서로 달라도 비슷하게 생각할 수 있다
② 수신호에도 문화에 따른 차이가 반영되어 있다
③ 더 우월한 문화와 더 열등한 문화가 따로 있는 것은 아니다

5

마찰력은 두 물체의 접촉면에서 한 물체의 운동을 방해하는 힘으로, 일상에서도 쉽게 찾아볼 수 있다. 체조 선수들이 경기에 들어가기에 앞서 손에 횟가루를 묻히거나, 빙판길을 달리기 전 자동차 바퀴에 체인을 감는 것은 모두 마찰력을 크게 하기 위한 것이다. 이와 반대로 자전거 체인에 윤활유를 뿌리는 것은 마찰력을 작게 하기 위한 것이다. 이처럼 우리는 이미 일상에서 [   ].

① 마찰력을 최소화하는 방법을 찾아내 활용하고 있다
② 마찰력을 크게도 하고, 작게도 하면서 마찰력을 활용하고 있다
③ 마찰력을 크게 만들어서 물체의 운동 방향을 바꾸는 데 활용하고 있다

6

다국적 기업은 여러 국가에서 경제 활동을 한다. 기업이 다른 국가로 진출하여 경제 활동을 할 때 언어, 문화 등의 차이로 어려움을 겪을 수 있다. 그럼에도 기업이 외국에서 경제 활동을 하는 이유는 더 많은 이익을 얻을 수 있기 때문이다. 다국적 청바지 기업의 생산 과정을 생각해 보자. 본사에서 제품 생산을 결정한 후에는 청바지를 디자인해야 한다. 디자인은 뛰어난 디자이너가 많고 관련 정보를 빠르게 수집할 수 있는 곳에서 이루어진다. 디자인이 결정되면 제품 생산에 필요한 원료를 원료 생산국에서 구매한다. 그 다음으로 임금이 저렴한 개발 도상국에서 청바지가 만들어진다. 이처럼 다국적 기업은 [   ].

① 개발 도상국에서 제품을 생산하지 않는 것이 유리하다
② 여러 국가에서 경제 활동을 하기 때문에 경제적 손해가 생길 수밖에 없다
③ 각각의 생산 과정에 유리한 환경을 제공하는 국가를 거치면서 제품을 생산한다

실전으로 차곡차곡 익숙하게!

독해 실전 1회

01 인공 지능이 대신할 수 없는 것

교과 연계
국어 3 _ 문제 해결 과정으로서의 읽기

가 인공 지능은 인간의 학습 능력, 추론 능력, 지각 능력 등을 컴퓨터가 모방하도록 하는 기술을 의미한다. 즉 컴퓨터가 인간처럼 시각이나 청각적 정보를 인식하고 언어를 이해하며 스스로 사고하고 행동하는 것이다. 최근에는 심층 학습 기술의 발달로 사람의 경험과 지식을 바탕으로 하여 인공 지능이 복잡한 문제까지 해결할 수 있게 되었다.

나 이에 따라 인공 지능이 지적 작용이 필요한 인간의 일까지 대체할 가능성이 커졌고, 앞으로 수많은 직업이 사라질 전망이다. 그렇다면 인공 지능은 인간의 정신 활동을 완전히 대신할 것인가? 이 물음의 답을 동양의 전통적인 공부 방법과 서양 철학의 기원에서 찾을 수 있다.

다 동양에서는 예로부터 제자가 스승에게 질문하는 방식으로 수업이 이루어졌다. 인간의 삶과 역사, 자연의 이치를 궁금해하는 학생이 스스로 공부하다가 더는 문제가 풀리지 않을 때, 스승에게 질문을 하였다. 예컨대 동양의 고전인 《논어》에는 제자들과 공자의 문답 과정이 흥미롭게 기록되어 있다. 또한 서양 철학의 시작도 질문을 통해 사람들의 무지를 일깨우고 진리를 찾고자 하는 노력에서 비롯되었다. 《소크라테스의 변명》에서 소크라테스는 사람들에게 질문하고 논박하는 것이 신이 자신에게 준 사명이라고 강조한다. 동서양을 아울러 인간은 반성적이고 비판적인 질문을 통해 앎의 세계를 열어 온 것이다.

라 인공 지능은 스스로 학습한 정보를 분류하고 판단하며 종합하는 단계에 이르렀다. 그러나 질문함으로써 기존의 것에서 새로운 것을 알고자 하거나 대상을 의심하고 비판하며 새로운 관점을 제기하는 등의 활동은 하지 못한다. 즉 질문 능력은 사람만이 갖춘 능력으로, 적어도 현재로서는 인공 지능이 대체할 수 없다.

마 그렇다면 인간이 가진 중요한 특성인 질문 능력은 어떻게 키울 수 있을까? 바로 책 읽기에 그 답이 있다. 책은 질문을 던지고 이를 해결해 가는 과정을 담고 있기 때문이다. 독자는 책을 읽으면서 글쓴이가 스스로 질문하고 답을 찾았던 과정을 경험하게 된다. 독서 경험이 쌓인 독자는 자아와 세계에 대한 인식이 넓어지면서 스스로 질문을 던지는 힘이 길러지는 것이다.

- **심층 학습** | 컴퓨터가 여러 데이터를 이용해 마치 사람처럼 스스로 학습할 수 있게 하기 위해 인공 신경망을 통해 구축한 기계 학습 기술.
- **철학** | 꿰뚫을 哲, 배울 學 | 인간과 세계에 대한 근본 원리와 삶의 본질 등을 연구하는 학문.
- **무지** | 없을 無, 알 知 | 아는 것이 없음.
- **논박** | 논할 論, 논박할 駁 | 어떤 주장이나 의견의 잘못된 점을 조리 있게 공격하여 말함.

STEP 1 독해 기초 확인

지문 한눈에 보기

가 인공 지능은 무엇일까?

인간의 학습 능력, 추론 능력, 지각 능력 등을 ☐☐☐가 모방하도록 하는 기술

↓

나 인공 지능이 인간의 정신 활동을 완전히 대신할 수 있을까?

다-1 동양의 전통적 공부법

학생이 스스로 공부하다가 문제가 풀리지 않을 때 스승에게 ☐☐을 함.

다-2 서양 철학의 기원

☐☐을 통해 사람들의 무지를 일깨우고 진리를 찾고자 노력하는 데서 시작함.

라 인공 지능이 대신할 수 없는 인간의 질문 능력

- 기존의 것에서 새로운 것을 알고자 함.
- 의심하고 ☐☐하며 새로운 관점을 제기함.

↓

마 질문 능력을 키우는 방법은?

책은 글쓴이가 스스로 질문하고 답을 찾는 과정을 담고 있음.
→ ☐ 읽기 경험이 쌓이면 ☐☐을 던지는 힘이 길러짐.

지문 핵심 key

1. 윗글을 읽고 기억에 남는 단어를 모두 쓰시오.

2. 1에서 떠올린 것 중에서 중심 화제를 쓰시오.

3. 다와 라, 두 문단의 관계로 알맞은 것을 고르시오.

- ☐ 다의 사례가 라의 주장을 뒷받침함.
- ☐ 다와 대비되는 사례를 라에서 밝힘.

4. 윗글의 내용을 한 문장으로 요약할 때, 밑줄에 들어갈 알맞은 말을 각각 쓰시오.

> 인공 지능은 ________의 질문 능력을 완전히 대신할 수 없으며, 질문 능력은 __________를 통해 기를 수 있다.

STEP 2 독해 실력 확인

세부 내용 파악하기

1 윗글에서 다룬 내용이 아닌 것은?

① 인공 지능의 뜻
② 책 읽기의 효과
③ 서양 철학의 시작
④ 인공 지능이 대체할 직업
⑤ 심층 학습 기술 발달의 영향

글의 전개 방식 알기

2 윗글의 내용 전개 방식으로 적절한 것은?

① 의문을 제기하고 그 답을 밝히고 있다.
② 한 사건에 대한 다양한 해석을 나열하고 있다.
③ 대상이 변화하는 과정을 단계별로 설명하고 있다.
④ 여러 대상을 일정한 기준에 따라 나누어서 설명하고 있다.
⑤ 어떤 일의 결과를 먼저 제시하고 그 원인을 분석하고 있다.

빈칸에 들어갈 내용 추론하기

3 윗글을 바탕으로 하여 추론할 때, 〈보기〉의 빈칸에 들어갈 내용으로 적절하지 않은 것은?

보기

아윤: 인공 지능은 컴퓨터가 인간처럼 생각할 수 있게 하는 기술이야. 특히 심층 학습 기술이 발달하면서 빅데이터를 빠른 속도로 처리할 수 있게 됐어. 이제 컴퓨터는 스스로 학습해서 새로운 결과를 만들 수도 있기 때문에, 기사를 쓰거나 작곡을 하는 등 인간이 하던 지적 작업들까지 할 수 있게 되었어.

범석: 네 말대로 인공 지능은 사람의 지적 능력을 많은 부분 대신할 수 있어. 하지만 (   )은/는 사람처럼 할 수 없어.

① 논박　　② 반성　　③ 분류
④ 비판　　⑤ 의심

지문에 나온 어휘, 확실히 짚고 가자!

1 다음 뜻풀이에 알맞은 단어를 고르시오.

1 처음으로 시작되다. ☐ 비롯되다 ☐ 비평하다

2 다른 것으로 대신하다. ☐ 대기하다 ☐ 대체하다

3 의견이나 문제를 내놓다. ☐ 제기하다 ☐ 제외하다

4 여럿을 종류에 따라서 나누다. ☐ 분류하다 ☐ 분해하다

2 제시된 뜻풀이를 참고하여 다음 문장의 빈칸에 들어갈 알맞은 단어를 쓰시오.

1 그녀는 범인이라는 [ㅇ][ㅅ]을 받고 있다.
불확실하게 여기거나 믿지 못하는 마음.

2 영화가 개봉하자마자 많은 [ㅂ][ㅍ]이 쏟아졌다.
무엇에 대해 자세히 따져 옳고 그름을 밝히거나 잘못된 점을 지적함.

3 그는 환자들을 치료하며 의사로서의 [ㅅ][ㅁ]을 다하려 했다.
맡겨진 일.

4 어른이 되어 보니 세상이 돌아가는 [ㅇ][ㅊ]를 조금 알 것 같다.
정당하고 도리에 맞는 원리. 또는 근본이 되는 목적이나 중요한 뜻.

5 잘못을 반복하지 않으려고 문제 상황을 [ㅂ][ㅅ][ㅈ]으로 되짚어 보았다.
자신의 말이나 행동을 되돌아보면서 잘못을 살피거나 그것을 깨닫고 뉘우치는 것.

권력 언어의 탄생과 언어의 미래

교과 연계
국어 1 _ 언어의 본질

가 영어는 세계 각지에서 널리 쓰는 ㉠국제 언어다. 영어가 모국어인 사람, 제2언어인 사람, 영어를 외국어로 사용하는 전 세계 사람들을 다 합치면 15억 명이 넘는다. 우리말에도 영어가 뿌리인 외래어가 굉장히 많다. '라디오', '텔레비전' 등 일상어에서 영어인 외래어를 빼면 대화가 어려울 정도다. 또한 유엔과 세계은행, 국제 통화 기금 등의 국제기구에서 영어는 대표적인 ㉡공식 언어이며, 영어의 경제적 가치는 13억 명이 사용하는 중국어의 10배에 가까운 6천조 이상으로 평가된다.

나 영어는 왜 이처럼 힘이 센 언어가 되었을까? 역사적으로 고대 그리스어, 라틴어, 동양의 한자는 문명의 전파를 통해 지배적인 언어가 되었다. 영어도 마찬가지이다. 20세기에 들어서 컴퓨터 기술, 인터넷, 엔터테인먼트 산업 등을 주도하는 국가는 미국이다. 이에 따라 미국에서 사용하는 영어를 통해 기술과 문화가 전해지면서 영어가 ㉢ 지배적인 언어가 된 것이다.

다 그 결과 영어는 교육의 수준과 정보 처리 능력을 평가하는 기준이 되었으며, 취직과 승진을 할 때도 매우 중요한 조건이 되었다. 학자들이 국제 학회에 참석하려면 영어로 논문을 써서 발표해야 하며, 노벨상도 영어를 쓰는 사람들이 이해할 수 있게 번역해야 상을 받을 가능성이 커진다. 조선 시대 사대부들이 평민들은 배우기 어려운 한문을 공식적인 문자로 사용하여 지식을 독점하고 지위를 유지한 것처럼 오늘날에는 영어가 ㉣새로운 권력 언어가 된 것이다.

라 영어가 권력 언어가 되어, 영어를 쓰는 사람들이 많아지면서 생기는 장점은 무엇일까? 영어를 통한 문화의 교류가 쉬워지고 그 속도도 빨라진다는 점이다. 그러나 언어는 많은 사람에게 널리 쓰일수록 단순해지는 특성이 있다. 이태원 상인들의 언어, 국제적 방송 매체에 쓰이는 영어의 단어 수는 그리 많지 않다. 서로 다른 문화권의 사람들 모두가 이해하려면 가능한 한 쉬운 단어를 사용하여 간명하게 의사를 전해야 하기 때문이다. 그렇기에 영어가 권력 언어로 굳어질수록 사람들의 생각과 표현은 자신도 모르는 사이에 점점 단순해질 가능성이 크다. 또한 세계화의 추세 속에서 영어처럼 지배력이 큰 언어를 제외하고 소수 집단의 ㉤다양한 언어들이 빠르게 소멸하고 있다. ⓐ영어와 영어식 사고가 지배하는 우리의 미래는 과연 어떤 모습일까?

- **국제기구** | 나라 國, 사귈 際, 틀 機, 얽을 構 | 특정한 목적을 위하여 둘 이상의 나라가 모여 활동을 하기 위해 만든 조직체.
- **학회** | 배울 學, 모일 會 | 학문을 깊이 있게 연구하고 더욱 발전하도록 하기 위해 공부하는 사람들이 만든 모임.
- **이태원** | 서울특별시 용산구에 있는 동. 다양한 나라의 대사관이 있으며, 외국인이 많이 거주하고 있다.
- **추세** | 달릴 趨, 기세 勢 | 어떤 일이나 현상이 일정한 방향으로 나아가는 경향.

STEP 1 독해 기초 확인

지문 한눈에 보기

가 국제 언어가 된 영어의 위상은?

- 사용 인구가 많음.
- 국제기구의 ☐☐ 언어임.
- 경제적 가치가 큼.

나 영어가 힘이 센 언어가 된 까닭은?

- 역사 속 권력 언어: 고대 그리스어, 라틴어, 동양의 ☐☐
- 현대 기술과 문화를 미국이 주도하게 됨.

→ 문명을 주도하는 나라의 언어가 지배 언어가 됨.

다 권력 언어가 된 영어는….

- 교육의 수준과 ☐☐ 처리 능력을 평가하는 기준이 됨.
- 취직과 ☐☐을 할 때 중요한 조건이 됨.
- 학술 활동을 인정받기 위한 중요한 도구임.

라 영어가 권력 언어로 굳어지면 어떻게 될까?

- 장점: 문화적 ☐☐가 쉽고 빨라짐.
- 문제점
  - 생각과 표현이 단순해질 수 있음.
  - 다양한 언어가 ☐☐하고 있음.

지문 핵심 key

1. 윗글을 읽고 기억에 남는 단어를 모두 쓰시오.

2. 1에서 떠올린 것 중에서 중심 화제를 쓰시오.

3. 가와 나, 두 문단 간의 관계로 알맞은 것을 고르시오.

☐ 가의 원인을 나에서 밝힘.
☐ 가의 문제를 나에서 해결함.

4. 윗글의 내용을 한 문장으로 요약하시오.

영어는 ______________________

실전 1회

정답과 해설 19쪽

STEP 2 독해 실력 확인

정보 간의 관계 파악하기

1 ㉠~㉤ 중 가리키는 대상이 다른 것은?

① ㉠ 국제 언어　② ㉡ 공식 언어
③ ㉢ 지배적인 언어　④ ㉣ 새로운 권력 언어
⑤ ㉤ 다양한 언어

드러나지 않은 내용 추론하기

2 윗글을 읽고 추론한 내용으로 적절하지 않은 것은?

① 언어와 문명의 전파는 관련이 있군.
② 영어를 잘하면 취업에 유리할 수 있겠군.
③ 컴퓨터 용어 중에는 영어로 된 것이 많겠군.
④ 언어는 그 언어를 사용하는 사람들의 생각에 영향을 끼치는군.
⑤ 물건을 사고팔 때 쓰는 영어는 복잡할수록 거래가 활발해지겠군.

관점 추론하기

3 윗글로 미루어 볼 때, ⓐ에 대한 글쓴이의 답변으로 적절한 것은?

① 영어가 가진 권력이 점차 줄어들 것이다.
② 지구상에서 사라지는 언어의 수가 점점 늘어날 것이다.
③ 수준 높은 언어의 사용으로 사람들의 생각이 깊어질 것이다.
④ 국제 스포츠 방송에서 사용하는 영어가 더 어려워질 것이다.
⑤ 우리말에서 영어가 뿌리인 외래어의 비중이 점점 줄어들 것이다.

지문에 나온 **어휘**, 확실히 짚고 가자!

1 제시된 한자를 살펴보고 다음 문장의 빈칸에 들어갈 알맞은 단어를 쓰시오.

1. 少 적을 [ㅅ], 數 셀 [ㅅ] — 이 의견에 찬성한 사람은 [ㅅ][ㅅ]에 불과하다.
2. 參 참여할 [ㅊ], 席 자리 [ㅅ] — 이번 모임에 우리 가족은 꼭 [ㅊ][ㅅ]해야 한다.
3. 評 평할 [ㅍ], 價 값 [ㄱ] — 전문가가 그의 그림에 값을 매길 수 없다고 [ㅍ][ㄱ]했다.
4. 獨 홀로 [ㄷ], 占 차지할 [ㅈ] — 그 웹툰은 우리 플랫폼에서 [ㄷ][ㅈ]으로 공개할 예정이다.

2 제시된 뜻풀이를 참고하여 다음 문장의 빈칸에 들어갈 알맞은 단어를 쓰시오.

1. 철수는 영어를 잘하지만 그의 [ㅁ][ㄱ][ㅇ]는 한국어이다.
   자기 나라의 말.
2. 외국에서 새로운 문화가 들어오면 [ㅇ][ㄹ][ㅇ]가 생기기 마련이다.
   외국에서 들어온 말로 국어에서 널리 쓰이는 단어.
3. [ㅁ][ㅁ]의 발달로 인간은 전보다 더 편리한 생활을 누리게 되었다.
   사람의 물질적, 기술적, 사회적 생활이 발전한 상태.
4. 요즘은 정보 통신 기술이 발달해 유행의 [ㅈ][ㅍ] 속도가 무척 빠르다.
   전하여 널리 퍼뜨림.
5. 해외 기업과 기술 [ㄱ][ㄹ]가 활발히 이루어져서 회사가 크게 성장하였다.
   문화나 사상 등이 서로 오감.

03 몽골의 가옥, 게르

교과 연계
사회 ①_기후 환경 극복

가 '게르'는 몽골의 전통 가옥으로 널리 알려져 있다. 기원전 3000년경 몽골의 사냥꾼들이 만든 이동식 가옥인 '어워훠'가 변형되어 오늘날 게르의 형태로 정착되었다. 게르는 나무 뼈대에 가축의 털로 짠 천이나 가죽을 씌워 만들기 때문에 조립하고 해체하기가 쉽다. 그렇다면 몽골인들은 왜 이와 같은 가옥 형태를 개발하였을까? 이는 몽골의 기후와 관련이 깊다.

나 유라시아 대륙 안쪽에 자리하고 있는 몽골은 여름에 비가 집중적으로 내린다. 이 시기에는 넓은 평원에 풀이 가득 자라나 가축을 키우기에 유리하다. 하지만 겨울의 몽골은 평균 기온이 영하 30도를 웃돌 정도로 추위가 극심하다. 추위와 폭설 때문에 겨울이면 수많은 가축들이 목숨을 잃는데, 이와 같은 자연재해를 '조드'라고 부른다. 기후의 영향으로 몽골인들은 계절에 따라 가축을 키우기에 적합한 장소를 찾아 머무는 곳을 정기적으로 옮기며 살아간다. 게르는 쉽게 해체해서 낙타의 등에 싣고 이동할 수 있다는 점에서 몽골인들의 유목 생활에 적합한 가옥 형태이다.

다 조립과 해체가 쉬워야 하는 탓에 게르는 방을 나누지 않은 채 하나의 공간으로 되어 있다. 하지만 몽골인들은 게르 내부를 보이지 않는 다섯 개의 구역으로 나누어 생활한다. 중앙에는 난로를 놓아 게르 내부를 따뜻하게 유지한다. 중앙의 난로를 기준으로 남서쪽은 외부 손님을 대접하는 공간이다. 남동쪽에서는 취사도구와 식기류를 두고 식사 준비 등 집안일을 한다. 북서쪽은 텔레비전이나 라디오 등을 두고 가족들이 머물며 거실처럼 이용하는 공간이다. 마지막으로, 북동쪽은 조상의 사진이나 종교적 상징물을 놓는 성스러운 공간이다.

라 몽골의 게르가 그러하듯 세계 각지의 주거 문화는 그 지역의 기후 환경에 적합한 형태로 발달해 왔다. 예를 들면, 열대 기후의 주민들은 습기를 피하려 집을 지면에서 높이 띄워 짓는다. 사막과 같은 건조 기후 지역에서는 외부의 뜨거운 열기를 차단하기 위해 벽이 두꺼운 가옥을 짓는다. 그만큼 기후 조건은 인간의 주거 양식을 비롯하여 생활 방식을 결정하는 중요한 요소라고 할 수 있다.

- **기후** | 기운 氣, 기후 候 | 기온, 비, 눈, 바람 등의 대기 상태.
- **유라시아(Eurasia)** | 유럽과 아시아를 아울러 이르는 이름.
- **유목** | 떠돌 遊, 칠 牧 | 소나 양과 같은 가축이 먹을 풀과 물을 찾아 옮겨 다니면서 삶.
- **열대** | 더울 熱, 띠 帶 | 적도에 가까우며, 연평균 기온이 섭씨 20도 이상인 덥고 비가 많이 오는 지역.

STEP 1 독해 기초 확인

지문 한눈에 보기

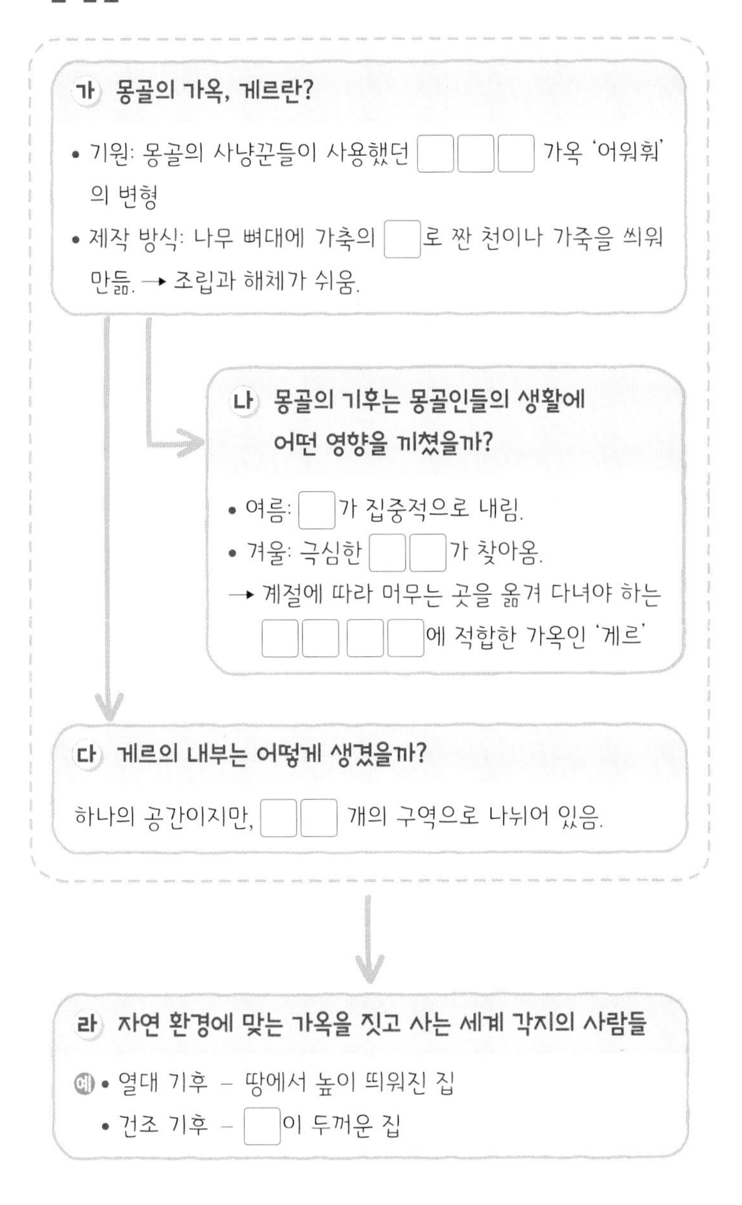

가 몽골의 가옥, 게르란?
• 기원: 몽골의 사냥꾼들이 사용했던 ☐☐☐ 가옥 '어워훠'의 변형
• 제작 방식: 나무 뼈대에 가축의 ☐로 짠 천이나 가죽을 씌워 만듦. → 조립과 해체가 쉬움.
나 몽골의 기후는 몽골인들의 생활에 어떤 영향을 끼쳤을까?
• 여름: ☐가 집중적으로 내림.
• 겨울: 극심한 ☐☐가 찾아옴.
→ 계절에 따라 머무는 곳을 옮겨 다녀야 하는 ☐☐☐☐에 적합한 가옥인 '게르'
다 게르의 내부는 어떻게 생겼을까?
하나의 공간이지만, ☐☐ 개의 구역으로 나뉘어 있음.
라 자연 환경에 맞는 가옥을 짓고 사는 세계 각지의 사람들
예 • 열대 기후 – 땅에서 높이 띄워진 집
• 건조 기후 – ☐이 두꺼운 집

지문 핵심 key

1. 윗글을 읽고 기억에 남는 단어를 모두 쓰시오.

2. 1에서 떠올린 것 중에서 중심 화제를 쓰시오.

3. 다 에 나타난 설명 방법으로 알맞은 것을 고르시오.

☐ 특정한 관점의 의의를 밝힘.
☐ 대상을 여러 부분으로 나누어 설명함.

4. 윗글의 내용을 한 문장으로 요약할 때, 밑줄에 들어갈 알맞은 말을 각각 쓰시오.

게르는 조립과 ________가 쉬운 몽골의 전통 ________으로, 이는 몽골의 ________와 관련이 깊다.

STEP 2 독해 실력 확인

중심 내용 파악하기

1 윗글의 중심 내용으로 알맞은 것은?

① 몽골의 역사와 지리적 특성
② 몽골의 주거 환경과 손님 접대 문화
③ 몽골인들이 자연재해를 피하는 방법
④ 몽골의 기후가 몽골의 가옥에 미친 영향
⑤ 유라시아 대륙의 기후 특성과 *식생 환경

* 식생
어떤 일정한 장소에서 모여 사는 식물의 집단.

드러나지 않은 내용 추론하기

2 윗글로 미루어 알 수 있는 내용이 아닌 것은?

① 몽골에서는 겨울에 가축을 키우기 어렵다.
② 기원전에도 이동 생활을 한 몽골인들이 있었다.
③ 몽골인들은 게르 안에서 손님을 대접하기도 한다.
④ 게르를 만들 때 필요한 재료는 주로 가축에게서 얻는다.
⑤ 몽골인들은 어릴 때부터 낙타를 타고 이동하는 법을 배운다.

시각 자료에 적용하기

교과서 문제

3 윗글을 참고할 때, 〈보기〉에 대한 이해가 적절한 것은?

보기

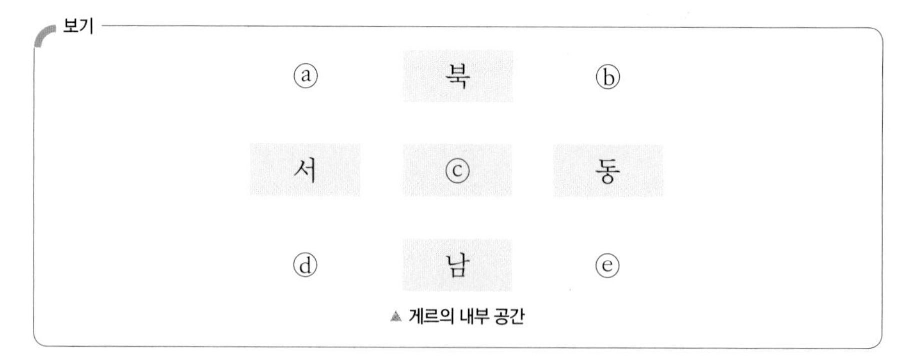

▲ 게르의 내부 공간

① ⓐ: 손님 대접 공간　② ⓑ: 종교 공간　③ ⓒ: 가사 공간
④ ⓓ: 가족 공간　⑤ ⓔ: 난방 공간

지문에 나온 어휘, 확실히 짚고 가자!

1 다음 문장의 흐름에 알맞은 단어를 고르시오.

❶ 공기 중에 [　　] 가 많아서 눅눅한 느낌이다. □ 습기 □ 온기

❷ 연구소에서는 신제품 [　　] 에 열을 올리고 있다. □ 개발 □ 계발

❸ 기온이 높고 비가 많이 내리는 지역이 벼농사에 [　　] 하다. □ 유리 □ 유연

❹ 오늘 밤 많은 눈이 내리겠으니 여러분께서는 [　　] 피해에 대비하시기 바랍니다. □ 폭설 □ 폭우

2 제시된 뜻풀이를 참고하여 다음 문장의 빈칸에 들어갈 알맞은 단어를 쓰시오.

❶ 고개를 넘자 눈앞에 드넓은 [ㅍ][ㅇ]이 펼쳐졌다.
평평한 들판.

❷ 동생은 두 권의 잡지를 [ㅈ][ㄱ][ㅈ]으로 구독한다.
기한이나 기간이 일정하게 정해져 있는 것.

❸ 낯선 땅에 [ㅈ][ㅊ]한 주민들은 모든 것이 새로웠다.
① 일정한 곳에 자리를 잡아 붙박이로 있거나 머물러 삶.
② 새로운 문화 현상, 학설 등이 당연한 것으로 사회에 받아들여짐.

❹ 오늘부터 뒷산 건물을 [ㅎ][ㅊ]하는 공사가 시작된다.
구조물 등을 헐어 무너뜨림.

❺ 아이가 선물로 받은 장난감 로봇을 [ㅈ][ㄹ]하고 있다.
여러 부품을 하나의 구조물로 짜 맞춤.

04 경제학과 합리적 선택

교과 연계
사회 ② _ 합리적 선택

㉮ 소비자가 경제적 선택으로 얻는 것을 편익, 잃는 것을 비용이라고 한다. 영화관에서 표를 구입해서 영화를 보는 이유가 무엇인지 묻는다면 대부분의 사람들은 "영화가 보고 싶어서요." 또는 "영화 보는 것을 좋아해서요."라고 대답할 것이다. 그러나 경제학에서는 표를 구입해서 영화를 볼 때 얻는 편익이 비용보다 더 크기 때문이라고 답한다.

㉯ 그런데 비용을 계산할 때에는 지갑에서 실제로 빠져나가는 지출인 금전 비용뿐 아니라 눈에 보이지 않는 비용까지도 모두 고려하여야 한다. 선택의 대가로 지불하는 기회비용 즉, 한 가지를 선택함으로써 포기해야 하는 다른 것 중 가장 아쉬운 것의 가치까지 생각하여야 한다. 기회비용은 주어진 자원이 제한적인 상황에서 원하는 모든 것을 가질 수 없어 선택을 해야 하기 때문에 발생한다.

㉰ 합리적 경제 주체는 경제적 행위를 하여 얻는 편익이 경제적 선택으로 포기한 것의 가치인 기회비용보다 더 크게 경제 활동을 하고자 한다. 친구와 떡볶이를 먹으러 가는 상황을 생각해 보자. 이 경우 명시적 비용은 떡볶이값이지만, 떡볶이를 먹으러 가지 않고 다른 일을 했을 때 얻을 수 있는 만족감 등도 모두 고려하여 전체 비용을 따져야 한다. 그런데도 떡볶이를 먹을 때의 편익이 떡볶이를 먹지 않을 때의 기회비용보다 크다면 떡볶이를 먹으러 가는 것이 합리적 선택이다.

㉱ 한편 매몰 비용이란 실제로 지불한 비용 가운데 다시 회수할 수 없는 비용을 뜻한다. 사람들은 종종 이미 투입되어 되돌릴 수 없는 매몰 비용 때문에 비합리적인 선택을 한다. 예를 들어 어떤 감독이 미국 야구 메이저 리그에서 유명한 선수 A를 영입하기 위해 막대한 연봉을 지불하였다고 하자. 하지만 A가 기대와 달리 부진한 실력으로 팀 성적에 기여하지 못한다면, 팀에서는 A를 내보내고 팀 성적에 기여할 다른 선수를 영입해야 합리적이다. 하지만 감독이 A에게 준 막대한 연봉이 아까워서 해당 선수를 계속 경기에 출전시킬 수 있다. 이는 투자한 매몰 비용에 연연하여 합리적 선택을 하지 못한 사례이다.

- **금전** | 쇠 金, 돈 錢 | 어떤 일을 했을 때나 물건을 사고팔 때 그 값으로 주고받는 돈.
- **지불하다** | 치를 支, 치를 拂 | 돈을 내거나 값을 치르다.
- **합리적** | 합할 合, 이치 理, 것 的 | 이론이나 이치에 합당한. 또는 그런 것.
- **명시적** | 밝을 明, 보일 示, 것 的 | 내용이나 뜻을 분명하게 드러내 보이는. 또는 그런 것.

STEP 1 독해 기초 확인

지문 한눈에 보기

가 영화관에서 표를 구입해서 영화를 보는 이유는?

- 일반적인 답변: 영화가 보고 싶어서
- 경제학에서의 답변: 표를 구입해서 영화를 볼 때 얻는 □□과 비용을 비교하여 선택함.

나 비용을 계산할 때 고려해야 할 것들

- 금전 비용: 지갑에서 실제로 빠져나가는 지출
- 기회비용: 한 가지를 □□함으로써 포기해야 하는 다른 것 중 가장 아쉬운 것의 가치

다 합리적 선택의 사례

경제적 행위로 얻는 편익과 □□□□을 비교하여 편익이 큰 것을 선택함.

예 떡볶이를 먹을 때의 편익이 기회비용보다 큰 경우

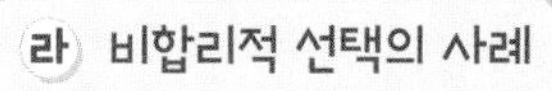

라 비합리적 선택의 사례

회수할 수 없는 비용을 뜻하는 □□□□을 포기하지 못함.

예 매몰 비용인 연봉이 아까워 성적이 부진한 선수를 계속 경기에 출전시키는 경우

지문 핵심 key

1. 윗글을 읽고 기억에 남는 단어를 모두 쓰시오.

2. 1에서 떠올린 것 중에서 중심 화제를 쓰시오.

3. 라에 나타난 설명 방법으로 알맞은 것을 고르시오.

   - □ 구성 요소를 나누어 설명함.
   - □ 개념을 구체적인 사례와 함께 설명함.

4. 윗글의 내용을 한 문장으로 요약하시오.

   합리적 선택을 하려면 ____________

STEP 2 독해 실력 확인

세부 내용 파악하기

1 윗글의 내용과 일치하지 않는 것은?

① 비용은 소비자가 경제적 선택으로 잃는 것을 말한다.
② 기회비용은 경제적 선택 때문에 포기한 것과 관련이 있다.
③ 비용을 계산할 때에는 눈에 보이지 않는 비용도 고려해야 한다.
④ 소비자가 상품을 구입하며 지불하는 돈은 금전 비용에 해당한다.
⑤ 어떤 경제적 선택이 합리적이려면 편익이 기회비용보다 작아야 한다.

드러나지 않은 내용 추론하기

2 윗글을 읽고 다의 사례와 관련하여 추론한 내용으로 가장 적절한 것은?

① 떡볶이를 먹는다면, 떡볶이값은 기회비용이다.
② 떡볶이를 먹는다면, 전체 비용에서 떡볶이값은 제외된다.
③ 떡볶이 대신 피자를 먹는다면, 떡볶이값은 매몰 비용이다.
④ 떡볶이 대신 피자를 먹는다면, 그 선택에 따른 만족감은 금전 비용이다.
⑤ 떡볶이를 먹었는데 안 먹었을 때보다 만족감이 낮다면 비합리적 선택을 한 것이다.

새로운 사례에 적용하기

3 윗글을 참고할 때, 〈보기〉의 빈칸에 들어갈 말로 가장 적절한 것은?

보기

A 사는 전기 차를 개발하는 데 100억 원을 투자했다. 그런데 최근 B 사가 A 사의 전기 차보다 성능이 우수하고 저렴한 제품을 먼저 시장에 출시하여 폭발적인 반응을 얻었다. 그러나 A 사는 자사의 차가 B 사의 전기 차보다 성능이 현저하게 떨어짐에도 투자 비용이 아까워 투자를 중단하지 않고 10억 원을 더 투자하기로 했다. 이때 A 사의 선택이 비합리적인 까닭은 (   ) 때문이다.

① 투자한 금액이 너무 적기
② 지금까지 얻은 이익이 없기
③ 매몰 비용을 포기하지 않았기
④ 소비자의 편익만 우선시했기
⑤ 눈에 보이는 비용만 고려했기

지문에 나온 **어휘**, 확실히 짚고 가자!

정답과 해설 21쪽

1 다음 문장의 흐름에 알맞은 단어를 고르시오.

1. 그 논문은 물리학 발전에 크게 [   ]하였다. ☐ 기부 ☐ 기여

2. 학업 성적이 [   ]하여 선생님께 꾸중을 들었다. ☐ 부재 ☐ 부진

3. 죄를 지은 사람은 그에 맞는 [   ]를 치러야 한다. ☐ 대가 ☐ 대안

4. [   ]가 주문한 상품을 집으로 직접 배달해 주는 서비스가 유행이다. ☐ 사군자 ☐ 소비자

2 제시된 뜻풀이를 참고하여 다음 문장의 빈칸에 들어갈 알맞은 단어를 쓰시오.

1. 참가자에게 나누어 준 설문지를 모두 [ㅎ][ㅅ]하였다.
   도로 거두어들임.

2. 이 가게는 다양한 제품을 판매해서 [ㅅ][ㅌ]의 폭이 넓다.
   여럿 가운데서 필요한 것을 골라 뽑음.

3. 이 건물은 일반인 출입을 [ㅈ][ㅎ][ㅈ]으로 허용하고 있다.
   일정한 한도를 정하거나 그 한도를 넘지 못하게 막는 것.

4. 나는 우리 학교의 명예를 걸고 전국 대회에 [ㅊ][ㅈ]하였다.
   시합이나 경기 등에 나감.

5. 눈사태가 잇따르면서 [ㅁ][ㅁ] 사고가 빈번하게 발생하였다.
   보이지 않게 파묻히거나 파묻음.

기후 변화, 이제는 외면할 수 없다

교과 연계
과학 3 _ 지구 온난화

가 최근 태평양 북서부와 캐나다를 중심으로 폭염 피해가 급증하고 있다. 2021년 여름, 기록적인 폭염 때문에 캐나다에서는 700여 명, 미국 오리건주에서는 100여 명이 사망했다. 특히 오리건주는 원래 에어컨이 필요 없을 정도로 여름에 시원한 날씨를 유지하던 지역이라는 점에서 이례적인 사건이다. 전문가들은 기후 변화가 일어나지 않았다면 없었을 재해라고 진단하였다. 지구의 평균 기온이 변하는 현상도 기후 변화로, 지금처럼 계속해서 지구의 평균 기온이 올라간다면 살인적인 폭염이 5년에서 10년에 한 번 꼴로 나타날 것이라는 비관적인 예측도 있다.

나 많은 사람들은 기후 변화를 말할 때 북극곰을 떠올린다. 북극의 빙하가 녹으면서 북극곰이 지낼 곳이 사라지고 먹을 것도 없어져서 동족을 잡아먹기도 한다는 이야기가 널리 알려져 있다. (㉠) 북극곰에게 벌어지는 비극을 알리는 것만으로 사람들의 마음을 움직일 수 있을까? 대부분의 사람들은 북극곰이 겪는 피해를 자신과 무관한 일로 여길 것이다.

다 하지만 앞서 소개한 폭염의 사례와 같이, 기후 변화가 지구에 사는 모든 생명체의 생존 기반을 위협하고 있다는 사실을 직시해야 한다. 미국의 프리스턴 대학 연구 팀이 발표한 논문에 따르면, 지구의 평균 기온이 산업화 이전과 비교했을 때 1.5도를 초과하여 상승하면 적도 지역 주민들이 위험해질 수 있다. 인간이 체온을 조절하기 위해서는 몸속에서 배출되는 열을 식혀야 하고, 이를 위해서는 주변의 온도와 습도가 적절해야 한다. 그런데 지구 평균 기온이 상승하면 적도 주변 열대 지방의 습구 온도도 함께 높아진다. 습구 온도가 인간이 생존할 수 있는 한계 온도를 넘어서면, 인간이 땀을 흘려 자체적으로 체온을 식힐 수 없게 되어 목숨을 잃을 수도 있는 것이다.

라 기후 변화의 영향으로 물이나 식량이 부족해지는 현상은 이미 지구 곳곳에서 일어나고 있다. 지구의 평균 온도는 벌써 산업화 이전 대비 1.1도나 높아졌다. 기후 변화의 속도를 늦추지 않는다면 그 피해는 현세대보다 미래 세대, 기성세대보다 청소년 세대에게 더 혹독하게 찾아올 것이다. 이처럼 기후 변화에 따른 위기는 북극곰뿐 아니라 지구에 사는 우리 모두의 문제이다. 기후 변화를 막기 위해 개인의 생활 방식을 바꾸고 국가 및 기업 차원에서 산업 구조를 근본적으로 개선하는 등 즉각적인 대응이 시급한 때이다.

- **폭염** | 사나울 暴, 불탈 炎 | 매우 심한 더위.
- **이례적** | 다를 異, 경우 例, 것 的 | 보통의 경우에서 벗어나 특이한 것.
- **산업화** | 낳을 產, 일 業, 될 化 | 산업과 기술이 발달하여 생산이 기계화되고 인구의 도시 집중과 같은 특징을 가진 사회로 됨.
- **습구 온도** | 축축할 濕, 공 球, 온도 溫, 법도 度 | 습구 온도계에 나타난 온도. 보통의 건구 온도계로 측정한 온도보다 낮다.

STEP 1 독해 기초 확인

지문 한눈에 보기

가 급증하는 폭염 피해의 원인이 기후 변화라고?

- 태평양 북서부와 캐나다의 ☐☐ 피해 사례 급증
- 지구의 평균 ☐☐이 계속 상승한다면 살인적인 폭염이 지속적으로 발생할 수 있음.

↓

기후 변화의 심각성을 절박하게 인식할 필요성

나 기후 변화는 북극곰만의 문제일까?

대부분은 북극곰이 겪는 피해가 자신과 ☐☐하다고 생각할 것임.

다 실제로 기후 변화가 영향을 미치는 범위는?

기후 변화는 지구에 사는 모든 ☐☐☐의 생존 기반을 위협함.

↓

라 기후 변화를 막기 위한 대응책은?

- 글쓴이의 ☐☐: 이 위기는 북극곰뿐 아니라 지구에 사는 우리 모두의 문제임.
- 대응책: 개인의 생활 방식 변화, 국가 및 기업 차원에서의 ☐☐ 구조 개선이 필요함.

지문 핵심 key

1. 윗글을 읽고 기억에 남는 단어를 모두 쓰시오.

2. 1에서 떠올린 것 중에서 중심 화제를 쓰시오.

3. 가와 라, 두 문단의 관계로 알맞은 것을 고르시오.

☐ 가의 원리를 라에서 적용함.
☐ 가의 문제 상황에 대한 해결책을 라에서 제시함.

4. 윗글의 내용을 한 문장으로 요약할 때, 밑줄에 들어갈 알맞은 말을 각각 쓰시오.

기후 변화는 지구에 사는 모든 생명체의 ________을 위협하므로, ________를 막기 위한 즉각적인 ________이 필요하다.

실전 1회

정답과 해설 22쪽

STEP 2 독해 실력 확인

중심 내용 파악하기

1 윗글의 중심 내용으로 알맞은 것은?

① 기후 변화는 우리 모두가 직면한 문제이다.
② 기후 변화로 가장 큰 고통을 느끼는 것은 북극곰이다.
③ 인간의 신체는 자체 냉각 기능을 잃으면 사망에 이를 수 있다.
④ 기후 변화를 해결하기 위해 가장 필요한 것은 개개인의 노력이다.
⑤ 지구의 평균 기온이 더 올라가면 적도 지역 주민들은 목숨이 위태롭다.

글의 흐름 파악하기

2 윗글의 맥락을 참고하였을 때, ㉠에 들어갈 말로 적절한 것은?

① 또한
② 그런데
③ 그래서
④ 그리고
⑤ 요약하면

글의 전개 방식 알기

3 〈보기〉는 윗글을 쓰기 위해 글쓴이가 떠올린 내용들이다. 이 중, 윗글에 반영된 것을 모두 고른 것은?

보기
ㄱ. 글을 시작할 때 실제 사례를 소개하여 문제의 심각성을 강조해야지.
ㄴ. 의문문 형식을 활용하여 독자가 스스로 답을 생각해 보게 해야겠어.
ㄷ. 신뢰할 수 있는 기관의 논문 내용을 근거로 제시하여 주장을 뒷받침해야지.
ㄹ. 문제 상황과 관련해 사람들의 생각이 어떻게 바뀌어 왔는지 시간순으로 나열해야겠어.

① ㄱ, ㄴ
② ㄴ, ㄷ
③ ㄷ, ㄹ
④ ㄱ, ㄴ, ㄷ
⑤ ㄴ, ㄷ, ㄹ

지문에 나온 **어휘**, 확실히 짚고 가자!

정답과 해설 22쪽

1 제시된 한자를 살펴보고 다음 문장의 빈칸에 들어갈 알맞은 단어를 쓰시오.

❶ 體 몸 [ㅊ], 溫 따뜻할 [ㅇ]　　간호사가 온도계로 환자의 [ㅊ][ㅇ]을 쟀다.

❷ 超 넘을 [ㅊ], 過 지날 [ㄱ]　　자동차의 소음이 적정 기준을 [ㅊ][ㄱ]하였다.

❸ 悲 슬플 [ㅂ], 劇 심할 [ㄱ]　　태풍으로 많은 사람이 죽는 [ㅂ][ㄱ]이 발생하였다.

❹ 急 급할 [ㄱ], 增 더할 [ㅈ]　　무더위가 계속되자 전기 사용량이 [ㄱ][ㅈ]하고 있다.

2 제시된 뜻풀이를 참고하여 다음 문장의 빈칸에 들어갈 알맞은 단어를 쓰시오.

❶ 이 지역은 비가 적게 와서 늘 물이 [ㅂ][ㅈ]하다.
필요한 양이나 기준에 미치지 못해 충분하지 않음.

❷ 연이은 시합 일정으로 선수들의 체력이 [ㅎ][ㄱ]에 다다랐다.
어떤 것이 실제로 일어나거나 영향을 미칠 수 있는 범위나 경계.

❸ 그들은 아무리 상황이 [ㅂ][ㄱ][ㅈ]이어도 꿈을 포기하지 않았다.
앞으로의 일이 잘 안될 것이라고 보는 것.

❹ 신세대와 [ㄱ][ㅅ][ㅅ][ㄷ] 사이의 갈등을 좁힐 방법을 찾아야 한다.
현재 사회를 이끌어 가는 나이가 든 세대.

❺ 그는 사업을 시작한 지 2년 만에 안정적인 수익 [ㄱ][ㅂ]을 마련하였다.
기초가 되는 바탕. 또는 사물의 토대.

06 만물을 쪼개면 무엇이 남을까

교과 연계
과학 2 _ 원소와 원자

가 아주 오래전부터 사람들은 세상을 이루는 물질이 무엇으로 구성되었는지 궁금해 했다. 먼 옛날에는 종교나 철학 사상으로 물질의 구성을 이해하려 하였다. 동양에서는 세상이 나무, 불, 흙, 쇠, 물로 구성되어 있다는 음양오행설로 우주 만물의 이치를 설명하려 했다. 한편 서양에서는 불, 공기, 물, 흙이라는 네 가지 원소가 결합하여 만물을 생성한다고 여겼는데, 이를 4원소설이라고 한다.

나 고대 그리스의 철학자인 아리스토텔레스는 4원소설의 네 가지 원소에 '에테르'라는 제5원소를 추가하여, 다섯 가지 원소가 물질을 구성하는 가장 기본적인 원소라고 주장하였다. 당시 사람들은 눈에 보이지 않는 에테르가 불멸의 물질이라고 믿었다. 이때 에테르는 현대 의학에서 마취제로 쓰는 화합물과 전혀 다른 물질로, 오늘날의 관점에서 보면 제5원소에 대한 내용은 사실이 아닌 이야기이다.

다 19세기 들어 영국의 과학자 돌턴이 물질의 구성에 대한 중요한 학문적 성과를 남겼다. 돌턴은 더 이상 쪼갤 수 없는 가장 작은 입자인 원자로 물질의 구성을 설명하려 하였는데, 이 원자설 덕분에 근대 화학은 급진적인 발전을 이룩한다. 그렇다면 돌턴의 원자설은 어떤 내용일까?

라 돌턴은 모든 물질은 원자로 구성되어 있으며, 같은 원소의 원자는 질량이 모두 같다고 보았다. 원자는 눈으로 볼 수 없을 만큼 작아서 당시의 기술로는 원자가 실제로 존재한다는 사실을 증명할 수 없었다. 그러나 한참 시간이 흐른 후인 1905년, 아인슈타인이 원자의 움직임으로 브라운 운동을 설명하면서 원자의 존재를 확실하게 증명하였다.

마 그러나 현대의 과학자들은 원자가 원자핵과 전자로 나뉘며 심지어 핵분열로 쪼개지기도 한다는 사실을 알아냈다. 원자의 중심에 있는 원자핵은 원자 질량의 대부분을 차지한다. 반면, 전자는 원자핵 주변의 넓은 공간에 있는데, 전자는 질량이 매우 작아 실질적인 원자의 질량은 원자핵의 질량과 같다. 또한 현대에 이르러 돌턴의 주장과 다르게, 같은 원소여도 질량이 다른 경우가 있다는 사실도 밝혀졌다. 비록 돌턴의 주장 중에는 잘못된 내용도 있지만, 돌턴의 원자설은 현대적인 원자 개념을 확립하는 계기가 되었다.

- **입자** | 알 粒, 아들 子 | 물질을 구성하는 미세한 크기의 물체.
- **원자** | 근원 原, 아들 子 | 물질의 기본적 구성 단위. 하나의 핵과 이를 둘러싼 여러 개의 전자로 구성되어 있다.
- **브라운 운동** | 액체나 기체 안에서 움직이는 작은 입자의 빠르고 불규칙한 운동.

STEP 1 독해 기초 확인

지문 한눈에 보기

가 옛사람들이 생각한 만물 생성의 원리는?
- 동양: □□□□□
- 서양: 4원소설

나 아리스토텔레스의 물질관

□원소 + 에테르
→ □원소설

다 돌턴이 제시한 원자설은?
- 가장 작은 입자인 □□로 물질의 구성을 설명하려 함.
- 원자설 덕분에 근대 □□이 급진적인 발전을 이룩함.

라 원자설의 구체적인 내용과 아인슈타인의 업적은?
- 모든 물질은 원자로 구성됨.
- 같은 원소의 원자는 □□이 모두 같음.

→ 아인슈타인: 브라운 운동으로 □□의 존재를 증명함.

마 현대의 과학자들이 새롭게 밝혀낸 것은?
- 원자는 원자핵과 □□로 나뉨.
- 원자는 핵분열로 쪼개지기도 함.
- 같은 □□여도 질량이 다른 경우도 있음.

지문 핵심 key

1. 윗글을 읽고 기억에 남는 단어를 모두 쓰시오.

2. 1에서 떠올린 것 중에서 중심 화제를 쓰시오.

3. 가~다에 나타난 설명 방법으로 알맞은 것을 고르시오.

- □ 여러 가설의 장단점을 비교함.
- □ 관점의 변화를 시간의 흐름에 따라 설명함.

4. 윗글의 내용을 한 문장으로 요약하시오.

먼 옛날부터

실전 1회

정답과 해설 23쪽

STEP 2 독해 실력 확인

세부 내용 파악하기

★ **원소와 원자**

원소는 물질을 이루는 기본 성분으로 셀 수 없는 추상적인 개념이고, 원자는 물질을 이루는 기본 입자로 개수를 셀 수 있는 입자 개념이다. 사과 3개, 배 2개가 들어 있는 과일 바구니에 비유하면, 과일의 종류인 사과, 배는 원소의 개념이고, 각각의 사과 1개, 배 1개는 원자의 개념이다.

1 윗글의 내용과 일치하는 것은?

① 돌턴은 원자의 움직임을 눈으로 직접 확인하였다.
② 아인슈타인은 원자라는 개념을 처음으로 제시하였다.
③ 돌턴의 원자설은 근대 화학의 발전에 크게 기여하였다.
④ 과거 동양에서는 불, 공기, 물, 흙의 결합으로 만물의 생성을 설명하였다.
⑤ 에테르는 가장 기본적인 원소로, 현대의 과학자가 그 존재를 증명하였다.

드러나지 않은 내용 추론하기

교과서 문제

2 '원자'와 관련하여 추측한 내용으로 적절하지 않은 것은?

① 원자의 구성 요소는 뒤늦게 밝혀졌구나.
② 원자 질량의 대부분을 차지하는 것은 전자이군.
③ 현대의 과학자들은 원자를 더 쪼갤 수 있는지 연구하였구나.
④ 19세기에는 원자가 실제로 존재한다는 것을 증명하기 어려웠구나.
⑤ 과학이 발달하면서 돌턴의 원자설 중 수정해야 할 내용이 발견되었구나.

정보 간의 관계 파악하기

3 글의 흐름으로 보아, 〈보기〉의 내용이 들어갈 위치로 적절한 것은?

보기

그러나 아일랜드의 화학자 보일은 그 당시까지 사람들이 믿고 있었던 4원소설과 5원소설이 잘못되었다고 보았다. 보일은 모든 복합물은 계속 분해하면 마침내 더 이상 분해할 수 없는 단순한 물질인 원소에 도달한다고 보았다. 고대 철학자들이 추리한 원소 개념이 다소 추상적이고 근거 또한 밝히지 않았던 것과 달리, 보일의 주장은 상당히 과학적이라고 할 수 있다.

① (가) 뒤　② (나) 뒤　③ (다) 뒤　④ (라) 뒤　⑤ (마) 뒤

지문에 나온 어휘, 확실히 짚고 가자!

1 다음 뜻풀이에 알맞은 단어를 고르시오.

1 이루어 낸 결실. ☐ 경과 ☐ 성과

2 일정한 공간이나 비율을 이루다. ☐ 저지하다 ☐ 차지하다

3 큰 현상이나 일, 목적 등을 이루다. ☐ 이룩하다 ☐ 이륙하다

4 어떤 사건이나 내용이나 판단이 진실인지 아닌지를 증거를 들어서 밝히다. ☐ 명명하다 ☐ 증명하다

2 제시된 뜻풀이를 참고하여 다음 문장의 빈칸에 들어갈 알맞은 단어를 쓰시오.

1 인간이라면 누구나 [ㅂ][ㅁ]을 원한다.
영원히 없어지거나 사라지지 않음.

2 봄은 [ㅁ][ㅁ]이 다시 살아나는 계절이다.
세상에 있는 모든 것.

3 양팔 저울로 물체의 [ㅈ][ㄹ]을 측정하였다.
물체의 고유한 양.

4 1970년대 우리나라의 경제는 [ㄱ][ㅈ][ㅈ]으로 발전하였다.
변화나 발전이 빠른 속도로 급히 이루어지는 것.

5 공장 폐수가 새어 나와, 땅으로 오염 [ㅁ][ㅈ]이 스며들었다.
공간의 일부를 차지하고 질량을 갖는 요소.

07 출동! 로봇 구조대가 간다

교과 연계
기술 · 가정 ① _ 기술과 사회 변화

㉮ 휴머노이드(humanoid)는 사람을 뜻하는 'human'과 '~와 비슷한'이라는 의미의 'oid'를 결합한 단어이다. 즉 휴머노이드는 사람처럼 두 손을 사용하고 두 발로 걷는 로봇을 가리킨다. 2000년 일본에서 두 발로 걷는 인간형 로봇 '아시모'를 선보인 뒤로 휴머노이드 연구는 계속되었으나, 실생활에서 널리 사용할 수 없는 기술이라는 평가가 지배적이었다.

㉯ 그런데 2011년 동일본 대지진 당시 일어난 후쿠시마 원전 사고를 계기로 휴머노이드 연구에 큰 변화가 일었다. 전문가들은 원자력 발전소에서 발생한 1차 폭발 이후 누군가 원전에 들어가 적절한 대처를 했더라면 2차 폭발은 막았을 것이라고 입을 모았다. 그러나 방사성 물질이 가득한 원전 내부는 사람이 들어가기에 너무나 위험했고, 사다리를 타고 사고 현장에 들어갈 수 있는 로봇도 마땅하지 않았다.

㉰ 이러한 조건에서 재난 현장 구조원 역할의 적임자로 떠오른 것이 바로 휴머노이드이다. 그 까닭은 무엇일까? 첫째로, ㉠휴머노이드는 사람을 닮았다. 재난이 발생한 장소는 대부분 원래 사람들의 삶의 터전이었던 곳이다. 목적지까지 무사히 도달하기 위해서는 문을 따거나 스위치를 누르는 등 인간만이 하는 동작을 따라 할 수 있어야 한다. 둘째로, ㉡위급한 재난 상황에서는 비용을 덜 따질 수 있다. 휴머노이드 한 대의 가격은 수억 원에서 수십억 원에 이른다. 하지만 위험천만한 재난 현장에 사람이 목숨을 걸고 들어가지 않아도 된다면, 비싼 비용을 감수하더라도 로봇을 투입하는 것이 낫다.

㉱ 과거에는 휴머노이드를 개발할 때 인간의 감각 기관과 행동을 기계로 구현할 수 있는지 실험해 보는 데 관심이 있었다. 그러나 원전 사고를 계기로 재난 현장에 투입할 수 있는 로봇을 개발하려는 경향이 뚜렷해졌다. 휴머노이드 연구가 실용적인 목표를 갖게 된 것이다. 원전 사고 이후, 미국 정부에서는 재난 로봇 개발을 독려하기 위해서 ⓐ경진 대회를 열었다. 이 대회에서 한국의 휴머노이드 '휴보'가 우승을 차지하기도 하였다. 대회에 주축이 되었던 연구 기관이나 로봇 개발 회사들은 지금까지도 재난 구조 목적의 휴머노이드의 성능을 꾸준히 높여 가고 있다.

- **원전** | 근원 原, 전기 電 | '원자력 발전소'를 줄여 이르는 말.
- **재난** | 재앙 災, 어려울 難 | 뜻하지 않게 일어난 불행한 사고나 고난.
- **구현하다** | 갖출 具, 나타날 現 | 어떤 내용을 구체적인 사실로 나타나게 하다.

STEP 1 독해 기초 확인

지문 한눈에 보기

가 휴머노이드란?

- 뜻: 사람처럼 두 □을 사용하고, 두 □로 걷는 로봇
- 기존의 평가: 실생활에서 널리 활용하기 어려운 기술임.

↓

휴머노이드 연구 변화의 발단이 된 사건

나 재난 상황에서 드러난 문제점은?

- 사건: □□□□ 원자력 발전소 사고
- 문제점: 1차 폭발 이후 원전에 들어가 적절한 대처를 할 수 없었음.

다 휴머노이드가 재난 구조를 한다고?

- 휴머노이드는 사람의 작업을 대신할 수 있음.
- 위급한 재난 상황에서는 □□ 문제에서 비교적 자유로워짐.

↓

라 휴머노이드 연구 경향은 어떻게 변화했나?

- 과거: 인간의 감각 기관과 행동을 □□로 구현할 수 있는지 □□해 보는 데 관심이 있었음.
- 원전 사고 이후: 재난 □□ 임무 수행(실용적인 목표)

지문 핵심 key

1. 윗글을 읽고 기억에 남는 단어를 모두 쓰시오.

2. 1에서 떠올린 것 중에서 중심 화제를 쓰시오.

3. 나와 다 두 문단 간의 관계로 알맞은 것을 고르시오.

- □ 나의 주장을 다에서 뒷받침함.
- □ 나의 문제 상황에 대한 해결책을 다에서 제시함.

4. 윗글의 내용을 한 문장으로 요약할 때, 밑줄에 들어갈 알맞은 말을 각각 쓰시오.

> 후쿠시마 원전 사고를 계기로, ________ 연구의 목표가 ________과 비슷한 동작을 구현하는 것에서 ________ 임무 수행으로 바뀌었다.

정답과 해설 24쪽

STEP 2 독해 실력 확인

중심 내용 파악하기

1 **윗글의 중심 내용으로 알맞은 것은?**

① 휴머노이드의 구조
② 휴머노이드의 발명 과정
③ 휴머노이드 연구 목적의 변화
④ 생산 활동에 이바지하는 휴머노이드
⑤ 휴머노이드를 인간처럼 만들기 위한 조건

드러나지 않은 내용 추론하기

2 **㉠, ㉡에서 알 수 있는 내용으로 적절한 것은?**

① ㉠은 휴머노이드가 사람처럼 생각한다는 뜻이다.
② ㉠으로 볼 때, 휴머노이드는 사람의 모든 일을 대신할 것이다.
③ ㉡으로 볼 때, 재난 상황에서도 비용을 최대한 아껴야 한다.
④ ㉡으로 볼 때, 휴머노이드를 사용하려면 많은 비용이 든다.
⑤ ㉡에서 말하는 재난 상황은 휴머노이드에게 일어나는 위기 상황이다.

종합적으로 정보 이해하기

3 **ⓐ에 대한 이해로 적절하지 않은 것은?**

① 휴머노이드의 활용 목적을 밝힌 대회이다.
② 휴머노이드 개발의 중요성을 인식하여 개최하였다.
③ 외국 팀에게도 휴머노이드 출품을 허용한 대회이다.
④ 재난 현장에 투입할 수 있는 휴머노이드의 성능을 겨루는 대회이다.
⑤ 사람이 따라 할 수 없는 동작을 수행한 휴머노이드가 우승을 차지하였다.

지문에 나온 **어휘**, 확실히 짚고 가자!

1 다음 뜻풀이에 알맞은 단어를 고르시오.

1. 감독하며 격려하다. ☐ 독려하다 ☐ 염려하다

2. 목적한 곳이나 수준에 다다르다. ☐ 도달하다 ☐ 통달하다

3. 괴롭고 힘든 일을 달갑게 받아들이다. ☐ 감수하다 ☐ 감지하다

4. 사람이나 물건, 돈 등을 필요한 곳에 넣다. ☐ 투입하다 ☐ 투영하다

2 제시된 뜻풀이를 참고하여 다음 문장의 빈칸에 들어갈 알맞은 단어를 쓰시오.

1. 어부들에게는 바다가 삶의 [ㅌ][ㅈ]이다.
   ① 집터가 되는 땅. ② 자리를 잡은 곳. ③ 살림의 근거지가 되는 곳.

2. 이 모자는 아름다울 뿐 아니라 [ㅅ][ㅇ][ㅈ]이기까지 하다.
   실제로 쓰기에 알맞은 것.

3. 그녀는 외국어에 능통하기 때문에 통역 일에 [ㅈ][ㅇ][ㅈ]이다.
   어떠한 임무나 일에 알맞은 사람.

4. 구조대는 [ㅇ][ㄱ]한 환자를 무사히 병원으로 옮기는 데 성공했다.
   어떤 일이나 상태가 몹시 위험하고 급함.

5. 이번 대회 우승자는 작년과 같을 것이라는 의견이 [ㅈ][ㅂ][ㅈ]이었다.
   다른 것에 견주어 매우 힘이 세거나 주가 되어 이끄는 것.

08 냉장고에서 소리가 나는 까닭은

교과 연계
기술·가정 ① _ 기술과 사회 변화

가 냉장고에 넣은 음식은 왜 신선하게 유지될까? 바로 냉장고 안에 들어 있는 냉매 덕분이다. 냉매는 냉장고 안에 꼬불꼬불 연결된 파이프를 타고 순환하면서 음식에서 발생하는 열을 외부로 내보낸다. 이 과정에서 냉장고 내부 온도가 일정하게 유지되어 냉장고 안의 음식이 상하지 않는다.

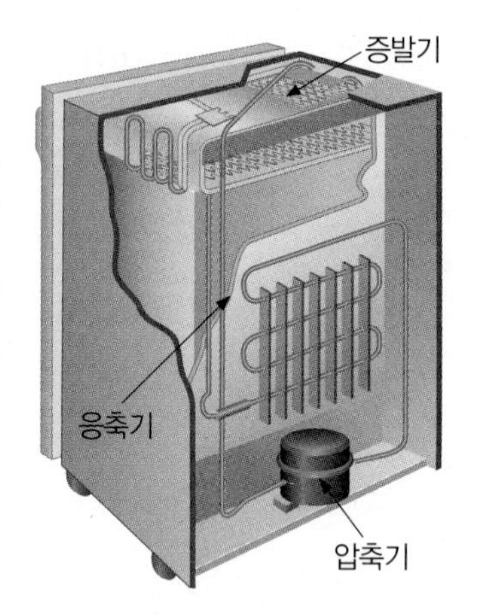

나 냉장고 속 냉매는 '액체 → 기체 → 액체'로 그 상태가 계속 변하면서 냉장고 안에서 순환한다. 그런데 물질은 액체에서 기체로 바뀔 때 주변의 열을 빼앗는다. 냉매도 증발기를 거쳐 액체에서 기체로 바뀌면서 주변의 열을 빼앗아 냉장고 내부 온도를 낮게 유지한다. 기체 상태인 냉매에 압력을 가해 액체로 만들 때는 압축기의 도움이 필요하다. 냉장고에서 나는 ㉠'윙윙' 소리는 냉매가 압축되는 과정에서 나는 소음으로, 압축기를 나온 냉매는 응축기를 거쳐 액체로 변하게 된다.

다 그렇다면 모든 냉장고가 윙윙거리는 시끄러운 소리를 낼까? 그렇지는 않다. 1920년대 미국에서 인기였던 가스냉장고는 조용했다. 가스냉장고는 가스 불꽃을 이용해 냉매를 기체로 만들기 때문이다. 냉매를 압축할 필요가 없으니 소음도 없었다. 심지어 가스냉장고는 비교적 부품 수가 적어 쉽게 고장이 나지 않았고, 가스 요금도 적게 들었다. 이에 반해 전기냉장고는 제품 가격도 비쌌고 전기 요금도 많이 들었으며, 덩치가 큰 데다 소음도 엄청나서 지하실에나 설치해 쓸 수 있었다.

라 하지만 시간이 지나 전기 산업의 수익성에 눈을 뜬 기업들이 소비자들의 전기 사용을 늘리기 위해 전기냉장고의 보급에 주력했다. 경쟁적으로 막대한 투자를 해 전기냉장고의 가격을 내리고, 성능을 개량했다. 반면 가스냉장고 제조 업체들은 대체로 자금이 부족해서 도중에 사업을 포기하는 경우가 많았다. 결국 얼마 지나지 않아 전기냉장고에 밀려 가스냉장고는 자취를 감추고 만다.

마 전기냉장고가 가스냉장고보다 월등하기 때문에 오늘날 전기냉장고가 널리 쓰이는 것이라고 단정할 수는 없다. ㉡냉장고 전쟁에서 전기냉장고가 승리를 거머쥘 수 있었던 데에는 기업들 사이에 불붙은 경쟁, 에너지 산업과의 관계 등 복잡한 사회·경제적 요인들이 자리 잡고 있기 때문이다.

- **냉매** | 찰 冷, 매개 媒 | 에어컨이나 냉장고 등에 넣는, 열을 흡수하여 온도를 낮추어 주는 물질.
- **파이프(pipe)** | 물이나 가스 등을 옮기는 데 쓰는, 속이 비어 있는 관.
- **압축기** | 누를 壓, 오그라들 縮, 기계 機 | 공기나 그 밖의 기체를 압축하는 기계.
- **수익성** | 거둘 收, 더할 益, 성질 性 | 이익을 거둘 수 있는 정도.

STEP 1 독해 기초 확인

지문 한눈에 보기

가 냉장고에서 열을 운반하는 역할을 하는 물질은?

☐☐가 파이프 속을 순환하며 냉장고 내부의 열을 외부로 빼냄.

나 냉장고가 작동하는 원리 (냉매의 상태 변화)

액체 → ☐☐ → 액체

내부 냉각 / 압축기, 응축기

다 1920년대 미국의 가스냉장고와 전기냉장고 비교

가스냉장고	전기냉장고
• 가스 ☐☐을 이용해 냉매를 기체로 만듦. • 조용하고 고장이 덜 남. • 가스 ☐☐이 적게 듦.	• 제품 가격이 비쌈. • 덩치가 크고 ☐☐도 큼. • ☐☐ 요금이 많이 듦.

라 전기냉장고의 성공 요인

- 전기냉장고 제조 업체: 경쟁적으로 자본 ☐☐, 기술 개선
- 가스냉장고 제조 업체: 자금 부족으로 사업 포기

마 전기냉장고의 보급과 관련된 사회 · 경제적 요인

- 기업들 사이의 치열한 ☐☐
- 에너지 산업과의 관계

→ 복잡한 사회 · 경제적 요인들이 작용

지문 핵심 key

1. 윗글을 읽고 기억에 남는 단어를 모두 쓰시오.

2. 1에서 떠올린 것 중에서 중심 화제를 쓰시오.

3. **다**에 나타난 설명 방법으로 알맞은 것을 고르시오.

☐ 일이 이루어지는 절차를 설명함.
☐ 두 대상 간의 차이점을 밝혀 설명함.

4. 윗글의 내용을 한 문장으로 요약하시오.

냉장고는 ______________________

실전 1회

정답과 해설 25쪽

STEP 2 독해 실력 확인

세부 내용 파악하기

1 윗글의 내용과 일치하는 것은?

① 냉매는 파이프의 안과 밖을 드나든다.
② 냉매는 액체나 기체로 상태가 변한다.
③ 전기냉장고는 가스냉장고보다 소음이 적었다.
④ 가스냉장고는 가스 불꽃으로 냉매를 압축하였다.
⑤ 냉매는 기체에서 액체로 바뀔 때 주변의 열을 빼앗는다.

드러나지 않은 정보 추론하기

2 ㉠의 원인이 되는 냉장고의 작동 원리로 적절한 것은?

① 냉매를 기체로 만든다.
② 냉매에 압력을 가한다.
③ 냉매를 고체로 만든다.
④ 냉매의 압력을 떨어뜨린다.
⑤ 냉매가 열을 흡수하게 한다.

관점 추론하기

3 윗글의 관점에 따라 ㉡에 대해 보인 반응으로 적절한 것은?

① 결국은 소비자가 선호하는 제품이 성공하는군.
② 사회·경제적 요인은 기술 발전과 크게 관련이 없군.
③ 오늘날 우리가 쓰는 기술은 앞으로도 계속 유지되겠군.
④ 장점이 많은 제품이 반드시 시장에서 살아남는 것은 아니군.
⑤ 어떤 기술이 최종적으로 살아남을지 누구나 예상할 수 있었겠군.

지문에 나온 어휘, 확실히 짚고 가자!

1 제시된 한자를 살펴보고 다음 문장의 빈칸에 들어갈 알맞은 단어를 쓰시오.

❶ 改 고칠 [ㄱ], 良 어질 [ㄹ] — 이 사과나무는 [ㄱ][ㄹ] 품종이다.

❷ 普 넓을 [ㅂ], 及 미칠 [ㄱ] — 신기술이 전 세계에 [ㅂ][ㄱ]되었다.

❸ 循 돌 [ㅅ], 環 고리 [ㅎ] — 이 건물은 공기가 잘 [ㅅ][ㅎ]되지 않는다.

❹ 越 넘을 [ㅇ], 等 무리 [ㄷ] — 운동선수의 신체 감각과 운동 능력은 보통 사람들보다 훨씬 [ㅇ][ㄷ]하다.

2 제시된 뜻풀이를 참고하여 다음 문장의 빈칸에 들어갈 알맞은 단어를 쓰시오.

❶ 방송국 사이에서 시청률 [ㄱ][ㅈ]이 치열하다.
어떤 분야에서 이기거나 앞서려고 서로 겨룸.

❷ 범죄 현장에 범인이 다녀간 [ㅈ][ㅊ]가 남아 있다.
어떤 것이 남긴 표시나 자리.

❸ 이 자동차는 오래되었지만 아직 [ㅅ][ㄴ]이 뛰어나다.
기계 등이 지닌 성질이나 기능.

❹ 바다 깊숙이 내려갈수록 [ㅇ][ㄹ]의 세기는 점점 커진다.
누르는 힘.

❺ 사업 [ㅈ][ㄱ]을 마련하기 위해 은행에 가서 돈을 빌렸다.
① 사업을 하는 데에 쓰는 돈. ② 특정한 목적을 위해 쓰는 돈.

예술

09 성당을 지키는 괴물, 가고일

교과 연계
미술 ② _ 미술의 변천과 맥락

㉮ 중세 유럽의 성당을 방문하면 성당 지붕 귀퉁이나 외벽에서 괴물 석상을 볼 수 있다. 성당을 포함한 많은 중세 양식 건물에서 발견되는 이 전설 속 괴물의 이름은 가고일(Gargoyle)이다. 가고일은 예로부터 저승에서 빗물을 모으는 풍요의 괴물로 여겨졌다. 그런데 왜 하필 무섭게 생긴 괴물 석상을 성당처럼 성스러운 건물에 세우게 된 것일까?

㉯ 중세 유럽의 사람들은 가고일 석상이 악령으로부터 성당을 보호해 줄 것이라고 생각했다. 동시에, 신앙심이 부족하면 가고일 같은 무서운 괴물에게 잡아먹힌다고 믿었다. 중세 프랑스 지역의 대주교였던 성 로마노가 가고일을 사로잡아 화형에 처했는데, 이를 계기로 성당을 탐하면 가고일처럼 죽임을 당할 것이라고 경고하려 가고일 석상을 세우기 시작했다는 이야기도 전해진다.

㉰ 이러한 해석은 가고일 석상이 보통 입을 벌린 형태인 것과도 연관이 있다. 가고일이 성당 내부로 침입한 악령을 밖으로 뱉어 내려 입을 크게 벌리고 있다고 보는 것이다. 서양의 건축물인 가고일 석상뿐 아니라, 우리나라의 궁궐 기와지붕 위에 놓이는 귀신 쫓는 잡상이나 절 입구에 있는 사천왕상의 일부 형상도 비슷한 까닭으로 입을 벌린 모습으로 제작한 것이라는 설이 있다.

㉱ 가고일 석상에는 실용적인 기능도 있다. 빗물을 내보내려 지붕이나 건물 외관에 설치한 돌을 석루조라고 하는데, 가고일 석상은 이 석루조 역할을 한다. 만약 빗물이 그대로 외벽을 타고 흘러내리면 건물에 얼룩이 생기거나 부식이 발생한다. 그런데 목을 길게 뺀 가고일 석상이 있으면 빗물을 건물 바깥쪽으로 바로 떨어지게 할 수 있다. 가고일의 이름이 입을 헹구고 내뱉는다는 뜻의 'gargle'이나 불어로 목구멍을 뜻하는 'gargouille'에서 비롯되었다는 추측도 이 기능과 관련이 있다.

- **악령** | 악할 惡, 영혼 靈 | 원한을 품고 사람에게 재앙을 내리는 못된 영혼.
- **잡상** | 섞일 雜, 모양 像 | 궁전이나 전각의 지붕 위 네 귀에 여러 가지 신상(神像)을 새겨 얹는 장식 기와.
- **부식** | 썩을 腐, 갉아먹을 蝕 | 썩어서 본래의 모양이 없어짐. 암석이 물과 공기의 작용으로 녹음.

STEP 1 독해 기초 확인

지문 한눈에 보기

가 성당에 괴물 석상이 있다고?

중세 유럽의 성당 지붕 귀퉁이나 외벽에 달린 괴물 ☐☐
→ ☐☐에서 빗물을 모으는 풍요의 괴물로 알려진 가고일임.

나 설치 이유 ① - 가고일 석상에 담긴 믿음

- 악령으로부터 성당을 ☐☐해 줄 것임.
- 신앙심이 부족하면 가고일에게 잡아먹힐 것임.

다 가고일은 왜 입을 벌리고 있을까?

성당 내부로 침입한 ☐☐을 밖으로 뱉어 내기 위함임.

라 설치 이유 ② - 가고일 석상의 실용적 기능

- 석루조 기능: ☐☐이 건물 바깥쪽으로 바로 떨어지게 함.
- 가고일의 ☐☐에 대한 추측에서도 석루조 기능을 엿볼 수 있음.

지문 핵심 key

1. 윗글을 읽고 기억에 남는 단어를 모두 쓰시오.

2. 1에서 떠올린 것 중에서 중심 화제를 쓰시오.

3. 나와 다, 두 문단 간의 관계로 알맞은 것을 고르시오.

☐ 나의 해석을 다에서 반박함.
☐ 나의 해석을 다에서 부연함.

4. 윗글의 내용을 한 문장으로 요약할 때, 밑줄에 들어갈 알맞은 말을 각각 쓰시오.

> 중세 유럽 사람들은 ________ 이 성당을 보호한다고 믿어 석상을 성당에 설치하였으며, 가고일 석상은 ________로서의 실용적 기능도 있다.

정답과 해설 26쪽

STEP 2 독해 실력 확인

세부 내용 파악하기

1 윗글을 읽고 답할 수 있는 질문이 아닌 것은?

① 잡상이나 사천왕상은 어떤 모습일까?
② 가고일 석상은 왜 입을 벌리고 있을까?
③ 왜 성당 지붕에 가고일 석상을 달았을까?
④ '가고일'은 어떤 단어에서 비롯된 이름일까?
⑤ 성당 외벽 장식물 중 가장 실용적인 것은 무엇일까?

글의 전개 방식 알기

2 윗글에 나타난 설명 방법을 〈보기〉에서 모두 골라 바르게 묶은 것은?

보기
㉠ 여러 대상을 일정한 기준에 따라 나누고 있다.
㉡ 질문을 던지며 뒤에 이어질 내용을 강조하고 있다.
㉢ 대상이 변화하는 모습을 시간 순서대로 나열하고 있다.
㉣ 설명 대상과 공통점이 있는 다른 사례를 소개하고 있다.

① ㉠, ㉡ ② ㉠, ㉢ ③ ㉡, ㉢ ④ ㉡, ㉣ ⑤ ㉢, ㉣

이유 추론하기

3 윗글을 읽고 〈보기〉의 이유를 가장 적절하게 추론한 것은?

보기
빗물을 내보내는 기능을 지닌 석루조를 아름다운 요정이나 천사가 아닌 괴물의 모습으로 조각한 이유는 무엇일까?

① 성당의 외관을 아름답게 장식하려고
② 사람들의 눈에 최대한 덜 띄게 하려고
③ 사람들이 겁먹지 않고 쉽게 만지게 하려고
④ 가고일 석상의 모양이 가장 조각하기 쉬우므로
⑤ 가고일이 저승에서 빗물을 모으는 괴물이기 때문에

지문에 나온 어휘, 확실히 짚고 가자!

1 제시된 한자를 살펴보고 다음 문장의 빈칸에 들어갈 알맞은 단어를 쓰시오.

1 石 돌 [ㅅ], 像 모양 [ㅅ] 공원에 대리석으로 만든 [ㅅ][ㅅ]이 있다.

2 傳 전할 [ㅈ], 說 말씀 [ㅅ] 우리 동네에는 예부터 전해 내려오는 [ㅈ][ㅅ]이 있다.

3 外 바깥 [ㅇ], 觀 볼 [ㄱ] 이 자동차는 [ㅇ][ㄱ]은 멀쩡하지만 내부에는 문제가 많다.

4 訪 찾을 [ㅂ], 問 방문할 [ㅁ] 다음 주 토요일에 고객의 사무실에 [ㅂ][ㅁ]하기로 약속했다.

2 제시된 뜻풀이를 참고하여 다음 문장의 빈칸에 들어갈 알맞은 단어를 쓰시오.

1 경찰이 빈집에 [ㅊ][ㅇ]하려던 도둑을 잡았다.
남의 땅이나 나라, 권리, 재산 등을 범하여 들어가거나 들어옴.

2 고층 건물의 [ㅇ][ㅂ] 청소는 자주 하기 어렵다.
바깥쪽의 벽.

3 환경 단체가 기후 변화의 심각성을 [ㄱ][ㄱ]했다.
조심하거나 삼가도록 미리 주의를 줌. 또는 그 주의.

4 바이러스를 막으려면 백신 프로그램을 [ㅅ][ㅊ]해야 한다.
어떤 목적에 맞게 쓰기 위하여 기관이나 설비 등을 만들거나 제자리에 맞게 놓음.

5 높은 첨탑이 특징인 고딕 건축은 12세기 유럽에서 생긴 건축 [ㅇ][ㅅ]이다.
시대나 부류에 따라 독특하게 나타나는, 예술 작품이나 건축물 등의 표현 방법이나 형식.

10 장수와 행복을 기원합니다

교과 연계
미술 ② _ 미술의 변천과 맥락

㉮ 설날을 맞아 주변 사람들에게 새해 복 많이 받으라는 덕담을 전한 경험이 있을 것이다. 백수백복도는 이러한 바람을 화폭에 옮긴 민화로, 주로 어른들의 방에 병풍으로 놓였다. 백수백복도는 장수를 뜻하는 '수(壽)' 자와 행운 또는 행복을 의미하는 '복(福)' 자로 가득 차 있는 그림으로, 문자 뜻 그대로 복을 많이 받으면서 오래오래 행복하게 살기를 염원하는 마음이 담겨 있다.

㉯ 백수백복도는 임진왜란 이후 중국에서 우리나라로 전해져 널리 유행하였다. 지금까지 남아 있는 백수백복도는 좌우 대칭을 이루는 모양의 글꼴인 전서체를 바탕으로 하여 수 자와 복 자를 변용한 것을 기본으로 한다. 전서체 글자에 인물이나 자연물, 동식물 등 갖가지 그림과 조합해 표현한 백수백복도는 특별히 예술성이 뛰어난 것으로 평가된다. 백수백복도의 글자는 민화에 등장하는 모든 소재를 총동원하여 장식한 것으로, 언뜻 보면 글씨라기보다 그림에 가까울 정도로 그 모양이 다양하다.

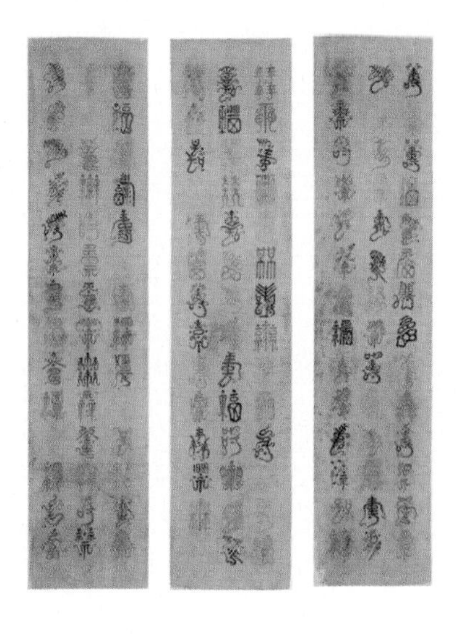

㉰ 백수백복도에는 대나무 잎이나 해치, 신선, 닭, 학, 개구리, 호랑이, 가지, 호리병 등 다양한 동식물이나 물건이 등장하지만 그중에서도 장수나 행복을 상징하는 소재는 백수백복도에 자주 활용되는 단골 소재이다. 예를 들어 박쥐는 행복을 상징하는 상서로운 짐승인데, 박쥐 두 마리가 감싸는 모양으로 '복' 자를 그려 복이 겹쳐 들어온다는 뜻을 나타낸다. 호리병 또한 신선들이 가지고 다니는 물건이어서 그것만으로도 장수를 뜻하지만, 호리병에 '수' 자를 새겨 장수의 의미를 두 배로 표현할 수 있다.

㉱ 원래 전서체로 된 백수백복도는 한자를 읽을 줄 아는 양반들만 즐기는 어려운 그림이었다. 하지만 서민들은 특유의 재치와 익살로 어려운 한자를 누구나 알기 쉬운 그림으로 바꾸어 표현해 각양각색의 백수백복도로 재탄생시켰다. 이처럼 예로부터 온 계층이 즐기던 백수백복도에는 복이 오기를 기원하는 마음뿐 아니라 아무리 어려운 일이 있어도 희망을 잃지 않고 꿋꿋하게 이겨 나가고자 하는 우리 조상들의 정신도 담겨 있다.

- **민화** | 백성 民, 그림 畫 | 옛날에, 유명한 화가가 아닌 사람이 실용적인 목적으로 그렸던 소박하고 재미있는 그림.
- **장수** | 길 長, 목숨 壽 | 오래도록 삶.
- **전서체** | 전자 篆, 글 書, 몸 體 | 한자 서체의 하나.
- **해치** | 해태 獬, 해태 豸 | '해태'의 원말. 시비와 선악을 판단하여 안다고 하는 상상의 동물. 사자와 비슷하나 머리에 뿔이 있다고 한다.

STEP 1 독해 기초 확인

지문 한눈에 보기

가 백수백복도란?

장수를 뜻하는 '☐(壽)' 자와 행운 또는 행복을 뜻하는 '☐(福)' 자로 가득 찬 그림

백수백복도의 표현상 특징

나 백수백복도의 구성 요소는?

☐☐☐ + 그림
→ 언뜻 보면 글씨가 아니라 그림에 가까울 정도로 다양한 모양임.

다 어떤 소재를 그렸을까?

민화에 등장하는 다양한 소재를 활용함.
예 대나무 잎, 해치, 신선, 닭, 학 등 장수, 행복을 상징하는 소재

라 백수백복도의 재탄생

전서체로 되어 ☐☐들만 즐기는 어려운 그림
→ ☐☐들도 즐길 수 있는 쉬운 그림으로 재탄생함.

장수 + 행복

모두 담아 그려 줄게!

지문 핵심 key

1. 윗글을 읽고 기억에 남는 단어를 모두 쓰시오.

2. 1에서 떠올린 것 중에서 중심 화제를 쓰시오.

3. 나와 다, 두 문단 간의 관계로 알맞은 것을 고르시오.

☐ 전반적 → 세부적
☐ 구체적 → 일반적

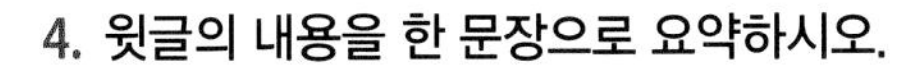

4. 윗글의 내용을 한 문장으로 요약하시오.

백수백복도는 ....

실전 1회

정답과 해설 27쪽

STEP 2 독해 실력 확인

중심 내용 파악하기

1 윗글의 중심 내용으로 알맞은 것은?

① 조선 후기 회화의 예술성
② 백수백복도에 나타난 중국 문화
③ 백수백복도에 담긴 뜻과 표현상 특징
④ 어려운 한자를 이해하기 위한 서민들의 노력
⑤ 조선 시대 그림에 자주 등장하는 자연물의 뜻

글의 전개 방식 알기

2 다 에 대한 설명으로 가장 적절한 것은?

① 대상들 간의 공통점과 차이점을 분석하고 있다.
② 대상을 제작하는 과정을 순서대로 밝히고 있다.
③ 예시를 나열하며 대상의 특징을 설명하고 있다.
④ 하나의 현상에 대한 다양한 관점을 소개하고 있다.
⑤ 문제 상황과 그에 대한 해결 방안을 제시하고 있다.

드러나지 않은 내용 추론하기

3 윗글을 읽고 보인 반응으로 가장 적절한 것은?

① 백수백복도는 글자 대신 그림만으로 의미를 전달하는군.
② 방 안에 병풍을 두는 풍습은 임진왜란 이후부터 시작되었군.
③ 우리 조상들은 그림에 담긴 상징적인 뜻을 중요하게 생각했구나.
④ 양반 등 상류층만 백수백복도를 향유할 수 있었다는 점이 아쉬워.
⑤ 백수백복도는 민화에서 흔히 볼 수 없는 소재들을 활용한 그림이군.

* **향유하다**
  좋은 것을 가져서 누리다.

지문에 나온 어휘, 확실히 짚고 가자!

1 다음 문장의 흐름에 알맞은 단어를 고르시오.

1. 그들은 집안에 행운이 깃들기를 [ ]하였다. ☐ 기념 ☐ 기원
2. 이 도형은 좌우 거리가 같아 [ ]을/를 이루고 있다. ☐ 대비 ☐ 대칭
3. 그 글은 문장이 너무 길어서 더 [ ]한 표현으로 고쳐야 한다. ☐ 간결 ☐ 간편
4. 어제 읽은 소설은 이미 외국에서 출간된 적 있는 작품을 [ ]한 것이었다. ☐ 변용 ☐ 적용

2 제시된 뜻풀이를 참고하여 다음 문장의 빈칸에 들어갈 알맞은 단어를 쓰시오.

1. 비둘기는 평화를 [ㅅ][ㅈ]하는 새다.
   추상적인 사물이나 개념을 구체적인 사물로 나타냄. 또는 그렇게 나타낸 구체적인 사물.
2. 그는 유명한 연예인의 말투를 흉내 내며 [ㅇ][ㅅ]을 부렸다.
   남을 웃기려고 일부러 하는 말이나 몸짓.
3. 김 작가는 전쟁을 [ㅅ][ㅈ]로 한 시나리오를 집필하고 있다.
   어떤 것을 만드는 데 바탕이 되는 재료.
4. 떠나는 친구를 위해 모든 사람들이 한마디씩 [ㄷ][ㄷ]을 했다.
   남이 잘되기를 비는 말. 주로 새해에 많이 나눔.
5. 우리는 앞으로 모든 일이 잘 풀릴 것이라는 [ㅎ][ㅁ]에 부풀어 있었다.
   앞일에 대하여 기대를 가지고 바람.

실전으로 차곡차곡 익숙하게!

독해 실전

〈흥부전〉이 보여 주는 조선 사회의 모습

교과 연계
국어 3 _ 작품의 사회·문화적 배경

가 널리 사랑받는 고전 소설 〈흥부전〉은 연 생원이 죽어 두 아들인 흥부와 놀부만 남으며 시작된다. 아버지가 생원이므로 흥부와 놀부는 모두 양반이다. 그런데 흔히 흥부는 몰락 양반, 놀부는 신흥 부자를 대표한다고 말한다. 형제임에도 불구하고 흥부와 놀부가 각각 다른 계층을 상징하게 된 까닭을 이해하기 위해서는 〈흥부전〉의 배경인 조선 후기의 사회상을 살펴보아야 한다.

나 조선 후기에는 화폐 거래가 활발해지고 새로운 농사법이 도입되며 평민 계층이 분화되었다. 사회 변화에 적응한 평민들은 부자가 되어 양반 신분을 사기도 했던 반면, 대부분의 평민들은 ㉠소작을 얻기 어려워 품팔이를 하거나 ㉡유랑민이 되어 떠돌았다. 한편 양반 계층 내부에서도 변화가 일어났는데, 다수의 양반이 ㉢정치에서 밀려나 겨우 위세만 유지하거나 평민과 다를 바 없는 처지로 몰락하였다. 돈을 주고 양반이 된 평민이 있는가 하면, 가난하여 날품을 파는 양반도 있던 셈이다.

다 〈흥부전〉에서 흥부는 우애를 중시하며 착하게 살지만 아무리 열심히 일해도 가난하여 ㉣매품을 팔러 다닌다. 의리와 명분을 중시하는 양반의 가치관에 부합하는 인물이지만 더없이 궁핍하다. 한편 유산을 독차지하고 동생을 내쫓은 놀부는 제비 다리를 부러뜨리면서까지 재물을 탐낸다. 흥부와 놀부는 각각 몰락 양반과 신흥 부자라는, 조선 후기에 등장한 새로운 신분상을 대변하며 조선 후기의 현실을 보여 준다.

라 결국 제비 다리를 고쳐 주고 부자가 된 흥부와 욕심을 부리다가 벌을 받고 거지가 된 놀부의 이야기는 권선징악의 가치를 잘 전달한다. 그러나 조선 후기의 사회상을 떠올리며 〈흥부전〉을 자세히 살펴보면 이야기의 주제가 이것이 전부가 아님을 알 수 있다. 〈흥부전〉에는 박에서 보물을 얻어 벼락부자가 된 흥부처럼 가난에서 탈출하고 싶은 백성들의 소망, 경제적으로 무능하면서 신분이 낮은 계층을 무시하는 양반에 대한 조롱, ㉤물질만 중시하는 사회상에 대한 비판 등 당시 사람들의 다양한 욕망이 담겨 있다.

- **계층** | 섬돌 階, 층 層 | 한 사회에서 지위, 직업, 경제적 수준 등에 따라 분류되는 집단.
- **소작** | 작을 小, 지을 作 | 땅을 갖지 못한 농민이 일정한 돈을 내고 다른 사람의 땅을 빌려서 농사를 짓는 일.
- **유랑민** | 흐를 流, 물결 浪, 백성 民 | 일정하게 자리를 잡고 사는 곳이 없이 이리저리 떠돌아다니는 사람.
- **날품** | 하루 단위로 일을 하고 대가를 받는 일.
- **권선징악** | 권할 勸, 착할 善, 혼날 懲, 악할 惡 | 착한 일을 권장하고 못된 일을 벌하는 것.

STEP 1 독해 기초 확인

지문 한눈에 보기

가 흥부와 놀부가 대표하는 신분상은?

- 흥부: □□ 양반
- 놀부: 신흥 □□

나 조선 후기에 일어난 사회 변화는?

- □□ 거래의 활성화
- 새로운 농사법의 도입

→ 신분 변동

반영

다 조선 후기 새로운 신분상을 대변하는 흥부와 놀부의 모습은?

- 흥부: □□와 명분을 중시하는 가난한 양반의 모습
- 놀부: □□을 탐내는 부자의 모습

라 흥부전에 드러난 다양한 주제 의식은?

- □□징악
- 가난을 탈출하고 싶은 □□들의 소망
- 무능한 □□에 대한 조롱
- 물질 만능주의에 대한 □□

?
<흥부전>의 숨겨진 주제는 무엇일까?
흥부전

지문 핵심 key

1. 윗글을 읽고 기억에 남는 단어를 모두 쓰시오.

2. 1에서 떠올린 것 중에서 중심 화제를 쓰시오.

3. **다**에 나타난 설명 방법으로 알맞은 것을 고르시오.

- □ 두 대상 간의 차이점을 밝혀 설명함.
- □ 대상의 모습을 그림 그리듯이 자세히 표현함.

4. 윗글의 내용을 한 문장으로 요약할 때, 밑줄에 들어갈 알맞은 말을 각각 쓰시오.

고전 소설 〈흥부전〉에는 조선 후기의 ________과 관련된 사회상이 반영되어 있어 ________ 외에도 다양한 주제를 드러낸다.

실전 2회

정답과 해설 28쪽

STEP 2 독해 실력 확인

세부 내용 파악하기

1 윗글을 읽고 알 수 있는 조선 후기의 사회 변화로 적절하지 않은 것은?

① 농업 기술의 발전
② 평민의 계층 분화
③ 몰락 양반의 등장
④ 엄격한 신분 제도
⑤ 부유한 평민의 등장

드러나지 않은 내용 추론하기

2 윗글을 바탕으로 하여 추측할 수 있는 〈흥부전〉의 주제가 아닌 것은?

① 형제간의 우애
② 권선징악의 가치
③ 양반에 대한 동경
④ 부자가 되고 싶은 바람
⑤ 지나친 물질적 욕망에 대한 비판

읽기 자료에 적용하기

교과서 문제

3 ㉠~㉤ 중, 〈보기〉와 관련된 조선 후기 사회의 모습으로 적절한 것은?

보기

"애기 어멈, 게 있는가. 문을 열고 이것 보시오. 대장부 한 걸음에 삼십 냥이 들어가네."
흥부 아내 이른 말이,
"그 돈은 웬 돈이며 삼십 냥은 웬 돈이오?"
흥부 이른 말이,
"본읍 좌수 대신으로 병영 가서 곤장 맞기로 삼십 냥에 결단하고 마삯* 돈 닷 냥 받아 왔네."

① ㉠　② ㉡　③ ㉢　④ ㉣　⑤ ㉤

* 마삯
말을 빌려 타는 삯.

지문에 나온 어휘, 확실히 짚고 가자!

1 제시된 한자를 살펴보고 다음 문장의 빈칸에 들어갈 알맞은 단어를 쓰시오.

1. 分 나눌 [ㅂ], 化 될 [ㅎ] — 사회 계층이 셋으로 [ㅂ][ㅎ]되다.
2. 重 중요할 [ㅈ], 視 볼 [ㅅ] — 그는 돈보다는 의리를 [ㅈ][ㅅ]하는 사람이다.
3. 財 재산 [ㅈ], 物 물건 [ㅁ] — 도적의 무리에게 값비싼 [ㅈ][ㅁ]을 모두 빼앗겼다.
4. 友 벗 [ㅇ], 愛 사랑 [ㅇ] — 우리 두 남매는 유달리 [ㅇ][ㅇ]가 깊어서 싸우는 일이 없다.

2 제시된 뜻풀이를 참고하여 다음 문장의 빈칸에 들어갈 알맞은 단어를 쓰시오.

1. 문학은 [ㅎ][ㅅ]의 거울이라고 한다.
   현재 실제로 존재하는 사실이나 상태.
2. 선거는 민주주의에 [ㅂ][ㅎ]하는 제도이다.
   사물이나 현상 등이 서로 꼭 들어맞음.
3. 그 사기꾼은 경찰 [ㅎ][ㅅ]를 하며 사람들을 속였다.
   사실은 그렇지 않은 사람이 어떤 당사자인 것처럼 꾸미어 행동함. 또는 그런 태도.
4. 판소리는 한국의 전통문화를 [ㄷ][ㅂ]하는 공연 예술이다.
   어떤 사실이나 의미를 대표적으로 나타냄.
5. 이 지역 사람들은 전쟁 이후 기아와 [ㄱ][ㅍ]에 시달리고 있다.
   몹시 가난함.

02 새로운 단어는 어떻게 탄생할까

교과 연계
국어 1 _ 언어의 본질

가 '얌체족'은 이용자가 단어의 뜻풀이를 자유롭게 작성할 수 있는 이른바 오픈 사전에 실린 단어이다. '얌치'가 없는 사람을 낮잡아 이르는 말인 '얌체'에 '그런 특성을 가지는 사람이나 사물의 무리'의 뜻을 더하는 말 '-족'이 붙어 새말이 만들어지고 널리 쓰이다 오픈 사전에 실린 것이다. '명품족', '스펙족'과 같은 단어도 이미 있는 말에 '-족'이 붙어 새말이 된 사례이다.

나 여기서 '-족'이 붙을 수 있는 말, 즉 '얌체', '명품', '스펙'을 '어근'이라 한다. 이는 단어의 실질적인 의미를 지니는 중심 부분을 가리킨다. 반면, '-족'은 다른 어근에 붙어 새로운 단어를 구성하는 부분으로, '접사'라고 부른다. 그리고 이렇게 어근과 접사가 결합하여 새로운 단어를 구성하는 방법을 파생법이라고 부른다. '잠꾸러기', '심술꾸러기', '장난꾸러기'도 다양한 어근에 '그것이 심하거나 많은 사람'의 뜻을 더하는 '-꾸러기'가 붙어 파생법으로 만들어진 단어이다. 이처럼, 접사는 단독으로 쓰일 수는 없지만 하나의 접사가 다양한 어근에 붙어 수많은 새말을 만들 수 있다는 점에서 생산적이다.

다 접사 중에는 몇몇 어근에 붙어 어근의 품사까지 바꾸는 특수한 기능을 가진 것들도 있다. 대표적인 것이 '-보'다. '-보'는 '잠보', '털보', '꾀보'와 같이 명사에 붙어 쓰이기도 하지만, '먹보', '울보'와 같이 동사나 형용사의 어근에 붙어 그 품사를 명사로 바꾸기도 한다. 예를 들어, 본래 동사인 '먹-'에 '그러한 행위를 특성으로 지닌 사람'의 뜻을 더하는 접사 '-보'가 붙어 밥을 많이 먹는 사람을 뜻하는 명사인 '먹보'가 탄생했다.

라 한편 '-보'와 같은 접사는 어근 뒤에 붙어 쓰이기 때문에 '꼬리 미(尾)' 자를 써서 '접미사'라고 하고, 어근 앞에 붙어 말을 만드는 접사는 '머리 두(頭)' 자를 써서 '접두사'라고 부른다. 예를 들어 접두사 '군-'은 일부 명사 앞에 붙어 '쓸데없는', '덧붙은'이라는 의미를 더해 '군살', '군침', '군식구'와 같은 단어들을 만들어 낸다.

- **얌치** | 마음이 깨끗하여 부끄러움을 아는 태도.
- **스펙(spec)** | 직장을 구하기 위해 필요한 학력, 학점, 어학 점수 등을 이르는 말.
- **품사** | 물건 品, 말 詞 | 단어를 기능, 형태, 의미에 따라 나눈 갈래.
- **명사** | 이름 名, 말 詞 | 사물의 이름을 나타내는 품사.
- **동사** | 움직일 動, 말 詞 | 사람이나 사물의 움직임을 나타내는 품사.
- **형용사** | 모양 形, 모양 容, 말 詞 | 사람이나 사물의 성질이나 상태를 나타내는 품사.

STEP 1 독해 기초 확인

지문 한눈에 보기

가 '-족'이 붙어 형성된 새말의 사례

- 얌체족: '얌체'+'-☐'
- 명품족: '명품'+'-족'
- 스펙족: '☐☐'+'-족'

나 파생법의 원리

☐☐: 실질적인 의미를 지님.
+
☐☐: 다른 어근에 붙어 새로운 단어를 구성함.

세분화

다 특수한 기능을 가진 접사의 사례

어근의 ☐☐까지 바꿈.
예 '먹-'(동사의 어근) + '-보'(접사) → 먹보(명사)

라 결합 위치에 따른 접사의 구분

- 접미사: 어근 ☐에 붙음.
  예 먹보
- 접두사: 어근 ☐에 붙음.
  예 군살

지문 핵심 key

1. 윗글을 읽고 기억에 남는 단어를 모두 쓰시오.

2. 1에서 떠올린 것 중에서 중심 화제를 쓰시오.

3. 가와 나, 두 문단 간의 관계로 알맞은 것을 고르시오.

- ☐ 가와 대비되는 사례를 나에서 제시함.
- ☐ 가에서 사례를 들고 나에서 원리를 밝힘.

4. 윗글의 내용을 한 문장으로 요약하시오.

새말을 만들어 내는 방법으로 ____

STEP 2 독해 실력 확인

글의 전개 방식 알기

1 **윗글의 특징으로 알맞은 것은?**

① 시간에 따른 대상의 변화 과정을 밝히고 있다.
② 다양한 예를 들어 개념에 대한 이해를 돕고 있다.
③ 하나의 문제를 둘러싼 여러 가지 의견을 제시하고 있다.
④ 문제를 제시하고 해결 방법을 찾는 과정을 드러내고 있다.
⑤ 같은 개념이 지역에 따라 다르게 표현되는 사례를 소개하고 있다.

세부 내용 파악하기

2 **윗글에 제시된 내용으로 알맞지 <u>않은</u> 것은?**

① 어근의 예시
② 접사의 종류
③ 파생법의 뜻
④ 어근과 어근이 결합하는 사례
⑤ 어근과 접사가 결합하는 사례

구체적인 사례에 적용하기

교과서 문제

3 **윗글을 참고할 때, 〈보기〉의 ㉠에 들어갈 말로 알맞지 <u>않은</u> 것은?**

보기

-개: '그러한 행위를 하는 간단한 도구'의 뜻을 더하고 명사를 만드는 접미사.
예 날개, [㉠]

① 덮개
② 따개
③ 베개
④ 사냥개
⑤ 지우개

지문에 나온 어휘, 확실히 짚고 가자!

1 다음 뜻풀이에 알맞은 단어를 고르시오.

❶ 단 하나. ☐ 단독 ☐ 독단

❷ 무엇이라고 말하다. ☐ 이르다 ☐ 치르다

❸ 모양, 빛깔, 형태, 양식 따위가 여러 가지로 많다. ☐ 다변하다 ☐ 다양하다

❹ 둘 이상의 사물이나 사람이 서로 관계를 맺어서 하나로 합쳐지다. ☐ 결합하다 ☐ 분리하다

정답과 해설 29쪽

2 제시된 뜻풀이를 참고하여 다음 문장의 빈칸에 들어갈 알맞은 단어를 쓰시오.

❶ 그가 신동이라는 소문이 [ㄴ][ㄹ] 퍼져 나갔다.
범위가 넓게.

❷ 맛있는 음식을 보니 입 안에 [ㄱ][ㅊ]이 돌았다.
공연히 입 안에 도는 침.

❸ 이 지역 농사는 감자가 [ㅈ][ㅅ]을 이룬다.
사물이나 행동에서 매우 중요하고 기본이 되는 부분.

❹ 학생들은 현장 답사를 다녀온 뒤 보고서를 [ㅈ][ㅅ]하였다.
서류, 원고 등을 만듦.

❺ 이 토론은 서로를 비난하기보다 대안을 모색하였다는 점에서 [ㅅ][ㅅ][ㅈ]이다.
그것이 바탕이 되어 새로운 것이 생겨나는 것.

03 도시 환경 문제와 벽면 녹화

교과 연계
사회 ② _ 도시 문제

가) 도시화는 도시에 거주하는 인구의 비율이 높아지면서 산업 활동이 다양해지고 도시적인 생활 양식이 보편화되어 가는 과정을 말한다. 도시화가 진행되면 인구가 집중되고 산업 시설과 차량이 폭발적으로 증가하여 대기 오염이 발생한다. 대기 오염을 완화하기 위해서는 녹지 공간이 필요한데 이 또한 시가지의 무질서한 팽창으로 줄어들어 도시의 대기 오염은 더욱 심각해진다. 세계 각국에서는 이 문제를 해결하기 위해 다양한 정책을 펴고 있는데, 그중 대표적인 것이 벽면 녹화 사업이다.

나) 벽면 녹화는 건축물이나 구조물의 벽면을 식물로 덮어 녹화 면적을 늘리는 방식으로, 도심 지역의 미세 먼지 농도를 저감하는 데 기여한다. 호흡기 질환을 유발하는 미세 먼지는 공장, 자동차 등의 배출 가스에서 많이 발생한다. 인구 밀도가 높고, 도시화·산업화가 고도로 진행된 도시에서는 단위 면적당 미세 먼지 배출량이 많아 대기 중 미세 먼지 농도가 높다. 식물은 미세 먼지를 흡착·흡수하는 기능이 뛰어나므로 녹화 면적을 늘리면 대기 질을 개선하는 효과를 거둘 수 있다.

다) 벽면 녹화의 대표적인 해외 사례로는 이탈리아 밀라노의 '보스코 베르티칼레'가 있다. 이 건물에는 900그루의 나무와 2만 개의 식물이 자라고 있다. 식물들은 자연 필터 역할을 하여 도심 속 미세 먼지와 오염 물질, 이산화 탄소를 흡수하고 산소를 생산한다. 다른 사례로는 독일의 친환경 기업이 개발한 ㉠'시티 트리'가 있다. 이 구조물은 독일 베를린, 프랑스 파리 등 주요 도시 곳곳에 설치된 4m 높이의 이끼 벽으로, 이끼가 자랄 수 있게 물이 자동 분사되는 시스템을 갖추고 있다. 시스템 가동에 필요한 에너지는 함께 설치된 태양광 발전기로 얻기 때문에 친환경적이다. 또한 시티 트리 하나가 하루에 250g의 대기 오염 물질과 연간 240톤의 이산화 탄소를 흡수할 수 있다.

▲ 보스코 베르티칼레

라) 우리나라에서는 '돈의문 박물관 마을' 외벽에 옥외 수직 정원을 만들어서 도시 녹화 사업을 진행했다. 서울주택도시공사에서도 2022년까지 공동주택 213단지의 벽면을 녹화하고, 이끼 타워의 설치를 늘리는 등 도심 내 녹화 면적을 늘리기 위해 노력하고 있다.

- **시가지** | 시장 市, 거리 街, 땅 地 | 도시의 큰 거리를 이루는 지역.
- **녹화** | 푸를 綠, 될 化 | 산이나 들에 나무와 풀을 심어 푸르게 함.
- **저감하다** | 낮을 低, 덜 減 | 낮추어 줄이다.
- **분사되다** | 뿜을 噴, 쏠 射 | 액체나 기체 등에 압력이 가해져 세차게 뿜어져 나오다.

독해 기초 확인

지문 한눈에 보기

가 도시화로 어떤 문제가 발생할까?

- 인구 집중에 따른 산업 시설과 차량의 증가로 대기 오염이 발생함.
- 시가지의 팽창으로 ☐☐가 감소함.

→ 대기 오염이 심각해짐.

나 대기 오염 문제를 해결하기 위한 정책 - 벽면 녹화

- 뜻: 건축물이나 구조물의 벽면을 식물로 덮어 ☐☐ 면적을 늘리는 방식
- 효과: 미세 먼지를 흡착 · 흡수하는 기능이 뛰어난 ☐☐의 특징 이용 → 미세 먼지 농도를 낮춤.

다 벽면 녹화 해외 사례

- 밀라노의 '보스코 베르티칼레' → 식물이 미세 먼지 · 오염 물질 · 이산화탄소 흡수, 산소 생산
- 독일 친환경 기업이 개발한 '☐☐ ☐☐' → 대기 오염 물질 저감 효과

라 벽면 녹화 국내 사례

- '돈의문 박물관 마을' 외벽의 옥외 ☐☐ 정원
- 서울주택도시공사의 공동주택 ☐☐ 녹화 및 이끼 타워 설치 계획 → 도심 내 녹화 면적을 늘리려는 노력

지문 핵심 key

1. 윗글을 읽고 기억에 남는 단어를 모두 쓰시오.

2. 1에서 떠올린 것 중에서 중심 화제를 쓰시오.

3. 가와 나, 두 문단 간의 관계로 알맞은 것을 고르시오.

☐ 가의 원인을 나에서 밝힘.
☐ 가의 화제를 나에서 구체적으로 설명함.

4. 윗글의 내용을 한 문장으로 요약할 때, 밑줄에 들어갈 알맞은 말을 각각 쓰시오.

도시화에 따른 __________ 문제를 해결하기 위해 해외와 국내에서 __________ 정책을 시행하고 있다.

정답과 해설 30쪽

STEP 2 독해 실력 확인

중심 내용 파악하기

1 **윗글의 중심 내용으로 알맞은 것은?**

① 도시화의 진행 과정과 문제점
② 벽면 녹화 사업의 효과와 한계
③ 미세 먼지의 발생 원인과 제거 방법
④ 도시 환경 문제 해결을 위한 벽면 녹화 사업
⑤ 보스코 베르티칼레와 시티 트리의 미세 먼지 저감 효과

드러나지 않은 내용 추론하기

2 **㉠과 관련해 추론한 내용으로 적절하지 않은 것은?**

① 친환경을 목적으로 설치되는 구조물이다.
② 주로 도시화가 고도로 진행된 도시에 설치되었다.
③ 이끼가 스스로 자라도록 하는 기술이 적용되었다.
④ 함께 설치된 태양광 발전기가 미세 먼지를 제거한다.
⑤ 대기 오염 물질과 이산화 탄소를 흡수하여 공기를 정화한다.

빈칸에 들어갈 내용 추론하기

3 **윗글을 참고할 때, 〈보기〉의 빈칸에 들어갈 말로 가장 적절한 것은?**

보기

벽면 녹화는 도심을 한층 푸르게 바꾸어 경관을 아름답게 조성할 뿐만 아니라, 미세 먼지 농도를 저감하여 도심 내 (　　　　　)를 해결할 수 있는 효과적인 수단이다.

① 빈곤 문제　② 교통 문제　③ 환경 문제
④ 주거 문제　⑤ 일자리 문제

지문에 나온 어휘, 확실히 짚고 가자!

1 다음 문장의 밑줄 친 말과 바꾸어 쓸 수 있는 단어를 고르시오.

1 철수는 뉴욕으로 유학을 가서 계속 그곳에 <u>머물러 살고</u> 있다.
□ 거주하고 □ 서식하고

2 면접을 앞두고 긴장을 <u>느슨하게 할</u> 수 있는 방법이 필요하다.
□ 완주할 □ 완화할

3 그는 세계 평화에 <u>도움이 되도록 이바지한</u> 공로로 노벨 평화상을 수상하였다.
□ 기여한 □ 기약한

4 성실치 못한 태도를 <u>고쳐서 더 좋게 만들어</u> 나가다 보면 좋은 결과를 얻을 수 있다.
□ 개선해 □ 개혁해

실전 2회

정답과 해설 30쪽

2 제시된 뜻풀이를 참고하여 다음 문장의 빈칸에 들어갈 알맞은 단어를 쓰시오.

1 정전기를 이용해 먼지를 [ㅎ][ㅊ]하는 청소 도구가 많다.
어떤 물질이 달라붙음.

2 우리 동네에 새로 지은 아파트는 [ㅊ][ㅎ][ㄱ][ㅈ]으로 설계되었다.
자연환경을 오염하지 않고 자연 그대로의 환경과 잘 어울리는 것.

3 핸드폰은 우리 생활에 없어서는 안 될 물건으로 [ㅂ][ㅍ][ㅎ]되었다.
사회에 널리 퍼짐.

4 공기 청정 [ㅍ][ㅌ]를 제때 바꿔야 공기를 쾌적하게 유지할 수 있다.
액체나 기체 속에 든 이물질을 걸러 내는 장치.

5 A 국가는 인구의 [ㅍ][ㅊ] 속도가 매우 빨라 식량 부족 사태가 우려된다.
수량이나 규모, 세력 등의 크기가 커짐.

04 사형 제도를 둘러싼 논쟁

교과 연계
사회 ①_법과 재판

가 사람들 사이에 일어나는 갈등을 예방하고 해결하기 위해 만들어진 것이 법이다. 형법에서는 사회 질서를 위협하는 범죄 행위와 그에 따른 형벌을 정하고 있다. 그렇다면 죄를 지은 사람에게 선고할 수 있는 가장 무거운 벌은 무엇일까? 바로 범죄인의 생명을 빼앗아 그 사람을 사회에서 영원히 제거하는 형벌인 사형이다. 그런데 사형 제도를 유지해야 하는가를 두고 오랜 기간 논란이 있어 왔다. 우리나라에도 사형 제도는 있지만 1997년 이후 단 한 건의 사형도 집행되지 않았다.

나 먼저, ㉠사형 제도를 찬성하는 사람들은 '눈에는 눈, 이에는 이'라는 응보주의의 원칙에 따라, 큰 죄를 저질렀으면 그에 맞는 형벌을 받는 것이 옳다고 본다. 살인을 저질러 다른 사람의 목숨을 빼앗은 사람은 자기 목숨으로 죄를 갚는 것이 마땅하다고 여기는 것이다. 또한 국가가 사형과 같이 무거운 형벌을 내리면 본보기가 되어 범죄를 예방하는 효과도 있을 것이라고 주장한다.

다 그런데 사형 제도를 반대하는 사람들은 사형 제도가 인간의 존엄성과 가치를 부정하는 지나친 형벌이라고 말한다. 또한 무기 징역과 같이 사형을 대체할 수 있는 다른 형벌도 있으며, 사형 제도는 자칫하면 잘못된 판결을 내림으로써 되돌릴 수 없는 커다란 피해를 입힐 수도 있다는 점을 들어 사형이 집행되는 것에 반대한다. [A] 실제로 1944년 미국에서 백인 소녀 두 명이 죽는 사건이 일어났는데, 용의자로 체포된 14살의 흑인 소년 조지에게 사형이 집행되었다. 그러나 흑인 인권이 신장되면서 이 사건에 대한 재조사가 이루어졌고, 한참이 지나서야 조지는 죄가 없었다는 사실이 밝혀졌다.

라 법이 사회 질서를 유지하기 위해 존재한다는 점을 생각할 때, 사형을 선고받을 정도로 사회적인 분노를 일으킨 범죄자라면 강력한 처벌을 받는 것이 당연하다. 그러나 사형은 헌법이 보장하는 개인의 자유와 권리를 해친다는 점에서 문제가 크고, 사형이 실제로 범죄 예방에 효과가 있는지에 대해서도 지속적으로 의문이 제기되어 왔다. 이러한 목소리가 점점 커지면서 유럽 연합에 가입하기 위한 조건으로 국가의 사형 제도를 폐지하도록 규칙을 정하였으며, 전 세계적으로 사형 제도는 폐지되어 가는 추세이다.

- **응보주의** | 받을 應, 갚을 報, 주인 主, 옳을 義 | 형벌은 죄에 대한 정당한 보복을 가하는 데 목적이 있다고 보는 사상.
- **무기 징역** | 없을 無, 기약할 期, 혼날 懲, 부릴 役 | 죄를 지은 사람을 평생 동안 교도소에 가두고 일을 시키는 형벌.
- **헌법** | 법 憲, 법도 法 | 국가를 통치하는 기본 원리이며 국민의 기본권을 보장하고, 다른 것으로 대체할 수 없는 최고 법규.

STEP 1 독해 기초 확인

지문 한눈에 보기

가 죄를 지은 사람에게 내릴 수 있는 가장 무거운 형벌은?

범죄인의 □□을 빼앗는 사형은 가장 무거운 형벌임.

→ 사형 제도를 □□해야 하는가를 두고 논란이 있음.

나 사형 제도 찬성 근거

- 큰 죄를 저질렀으면 그에 맞는 형벌을 받아야 옳다고 보는 □□□□의 원칙
- 국가가 무거운 형벌을 내리면 범죄를 □□하는 효과가 있을 것임.

다 사형 제도 반대 근거

- 인간의 존엄성과 □□를 부정하는 지나친 형벌임.
- 무기 징역과 같은 형벌로 대체할 수 있음.
- 잘못된 □□에 따른 피해가 큼.
  예 흑인 소년 조지 사건

라 앞으로 사형 제도는 어떻게 될까?

- 사형 제도와 관련한 지속적인 의문 제기
  - 헌법이 보장하는 개인의 □□와 □□를 해치지 않는가?
  - 범죄 예방에 정말 효과가 있는가?
- 사형 제도는 점차 □□되는 추세임.

지문 핵심 key

1. 윗글을 읽고 기억에 남는 단어를 모두 쓰시오.

2. 1에서 떠올린 것 중에서 중심 화제를 쓰시오.

3. 다에 나타난 설명 방법으로 알맞은 것을 고르시오.

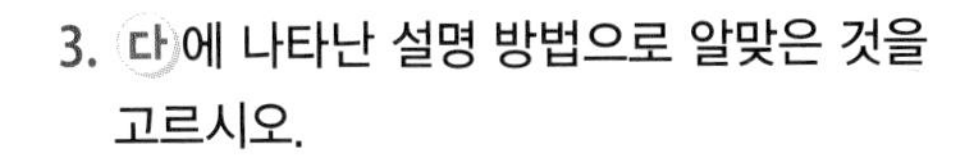

□ 실제 사건을 제시해 주장을 뒷받침함.

□ 어떤 현상의 영향을 단계적으로 밝힘.

4. 윗글의 내용을 한 문장으로 요약하시오.

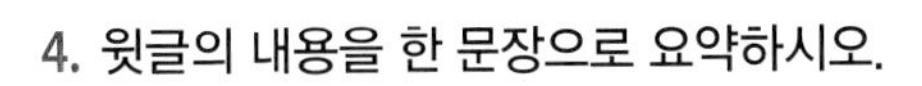

가장 무거운 형벌인 사형 제도를

STEP 2 독해 실력 확인

글의 전개 방식 알기

1 윗글의 내용 전개 방식으로 가장 적절한 것은?

① 사형 제도의 기원을 비유적으로 서술하고 있다.
② 사형 제도를 대체할 형벌을 국가별로 기술하고 있다.
③ 사형 제도를 바라보는 상반된 관점들을 제시하고 있다.
④ 사형 제도의 필요성을 실제 사례와 함께 설명하고 있다.
⑤ 다양한 사형 제도를 역사적 흐름에 따라 소개하고 있다.

관점 추론하기

2 윗글을 참고할 때, ㉠과 비슷한 관점을 〈보기〉에서 모두 고른 것은?

보기
ㄱ. 형벌일지라도 사형은 또 다른 살인일 뿐이야.
ㄴ. 사형보다 무기 징역이 범죄를 억제하는 효과가 커.
ㄷ. 살인을 저지른 사람은 목숨으로 죗값을 치르게 해야 공평하지.
ㄹ. 처벌이 약해 흉악 범죄가 느는 것이니, 사형 제도를 유지하는 게 옳아.

① ㄱ, ㄴ ② ㄱ, ㄷ ③ ㄴ, ㄷ
④ ㄴ, ㄹ ⑤ ㄷ, ㄹ

드러나지 않은 내용 추론하기

3 [A]를 통해 추측할 수 있는 내용으로 가장 적절한 것은?

① 사형 제도는 범죄율을 낮추는 데 도움이 된다.
② 범죄자의 권리만을 강조하면 큰 문제가 될 수 있다.
③ 사형 제도는 피해자 가족의 마음을 위로할 수 있다.
④ 사형 제도는 범죄자가 자신의 죄를 뉘우칠 기회를 빼앗는다.
⑤ 사형 제도는 판결이 잘못되면 되돌릴 수 없는 피해를 입힌다.

지문에 나온 어휘, 확실히 짚고 가자!

1 다음 문장의 밑줄 친 말과 바꾸어 쓸 수 있는 단어를 고르시오.

1 국민의 권리가 크게 신장했다. □ 늘어났다 □ 작아졌다

2 그는 차의 속도를 일정하게 유지하며 운전하였다. □ 어기며 □ 지키며

3 시대의 흐름에 맞지 않는 낡은 법은 폐지해야 한다. □ 없애야 □ 옮겨야

4 산불은 한번 나면 그 피해가 크므로, 산불이 나지 않게 예방해야 한다. □ 미리 막아야 □ 미리 피해야

2 제시된 뜻풀이를 참고하여 다음 문장의 빈칸에 들어갈 알맞은 단어를 쓰시오.

1 생명의 [ㅈ][ㅇ][ㅅ]을 무시해서는 안 된다.
매우 높고 엄숙한 성질.

2 판사는 김 씨에게 징역 오 년을 [ㅅ][ㄱ]하였다.
법정에서 재판장이 판결을 알림.

3 대중교통을 이용할 때에는 [ㅈ][ㅅ]를 지켜야 한다.
혼란 없이 순조롭게 이루어지게 하는 사물의 순서나 차례.

4 정부는 연말에 그해 예산을 [ㅈ][ㅎ]한 결과를 발표한다.
계획, 명령, 재판 등의 내용을 실제로 행함.

5 이 일이 여러분에게 [ㅎ][ㄷ]하지 않다면, 그만두셔도 좋습니다.
어떤 기준이나 도리 등에 꼭 알맞음.

05 하나의 대륙에서 일곱 개의 대륙으로

교과 연계
과학 1 _ 베게너의 대륙 이동설

(가) 지구상에는 아시아, 아프리카, 북아메리카, 남아메리카, 유럽, 오세아니아, 그리고 남극까지 7개의 대륙이 있다. 그런데 이러한 7대륙은 어떻게 생겨난 것일까? 100여 년 전, 독일의 기상학자인 베게너는 이 같은 질문에 대륙 이동설로 답하려 하였다. 지구상의 대륙이 약 3억 년 전에는 하나의 판게아를 이루고 있다가, 점차 분리되어 현재와 같은 모습이 되었다는 것이다.

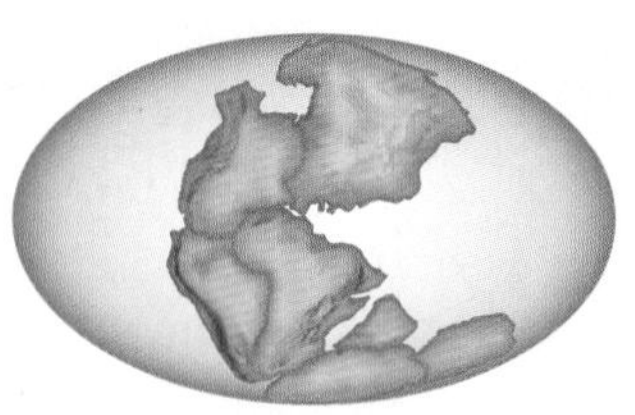
▲ 3억 년 전

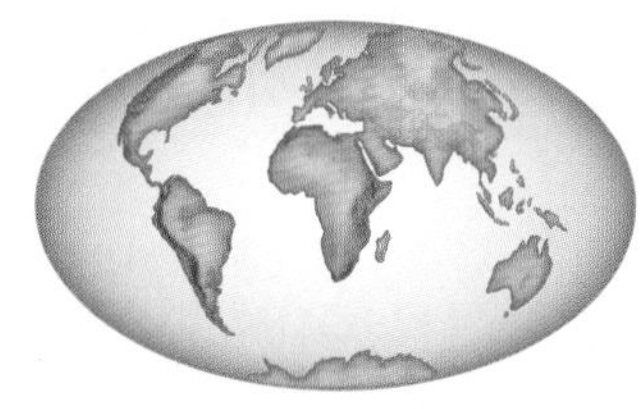
▲ 현재

(나) 베게너가 대륙 이동설을 주장할 당시 과학자들은 지각과 해안이 고정되어 있다고 생각했다. 그러나 베게너는 지구의 대륙은 밀도가 낮은 화강암질로 되어 있어, 밀도가 높은 현무암질의 해양 지각 위를 빙하처럼 떠다닐 수 있다고 보았다.

(다) 또한 당시 스칸디나비아반도는 100년에 1미터씩 땅덩어리가 솟아오르는 것으로 알려져 있었다. 이는 밑에서 올라오는 흐름이 있어야 가능한 일로 지각 아래에 유동성 있는 물질이 존재함을 뜻했다. 베게너는 이 힘의 작용으로 대륙이 수직으로 이동할 뿐만 아니라 수평으로도 이동한다고 보았다.

(라) 베게너는 남아메리카 대륙과 아프리카 대륙의 마주 보는 해안선 모양이 거의 일치하는 이유는 과거에 한 덩어리였던 커다란 대륙이 갈라진 것이기 때문이라고 여겼다. 그리고 그 증거로 지도상에서 두 대륙을 붙여 보면 산맥을 이루는 선이 잘 이어지고, 같은 종류의 식물 화석이 두 대륙에 걸쳐서 발견된다는 점을 들었다. 멀리 떨어져 다른 대륙에 위치한 북아메리카의 애팔래치아산맥과 유럽의 칼레도니아산맥의 지질 구조가 연속적으로 연결된다는 점도 대륙 이동을 뒷받침하는 증거라고 보았다.

(마) 그러나 베게너의 주장은 같은 시대의 지질학자들에게 큰 지지를 얻지 못했다. 거대한 대륙을 이동시키는 힘의 근원을 그가 명확하게 설명하지 못했기 때문이다. 하지만 베게너의 대륙 이동설은 이후에 해저 지형 연구가 계속되고 다양한 지질학 증거가 수집되면서, 1960년대의 해저 확장설을 거쳐 현재 지구과학 분야의 중심 이론인 판 구조론으로 발전하였다. 또한 그가 제시한 대륙 이동설의 논증들은 그 뒤로 30년 동안 대부분 사실로 밝혀졌다.

- **판게아** | 하나로 모인 거대한 대륙. 판게아는 '모든 땅'을 뜻하는 그리스어에서 유래된 말이다.
- **지각** | 땅 地, 껍질 殼 | 지구의 바깥쪽을 차지하는 부분.
- **밀도** | 빽빽할 密, 정도 度 | 물질의 부피당 질량.
- **유동성** | 흐를 流, 움직일 動, 성질 性 | 액체와 같이 흘러 움직이는 성질.
- **판 구조론** | 지구의 표면이 딱딱하고 깨어지기 쉬운 여러 개의 판들로 이루어져 있으며, 판들이 이동함에 따라 지진, 화산 등 다양한 지질 현상이 발생한다는 이론.

STEP 1 독해 기초 확인

지문 한눈에 보기

가 대륙 이동설이란 무엇일까?

지구상의 대륙은 약 3억 년 전 하나의 □□□를 이루고 있다가, 점차 분리되어 현재와 같은 모습이 되었음.

나 베게너의 주장 1

화강암질인 대륙 지각이 현무암질인 해양 지각 위를 □□처럼 떠다닐 수 있음.

다 베게너의 주장 2

지각 아래 유동성 있는 물질이 있어, 대륙이 수직 또는 □□으로도 이동할 수 있음.

라 대륙 이동설의 증거는?

- 증거 1: 남아메리카 대륙과 아프리카 대륙의 마주 보는 □□□ 모양이 거의 일치함.
- 증거 2: 북아메리카 애팔래치아산맥과 유럽의 칼레도니아산맥의 지질 구조가 □□□으로 연결됨.

마 대륙 이동설의 발전 과정은?

- 발표 당시: 대륙을 이동시키는 □의 근원이 명확하지 않아 큰 지지를 얻지 못함.
- 이후: □□ □□□을 거쳐 판 구조론으로 발전했고, 대륙 이동설의 논증들도 대부분 사실로 밝혀짐.

지문 핵심 key

1. 윗글을 읽고 기억에 남는 단어를 모두 쓰시오.

2. 1에서 떠올린 것 중에서 중심 화제를 쓰시오.

3. 라에 나타난 설명 방법으로 알맞은 것을 고르시오.

- □ 지역이나 자연물의 실제 이름을 밝혀 설명함.
- □ 다른 사람의 말이나 글의 일부를 그대로 가져와 설명함.

4. 이 글의 내용을 한 문장으로 요약할 때, 밑줄에 들어갈 알맞은 말을 각각 쓰시오.

베게너는 현재와 같은 대륙 분포를 ______로 설명하려 하였고, 이후 그의 연구는 ______으로 발전하였다.

실전 2회
정답과 해설 32쪽

STEP 2 독해 실력 확인

세부 내용 파악하기

1 윗글의 내용과 일치하지 않는 것은?

① 대륙 이동설은 판 구조론의 영향을 받아 발전하였다.
② 베게너는 하나의 판게아가 분리되어 대륙들이 흩어졌다고 보았다.
③ 베게너는 대륙 지각이 해양 지각 위를 떠다닐 수 있다고 주장하였다.
④ 아프리카와 남아메리카 대륙에서는 같은 종류의 식물 화석이 발견된다.
⑤ 스칸디나비아반도가 솟아오르는 까닭은 지각 아래에 움직이는 물질이 존재하기 때문이다.

교과서 문제

구체적인 사례에 적용하기

2 다음 그림에 대한 설명으로 적절하지 않은 것은?

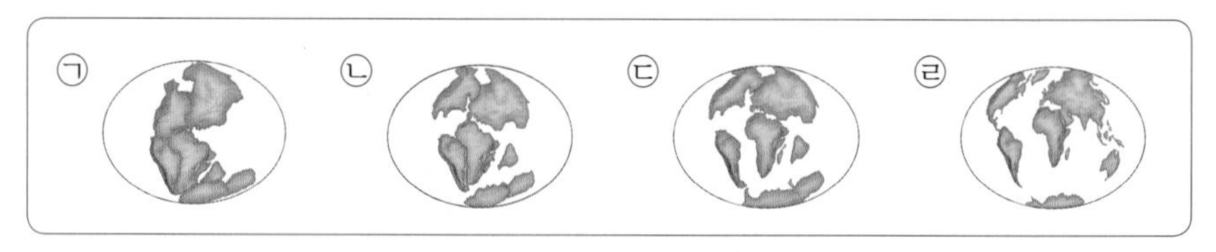

① ㉠~㉣은 대륙이 이동한 과정을 나타낸 그림이다.
② ㉠은 대륙이 판게아를 이루고 있던 모습이다.
③ ㉡과 같은 분리는 3억 년 전에는 나타나지 않았다.
④ ㉢에서 대륙의 수직 이동을 확인할 수 있다.
⑤ ㉣은 현재 상태의 대륙 분포를 보여 주는 그림이다.

빈칸에 들어갈 내용 추론하기

3 윗글을 참고하여 추론할 때 다음 빈칸에 들어갈 내용으로 가장 적절한 것은?

(   ) 대륙 이동설을 발표할 당시 큰 지지를 얻었을 것이다.

① 베게너가 기상학자가 아니라 과학자였다면
② 대륙을 이동시키는 힘의 근원을 명확히 설명했다면
③ 대륙 지각과 해양 지각의 성질을 구분할 수 있었다면
④ 서로 다른 대륙에서 같은 종류의 화석이 발견되었다면
⑤ 애팔래치아산맥과 칼레도니아산맥의 지질 구조를 파악하였다면

지문에 나온 **어휘**, 확실히 짚고 가자!

1 다음 뜻풀이에 알맞은 단어를 고르시오.

1 땅의 생긴 모양. ☐ 지도 ☐ 지형

2 바다와 육지가 맞닿은 선. ☐ 지평선 ☐ 해안선

3 어떤 사람이나 단체 등이 내세우는 주의나 의견 등에 찬성하고 따름. ☐ 부정 ☐ 지지

4 어떤 주장이나 이론의 옳고 그름을 논리적인 이유를 들어 증명함. 또는 그 근거나 이유. ☐ 논증 ☐ 연설

2 제시된 뜻풀이를 참고하여 다음 문장의 빈칸에 들어갈 알맞은 단어를 쓰시오.

1 그는 그녀가 뇌물을 받았다고 [ㅈ][ㅈ]했다.
자기의 의견이나 주의를 굳게 내세움.

2 그녀는 쉬지 않고 같은 곡을 [ㅇ][ㅅ][ㅈ]으로 세 번 연주했다.
연달아 이어지는

3 다양한 연구 결과가 김 교수의 가설을 [ㄷ][ㅂ][ㅊ]해 주었다.
뒤에서 지지하고 도와주는 일.

4 우리는 업무 방식이 서로 달랐지만 일하는 목적은 [ㅇ][ㅊ]했다.
비교되는 대상이 서로 다르지 않고 꼭 같거나 들어맞음.

5 한반도의 [ㅈ][ㅈ]은 이웃한 중국과 일본의 것과 밀접하게 관련되어 있다.
지구 표면을 이루고 있는 암석이나 땅의 성질이나 상태.

06 식량 자원의 다양성이 줄어들고 있다

교과 연계
과학 1 _ 생물의 다양성

가 먼 옛날 우리 조상들은 지금보다 훨씬 더 많은 종류의 식량을 섭취했다. 계절이나 문화, 지역에 따라 사람들이 먹을거리로 선택하는 식량 자원이 무척 다양했다. 그러나 농업 기술이 발달하고 세계화되면서 오히려 전 세계에서 소비하는 식량 자원의 다양성은 줄어들었다. 이제는 세계 각국의 어느 지역에서든 비슷한 작물을 재배하고 비슷한 식재료를 사용한다.

나 통계에 따르면, 사람들이 섭취하는 열량의 80%를 차지하는 작물은 열두 종에 불과하며, 90%를 차지하는 작물도 열다섯 종에 지나지 않는다. 과학자들이 이름을 붙인 현존하는 식물이 30만 종 이상이 된다는 사실과 견주어 보면, 사람들이 얼마나 적은 수의 식물 종만 집중적으로 섭취하고 있는지가 확연히 드러난다. 문제는 이러한 극단적 획일성이 우리를 더 큰 위기에 빠뜨리고 있다는 것이다.

다 농작물을 생산하는 업체들은 생산량을 극대화하기 위해 단일 품종의 작물만 대량으로 재배하는 경우가 많다. 그런데 비용을 적게 들이고 많은 작물을 생산하려고 좁은 공간에 단일 품종을 조밀하게 재배하면 병충해가 발생했을 때 그 피해가 순식간에 퍼지는 것을 막기 어렵다. 전부 같은 품종이기 때문에 같은 해충 또는 병원체에 똑같이 취약하기 때문이다. 이러한 까닭으로 커피나무나 바나나 등 특정한 품종은 멸종될 위기에 처해 있다. 단일 품종을 재배하여 작물 생산을 단순화함으로써 ㉠단기적 이익을 얻은 대신 장기적인 이익은 잃고 있는 셈이다. 그렇다면 식량 자원의 다양성이 감소하는 문제를 어떻게 해결해야 할까?

라 누구나 일상 속에서 동참할 수 있는 방법이 있다. 바로 식량 자원을 덜 소비하는 것이다. 지나치게 많은 식량 자원을 생산하려다 보니 오히려 식물 품종이 표준화된 것이기 때문이다. 특히 고기를 덜 먹는 것이 효과적이다. 사람들이 먹을 고기를 대량으로 생산하기 위해 어마어마한 양의 작물이 가축 사료로 낭비되고 있다. 그 밖에도 지역 생산 작물 또는 전통 종자나 생태 농업으로 생산한 식품을 구입하거나 자신이 직접 작물을 재배하는 것도 좋은 방법이다. 식량 문제에 관심을 가지고 다양한 식품 종자를 보전하기 위한 노력을 하나둘 실천함으로써 변화가 시작될 것이다.

- **다양성** | 많을 多, 모양 樣, 성질 性 | 모양, 빛깔, 형태, 양식 등이 여러 가지로 많은 특성.
- **획일성** | 그을 劃, 하나 一, 성질 性 | 모두가 하나와 같아서 다름이 없는 성질.
- **품종** | 물건 品, 씨 種 | 농작물, 가축 등을 분류하는 최종 단계의 이름.
- **조밀하다** | 빽빽할 稠, 빽빽할 密 | 촘촘하고 빽빽하다.
- **병원체** | 병 病, 근원 原, 몸 體 | 세균, 바이러스, 기생충 등 병을 일으키는 생물.

STEP 1 독해 기초 확인

지문 한눈에 보기

가) 오늘날 식량 생산 및 소비 방식의 특징은?

농업 기술의 발달과 ☐☐☐에 따라 식량 자원의 다양성이 줄어듦.

나) 식량 자원의 획일화를 보여 주는 수치

- 사람들이 섭취하는 ☐☐의 80%를 차지하는 작물은 열두 종에 불과함.
- 90%를 차지하는 작물도 열다섯 종에 지나지 않음.

다) 단일 품종을 재배하여 발생하는 문제점은?

- ☐☐☐ 발생 시 그 피해가 순식간에 퍼짐.
- 멸종 위기에 처한 품종도 있음.( 커피나무, 바나나)

라) 일상생활에서 실천할 수 있는 해결 방법은?

- 식량 자원을 덜 소비하기
- ☐☐를 덜 먹기
- 지역 생산 작물, 전통 종자나 생태 농업으로 생산한 식품 구입하기
- 자신이 ☐☐ 작물 재배하기

지문 핵심 key

1. 윗글을 읽고 기억에 남는 단어를 모두 쓰시오.

2. 1에서 떠올린 것 중에서 중심 화제를 쓰시오.

3. 가와 나, 두 문단 간의 관계로 알맞은 것을 고르시오.

☐ 가와 상반된 견해를 나에서 제시함.
☐ 가의 현상을 나의 통계로 뒷받침함.

4. 윗글의 내용을 한 문장으로 요약하시오.

사람들이 섭취하는 식량이 ________

실전 2회

정답과 해설 33쪽

STEP 2 독해 실력 확인

중심 내용 파악하기

1 **윗글의 중심 내용으로 알맞은 것은?**

① 단일 품종 작물만 심게 된 원인
② 고기를 덜 먹고 채식을 해야 하는 이유
③ 농업 기술의 발달이 인류에게 미친 영향
④ 식량 자원이 획일화된 원인과 해결 방법
⑤ 식량 품종 다양화를 위한 과학자들의 노력

드러나지 않은 내용 추론하기

2 **㉠과 관련해 추측한 내용으로 가장 적절한 것은?**

① 작물 생산량을 극대화할 수 있었다.
② 작물을 지속적으로 생산할 수 있는 방법을 찾았다.
③ 작물을 지속적으로 생산하는 것을 포기하게 되었다.
④ 작물의 품종이 다양화되고 생산량도 극대화할 수 있었다.
⑤ 작물 생산량은 극대화했지만, 작물을 지속적으로 생산하기 어려워졌다.

구체적인 사례에 적용하기

3 **윗글을 바탕으로 하여 〈보기〉를 이해한 내용으로 적절하지 않은 것은?**

> 보기
> 아메리카 열대 지방의 바나나 농장들은 그로 미셸이라는 품종의 바나나만 재배하였다. 그런데 파나마병이 아메리카의 바나나 농장을 휩쓸며 엄청난 수의 바나나 농장이 문을 닫았다. 심지어 병원체가 수십 년씩 토양에 잠복하여 파나마병이 일으키는 피해는 단기간에 끝나지 않았다.

① 사람들은 생산량을 극대화하려고 그로 미셸 바나나만 심었을 것이다.
② 바나나 농장들이 단일 품종만 심었기 때문에 파나마병이 순식간에 퍼졌을 것이다.
③ 잠복한 병원체 때문에 해당 지역에서 그로 미셸 바나나를 생산하기는 어려울 것이다.
④ 사람들이 식량 자원을 덜 소비하면 〈보기〉와 같은 문제를 해결하는 데 도움이 될 것이다.
⑤ 파나마병과 같은 병충해가 더 이상 퍼지지 않으려면 개인이 농작물을 기르는 일은 자제해야 한다.

지문에 나온 어휘, 확실히 짚고 가자!

1 제시된 한자를 살펴보고 다음 문장의 빈칸에 들어갈 알맞은 단어를 쓰시오.

1. 脆 가벼울 ㅊ, 弱 약할 ㅇ — 내가 특히 ㅊ ㅇ 한 과목은 수학이다.
2. 作 지을 ㅈ, 物 만물 ㅁ — 우리 지역의 주요 생산 ㅈ ㅁ 은 사과이다.
3. 滅 꺼질 ㅁ, 種 씨 ㅈ — 무분별한 사냥 때문에 고래가 ㅁ ㅈ 위기에 처했다.
4. 同 함께 ㄷ, 參 참여할 ㅊ — 우리 학교 학생들은 헌혈 운동에 적극적으로 ㄷ ㅊ 하였다.

2 제시된 뜻풀이를 참고하여 다음 문장의 빈칸에 들어갈 알맞은 단어를 쓰시오.

1. 음식을 골고루 ㅅ ㅊ 해야 건강에 좋다.
   영양분 등을 몸속에 받아들임.
2. 겨울에도 비닐하우스에서 채소를 ㅈ ㅂ 한다.
   식물을 심어 가꿈.
3. 즉석식품은 대체로 ㅇ ㄹ 은 높지만 영양가가 없다.
   음식이나 연료 등으로 얻을 수 있는 에너지의 양.
4. 한식의 ㅅ ㄱ ㅎ 로 우리의 전통 음식이 널리 알려졌다.
   세계 여러 나라를 이해하고 세계적으로 나아감. 또는 그렇게 되게 함.
5. 홍수에 뒤이은 ㅂ ㅊ ㅎ 로 벼농사의 피해가 늘고 있다.
   꽃이나 농작물 등이 균이나 벌레 때문에 입는 피해.

07 유전자 기술의 발전 방향은

교과 연계
기술·가정 ② _ 미래의 기술과 생명 기술

가 축산 농가에서는 소들이 뿔로 서로 들이받는 일을 막기 위해 소의 뿔을 제거한다. 다 자란 뿔을 자르기도 하고, 송아지일 때 뜨겁게 달군 쇠를 뿔 부위에 갖다 대어 뿔을 미리 제거하기도 한다. 이와 같은 관례는 인간의 이익을 위해 동물에게 큰 고통을 준다는 이유로 비판의 대상이 되어 왔다. ㉠그렇다면 애초에 뿔이 없는 소만 키울 방법은 없을까? 돌연변이로 뿔 없이 태어난 소만 모아 사육하는 방법도 있지만, 과학자들은 유전자 기술로 이 문제에 접근한다.

나 1980년대의 과학자들은 다양한 생물에서 유익한 유전자를 취해 다른 생명체에 쉽게 붙일 수 있다는 사실을 발견했다. 예를 들어, 깊은 바다의 찬물에서 서식하는 물고기의 유전자를 토마토에 이식하여 겨울에도 잘 자라는 ⓐ서리 방지 토마토를 만들 수 있다고 보았다. 이와 같이, 서로 다른 생물체의 유전자를 인위적으로 결합하여 변형한 유기체를 GMO라고 한다. 그러나 유전자 변형 기술로 만든 GMO는 그 안전성을 입증하는 것이 쉽지 않아, 세계 각국에서는 GMO를 금지하거나 까다로운 조건으로 규제하고 있다.

다 이러한 배경 아래에서 유망한 미래 기술로 관심을 받고 있는 것이 유전자 편집 기술이다. 유전자 편집 기술은 외래 유전자를 결합하지 않고, 이른바 유전자 가위 기술을 활용하여 한 생물 내에서 DNA의 일부를 제거하거나 강화하는 방법이다. 이 기술을 활용하면 어떤 작물이 지닌 좋은 요소는 강화하고, 나쁜 요소는 제거할 수 있다. 심지어 자라기 적합한 환경도 바꾸어, ⓑ시베리아에서 자라는 카카오나무도 만들어 낼 수 있다.

라 유전자 편집 기술을 활용해 동식물의 품종을 개량하는 것은 외래 유전자를 주입하지 않는다는 점에서 GMO와 다르다. 오히려 자연 상태에서 발생하는 돌연변이와 유사하다. 외래 유전자를 결합하는 GMO에 비해 안전성을 입증하기 유리하다는 것 또한 유전자 편집 기술의 장점이다.

마 과학자들은 유전자 편집 기술을 활용하여 환경에 해를 끼치지 않는 동시에 사람들의 굶주림을 해결할 수 있게 되기를 바라고 있다. 하지만 유전자가 편집된 생물이 생태계에 어떤 의도하지 않은 결과를 가져올지는 아무도 모른다. 유전자 편집 기술의 역사가 길지 않은 만큼 지속적인 확인과 관찰이 필요하다.

- **돌연변이** | 부딪칠 突, 그럴 然, 변할 變, 다를 異 | 유전자의 이상으로 이전에는 없었던 독특한 모습이나 특성이 나타나는 현상.
- **유전자** | 남길 遺, 전할 傳, 어조사 子 | 생물체의 세포를 구성하고 유지하는 데 필요한 정보가 담겨 있으며 생식을 통해 자손에게 전해지는 요소.
- **GMO** | 유전자 변형 유기체(Genetically Modified Organism)의 약자.
- **DNA** | 모든 생물의 세포 속에 들어 있으며 유전 정보를 담고 있는 유전자의 본체.

STEP 1 독해 기초 확인

지문 한눈에 보기

가 뿔이 없는 소가 태어나려면?

과학자들의 접근: ☐☐☐ 기술을 활용함.

나 유전자 변형이란?

- GMO: 유전자를 ☐☐한 유기체
- 특징: 한 생명체의 유전자를 다른 생명체에 붙임.
- 문제점: 안전성을 입증하기 어려움.

↔ 비교

다 유전자 편집이란?

- 유전자 편집: 한 생물 내에서 ☐☐☐의 일부를 제거하거나 강화함.
- 필요한 기술의 예: 유전자 ☐☐ 기술

라 유전자 변형 기술과 유전자 편집 기술의 차이점

- 차이점: 생명체 내에 ☐☐ 유전자를 주입하는지의 여부
- 비교적 ☐☐☐을 입증하기 유리한 유전자 편집 기술이 미래 기술로 관심 받고 있음.

마 유전자 편집 기술 활용의 유의점

역사가 짧아 지속적인 확인과 ☐☐이 필요함.

지문 핵심 key

1. 윗글을 읽고 기억에 남는 단어를 모두 쓰시오.

2. 1에서 떠올린 것 중에서 중심 화제를 쓰시오.

3. 유전자 변형 기술과 유전자 편집 기술의 차이점이 가장 잘 드러난 문단을 고르시오.

☐ 가 ☐ 나 ☐ 다
☐ 라 ☐ 마

4. 윗글의 내용을 한 문장으로 요약할 때, 밑줄에 들어갈 알맞은 말을 각각 쓰시오.

> 생물체 내에 외부 ________를 주입하지 않는다는 점에서 유전자 편집 기술은 ________ 기술에 비해 상대적으로 ________하지만 ________가 짧은 만큼 지속적인 확인과 관찰이 필요하다.

실전 2회

정답과 해설 34쪽

STEP 2 독해 실력 확인

중심 내용 파악하기

1 윗글의 중심 내용으로 알맞은 것은?

① 유전자 치료의 방법
② GMO 작물의 안전성
③ 우리나라의 유전자 기술
④ 유전자 기술이 사회에 미치는 영향
⑤ 유전자 기술의 종류와 그 특징 비교

정보 간의 관계 파악하기

2 ⓐ와 ⓑ의 차이점을 드러낼 수 있는 질문은?

① 농산물인가, 축산물인가?
② 추위를 견딜 수 있는가, 없는가?
③ 농업 생산에 도움이 되는가, 안 되는가?
④ 자연 상태 그대로인가, 유전자 기술을 활용하였는가?
⑤ 다른 생물의 유전자가 섞여 있는가, 섞여 있지 않은가?

구체적인 사례에 적용하기

3 '유전자 편집 기술'의 관점에서 ㉠에 답한 내용으로 적절한 것은?

① 송아지의 뿔을 어떻게 안전하게 자르는지 확인해 봐야겠군.
② 뿔이 없는 소끼리 교배하여 뿔 없는 소를 태어나게 해야겠군.
③ 소의 유전자와 결합할 수 있는 뿔 없는 생물을 알아봐야겠군.
④ 돌연변이로 뿔 없이 태어난 소를 키우는 농가를 찾아봐야겠군.
⑤ 소의 유전자 중 뿔을 생성하는 유전자를 찾아 제거하면 되겠군.

지문에 나온 어휘, 확실히 짚고 가자!

1 다음 문장의 흐름에 알맞은 단어를 고르시오.

1. 연구원이 실험 결과를 [ ]으로 조작한 것이 밝혀졌다. □ 인위적 □ 자연적

2. 그는 농장에서 토끼와 닭을 [ ]하여 생계를 유지하고 있다. □ 사유 □ 사육

3. 발작하는 환자에게 약물을 [ ]하자 환자가 안정을 되찾았다. □ 개입 □ 주입

4. 조리 과정에서 재료가 심하게 [ ]되어 원래 형태를 알 수 없다. □ 변경 □ 변형

2 제시된 뜻풀이를 참고하여 다음 문장의 빈칸에 들어갈 알맞은 단어를 쓰시오.

1. 방송에서는 지나친 외래어 사용을 [ㄱ][ㅈ]하고 있다.
   규칙이나 법에 의하여 개인이나 단체의 활동을 제한함.

2. 작물을 심기 전에 밭에 자란 잡초를 [ㅈ][ㄱ]해야 한다.
   없애 버림.

3. 그는 안구를 [ㅇ][ㅅ]하는 수술을 받고 시력을 되찾았다.
   몸의 일부 조직이나 몸속 기관을 같은 몸의 다른 부위나 다른 몸에 옮겨 붙이는 일.

4. 귤껍질에는 우리 몸에 [ㅇ][ㅇ]한 성분이 많이 들어 있다.
   이롭거나 도움이 될 만함.

5. 전염병 때문에 이 지역의 [ㅊ][ㅅ] 농가가 큰 피해를 입었다.
   가축을 길러서 생활에 필요한 것들을 얻는 일.

기술 08 엘리베이터는 어떻게 움직일까

교과 연계
기술·가정 ① _ 기술적 문제 해결

㉮ 고층 건물이 늘어난 오늘날, 엘리베이터는 꼭 필요한 장치가 되었다. 엘리베이터는 건물을 오르내리는 기계라는 의미에서 승강기라고도 하는데, 엘리베이터 덕분에 우리는 고층 건물도 편하게 이용할 수 있다.

㉯ 엘리베이터를 움직이게 하는 방식 중 가장 일반적인 것은 도르래에 걸린 줄 양 끝에 엘리베이터 카와 균형추를 매달아 운행하는 것이다. 기차가 레일이 놓인 철길을 달리듯이 엘리베이터 카와 균형추도 각각의 가이드 레일을 따라서 상하로 움직이게 구성되어 있다.

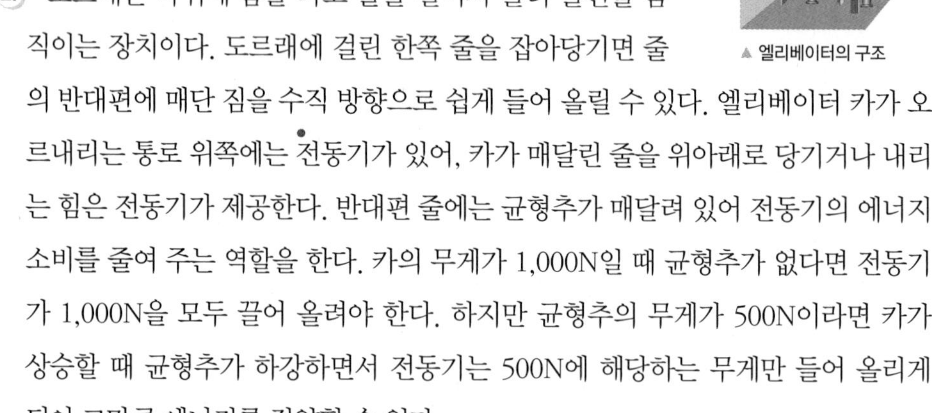

▲ 엘리베이터의 구조

㉰ 도르래는 바퀴에 홈을 파고 줄을 걸어서 돌려 물건을 움직이는 장치이다. 도르래에 걸린 한쪽 줄을 잡아당기면 줄의 반대편에 매단 짐을 수직 방향으로 쉽게 들어 올릴 수 있다. 엘리베이터 카가 오르내리는 통로 위쪽에는 전동기가 있어, 카가 매달린 줄을 위아래로 당기거나 내리는 힘은 전동기가 제공한다. 반대편 줄에는 균형추가 매달려 있어 전동기의 에너지 소비를 줄여 주는 역할을 한다. 카의 무게가 1,000N일 때 균형추가 없다면 전동기가 1,000N을 모두 끌어 올려야 한다. 하지만 균형추의 무게가 500N이라면 카가 상승할 때 균형추가 하강하면서 전동기는 500N에 해당하는 무게만 들어 올리게 되어 그만큼 에너지를 절약할 수 있다.

㉱ 엘리베이터에는 다양한 안전장치가 설치되어 있다. 일단 엘리베이터 줄은 쉽게 끊어지지 않는다. 여러 겹의 강철을 꼬아 만들었기 때문에 최대 정원 무게의 열 배 이상을 견딜 만큼 튼튼하다. 만약 줄이 끊어져서 엘리베이터 카가 비정상적인 속도로 빠르게 하강하면 카 하부의 비상 정지 장치가 가이드 레일을 ㉠물어서 카를 정지시킨다. 또한 정전이 되더라도 비상용 배터리가 있어 가까운 층까지 움직일 수 있다. 이처럼 엘리베이터에는 여러 가지 안전장치가 있어 추락 사고를 최대한 방지하고 있다.

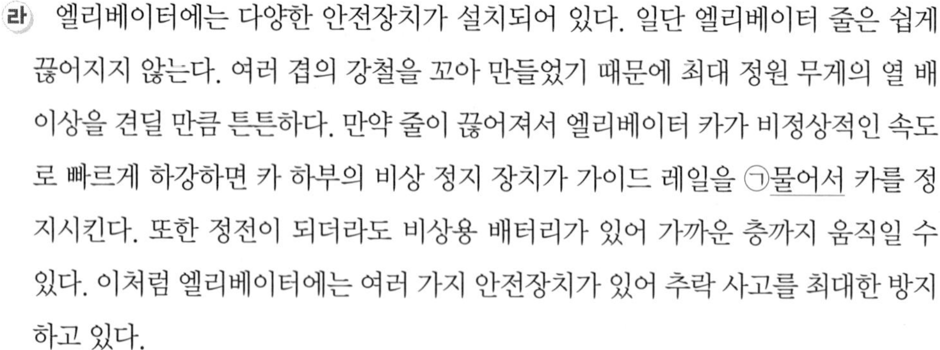

㉲ 빌딩이 높아질수록 엘리베이터를 연결하는 줄이 길어져 줄의 무게가 증가하고 엘리베이터 승객 수도 많아지므로 더욱 큰 힘이 필요하다. 엘리베이터 제작 회사들은 엘리베이터에 설치하는 전동기의 성능을 높여서 빠르고 안전하게 움직이는 엘리베이터를 만들기 위해 노력하고 있다. 또한 쾌적한 승차감을 갖추기 위해 소음과 진동을 줄이는 기술 등 다양한 연구가 이루어지고 있다.

- **승강기** | 오를 昇, 내릴 降, 틀 機 | 동력을 이용하여 사람이나 짐을 위아래로 나르는 장치.
- **엘리베이터 카** | 엘리베이터에서, 승객이 탑승할 수 있도록 만든 공간.
- **전동기** | 전기 電, 움직일 動, 틀 機 | 전기 에너지로부터 회전력을 얻는 기계.

STEP 1 독해 기초 확인

지문 한눈에 보기

가 엘리베이터는 어떤 일을 할까?

- 건물을 오르내리는 기계(=□□□)
- 엘리베이터를 타면 고층 건물도 편하게 이용할 수 있음.

나 엘리베이터가 움직이는 원리

도르래에 걸린 □ 양 끝에 엘리베이터 카와 균형추를 매달고 가이드 레일을 따라 상하로 움직이게 함.

다 엘리베이터를 움직이게 하는 장치

- □□□: 줄의 반대편에 매단 짐을 수직 방향으로 움직이게 함.
- 전동기: 카가 매달린 줄을 위아래로 움직이는 힘을 제공함.
- □□□: 전동기가 써야 하는 힘을 아껴 줌.

라 엘리베이터의 다양한 안전장치

- 튼튼한 줄: 최대 정원 무게의 열 배 이상을 견딜 수 있음.
- 비상 정지 장치: □□□□□을 물어 카를 정지시킴.
- 비상용 배터리: 정전 시 가까운 층까지 움직이게 함.

마 엘리베이터 기술 개발의 방향

□□□의 성능을 높이고 소음과 진동을 줄이려 함.

지문 핵심 key

1. 윗글을 읽고 기억에 남는 단어를 모두 쓰시오.

2. 1에서 떠올린 것 중에서 중심 화제를 쓰시오.

3. 나 ~ 라 에 나타난 설명 방법으로 알맞은 것을 고르시오.

- □ 구성 요소를 나누어 설명함.
- □ 두 대상 간의 공통점을 밝혀 설명함.

4. 윗글의 내용을 한 문장으로 요약하시오.

엘리베이터를 움직이는 장치에는

실전 2회

정답과 해설 35쪽

STEP 2 독해 실력 확인

중심 내용 파악하기

★ 구동
동력을 가하여 움직임.

1 윗글의 중심 내용으로 알맞은 것은?

① 엘리베이터의 구동 원리
② 엘리베이터의 제조 과정
③ 엘리베이터의 종류와 특성
④ 비상시 엘리베이터 이용 요령
⑤ 엘리베이터와 다른 이동 수단의 비교

세부 내용 파악하기

2 윗글을 읽고 엘리베이터의 장치에 대해 이해한 내용으로 적절하지 않은 것은?

① 도르래: 줄에 매단 물체를 수직으로 움직일 수 있게 함.
② 균형추: 엘리베이터 카의 무게를 증가시켜 안정감을 확보함.
③ 가이드 레일: 엘리베이터 카와 균형추가 이동하는 경로임.
④ 전동기: 엘리베이터 카를 위아래로 움직이는 힘을 제공함.
⑤ 비상 정지 장치: 가이드 레일을 물어 브레이크 역할을 함.

어휘의 의미 추론하기

3 ㉠의 문맥적 의미로 가장 적절한 것은?

① 빠져나가지 않도록 세게 눌러서
② 무엇을 알아내기 위해 대답이나 설명을 요구해서
③ 일정한 방향으로 움직이도록 반대쪽에서 힘을 가해서
④ 힘을 주어 자기 쪽이나 일정한 방향으로 가까이 오게 해서
⑤ 너무 무르거나 풀려서 본 모양이 없어지도록 헤어지게 해서

지문에 나온 어휘, 확실히 짚고 가자!

1 다음 문장의 흐름에 알맞은 단어를 고르시오.

1 회사에서 점식 식사를 무료로 [   ]해 준다. ☐ 제곱 ☐ 제공

2 비행기가 착륙을 위해 완만하게 [   ]하였다. ☐ 상승 ☐ 하강

3 여러 번 환기하여 실내 공기를 [   ]하게 만들었다. ☐ 쾌적 ☐ 쾨쾨

4 할머니 댁은 한적한 시골에 있어서 버스가 하루에 한 번 만 [   ]한다. ☐ 운동 ☐ 운행

2 제시된 뜻풀이를 참고하여 다음 문장의 빈칸에 들어갈 알맞은 단어를 쓰시오.

1 빌딩 [ㅎ][ㅂ] 공사의 마무리를 앞두고 있다.
아래쪽 부분.

2 올해 새로 출시되는 차의 [ㅅ][ㅊ][ㄱ]은 매우 우수하다.
달리는 차 안에 앉아 있는 사람이 차체의 흔들림에 따라 몸으로 느끼게 되는 안락한 느낌.

3 회의실에서 도청 [ㅈ][ㅊ]가 발견되어 회사가 발칵 뒤집어졌다.
어떤 목적에 따라 일을 해낼 수 있도록 기계나 도구 등을 설치함. 또는 그 기계나 도구.

4 놀이공원에서 [ㅅ][ㅈ]으로 떨어지는 놀이 기구를 타려고 한다.
어떤 직선이나 평면이 서로 직각을 이루는 것.

5 참석자의 [ㅈ][ㅇ]이 다 채워지지 않아 이번 모임은 연기되었다.
일정한 규정에 따라 정해진 사람의 수.

09 피아니스트의 뇌에 무슨 일이

교과 연계
음악 ① _ 자세와 연주법

㉮ 피아니스트들이 손가락을 현란하게 움직이면 청중들은 순식간에 그들의 음악에 빠져든다. 오른손과 왼손을 자유자재로 빠르게 움직이며 어려운 곡들도 거뜬히 연주해 내는 피아니스트들의 정교한 기술을 '초절기교'라고 부른다. 이는 많은 사람에게 경탄의 대상이 되고 있다. 초절기교를 구사하는 이들의 재능은 타고난 것일까? 아니면 어릴 적부터 누적된 연습의 결과일까?

㉯ 피아니스트는 최고의 연주자가 되기 위해 서너 살 무렵부터 피아노를 치기 시작해서 스무 살 무렵까지 1만 시간이 넘는 고된 연습을 거친다고 한다. 서너 살 아이가 초절기교라고 부를 만한 솜씨로 곡을 연주해 내는 경우는 거의 없을 것이다. 따라서 피아니스트의 초절기교는 타고난 재능이 아니라 성인이 될 때까지 꾸준히 연습해서 길러진다고 볼 수 있다.

㉰ 방대한 연습의 결과 피아니스트의 신체에는 신비한 변화가 일어난다. 사실 피아니스트와 일반인의 손가락 근력에는 뚜렷한 차이가 없다. 피아니스트가 빠르게 손가락을 움직일 수 있게 되는 결정적 차이는 손가락 근력이 아닌 '뇌'에 있다. 사람들이 손가락을 복잡하게 움직이는 동안에 뇌의 신경 세포가 얼마나 많이 활동하는지를 측정하는 실험을 하였다. 그 결과, 손가락을 같은 속도로 움직일 때 활동하는 신경 세포 수는 일반인보다 피아니스트 쪽이 적다는 것을 알게 되었다. 이는 무엇을 의미하는 것일까?

㉱ 바로 피아니스트의 뇌는 활발히 활동하지 않아도 손가락을 복잡하게 움직일 수 있도록 다듬어져 있다는 것이다. 손가락을 복잡하게 움직이는 일도 매우 적은 수의 신경 세포만을 사용하여 처리할 수 있는, 에너지 절약이 가능한 뇌라고 볼 수 있다. 그러므로 연주하느라 빠르고 복잡하게 손가락을 움직이는 와중에도 피아니스트의 뇌는 (　　㉠　　). 오랜 기간 누적된 연습을 통해 피아노를 치기에 특화된 뇌로 훈련되는 것이다.

- **초절** | 뛰어넘을 超, 끊을 絕 | 다른 것에 비하여 유별나게 뛰어남.
- **경탄** | 공경할 敬, 탄식할 歎 | 우러르며 감탄함.
- **구사하다** | 몰 驅, 부릴 使 | 말이나 기교 등을 마음대로 능숙하게 다루어 쓰다.
- **방대하다** | 넉넉할 厖, 클 大 | 규모나 양이 매우 크거나 많다.

STEP 1 독해 기초 확인

지문 한눈에 보기

가 경탄의 대상인 초절기교

초절기교의 뜻: 양손의 손가락을 빠르게 움직이며 어려운 곡을 연주하는 피아니스트의 □□한 기술

↓

빠르게 손가락을 움직여 연주할 수 있는 비결은?

나 피아니스트의 고된 연습

- 최고의 연주자가 되기 위해 1만 시간이 넘게 연습함.
- 피아니스트의 정교한 연주 기술은 타고난 □□이 아닌 꾸준한 □□의 결과임.

다 연습 결과 피아니스트의 신체에 나타나는 변화

- 피아니스트가 빠르게 손가락을 움직일 수 있는 원인은 손가락 □□이 아닌 □에 있음.
- 피아니스트는 손가락을 움직일 때 뇌에서 활동하는 □□□□의 수가 일반인보다 적음.

라 연주에 맞게 발달한 피아니스트의 뇌

적은 수의 신경 세포만으로 복잡한 손가락 움직임을 처리하는 피아니스트의 뇌 → 뇌가 피아노 연주에 □□됨.

지문 핵심 key

1. 윗글을 읽고 기억에 남는 단어를 모두 쓰시오.

2. 1에서 떠올린 것 중에서 중심 화제를 쓰시오.

3. 다 와 라, 두 문단의 관계로 알맞은 것을 고르시오.

□ 다 와 상반되는 내용을 라 에서 밝힘.

□ 다 에서 나타난 결과를 라 에서 해석함.

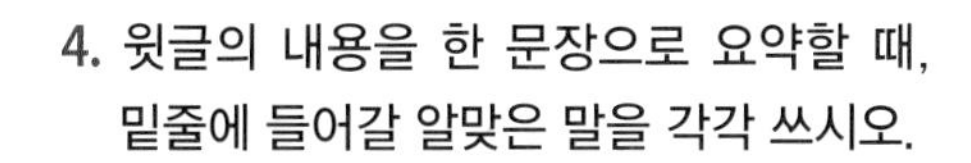

4. 윗글의 내용을 한 문장으로 요약할 때, 밑줄에 들어갈 알맞은 말을 각각 쓰시오.

피아니스트가 ________을 빠르게 움직여 연주할 수 있는 이유는 꾸준한 ________ 결과 피아니스트의 ______가 피아노 연주에 적합하게 특화되기 때문이다.

실전 2회

정답과 해설 36쪽

STEP 2 독해 실력 확인

세부 내용 파악하기

1 윗글의 내용과 일치하지 않는 것은?

① 초절기교를 구사하려면 오랫동안 꾸준히 연습해야 한다.
② 손을 빠르게 움직여 연주하는 기술을 초절기교라고 한다.
③ 연습을 많이 한 피아니스트의 뇌는 일반인의 뇌와 다르다.
④ 일반인에 비해 피아니스트의 뇌에는 신경 세포가 훨씬 적게 생겨난다.
⑤ 피아니스트는 적은 신경 세포만으로도 손가락을 빠르게 움직일 수 있다.

빈칸에 들어갈 내용 추론하기

2 앞의 내용을 고려할 때 ㉠에 들어갈 단어로 가장 적절한 것은?

① 분주하다 ② 성장한다 ③ 여유롭다
④ 작동한다 ⑤ 활발하다

글의 흐름 파악하기

3 〈보기〉의 내용이 들어갈 위치로 가장 적절한 곳은?

보기

초절기교를 구사하는 피아니스트가 손가락을 그토록 빨리 움직일 수 있는 이유는 무엇 때문일까? 피아니스트의 손가락 근력이 보통 사람들보다 훨씬 뛰어나기 때문이라고 주장하는 사람들도 있다. 어린아이에게 피아노를 가르칠 때 손가락 힘을 기르는 연습을 시키기도 한다. 그렇다면 정말 피아니스트는 손가락 근력이 강하기 때문에 손가락을 빨리 움직이는 것일까?

① 가의 앞 ② 나의 앞 ③ 다의 앞
④ 라의 앞 ⑤ 라의 뒤

지문에 나온 어휘, 확실히 짚고 가자!

1 제시된 한자를 살펴보고 다음 문장의 빈칸에 들어갈 알맞은 단어를 쓰시오.

1. 技 재주 [ㄱ], 巧 교묘할 [ㄱ] — 그녀는 뛰어난 [ㄱ][ㄱ]로 바이올린을 연주했다.
2. 測 잴 [ㅊ], 定 정할 [ㅈ] — 건물에 들어갈 때마다 온도계로 체온을 [ㅊ][ㅈ]하였다.
3. 累 여러 [ㄴ], 積 쌓을 [ㅈ] — 그 선수는 경고가 [ㄴ][ㅈ]되어서 다음 시합에 나갈 수 없다.
4. 絢 무늬 [ㅎ], 爛 빛날 [ㄹ] — 탱고를 추는 무용수의 [ㅎ][ㄹ]한 다리 동작이 시선을 사로잡았다.

2 제시된 뜻풀이를 참고하여 다음 문장의 빈칸에 들어갈 알맞은 단어를 쓰시오.

1. 수아는 [ㄲ][ㅈ][ㅎ] 저축한 돈으로 장난감을 샀다.
   한결같이 부지런하고 끈기가 있는 태도로.
2. 그는 경비행기를 [ㅈ][ㅇ][ㅈ][ㅈ]로 조종할 수 있다.
   거침없이 자기 마음대로 할 수 있음.
3. 생활비를 [ㅈ][ㅇ]하기 위해 외식 횟수를 줄이기로 했다.
   마구 쓰지 않고 꼭 필요한 데에만 써서 아낌.
4. 어린 학생이 어른들도 하기 어려운 일을 [ㄱ][ㄸ][ㅎ] 해냈다.
   다루기가 간편하고 손쉽게.
5. 사고가 일어난 [ㅇ][ㅈ]에 경찰관이 침착하게 시민들을 대피시켰다.
   일이나 사건 등이 시끄럽고 복잡하게 벌어지는 가운데.

10 사람들은 왜 화장을 할까

교과 연계
미술 ② _ 이미지와 시각 문화

가 화장의 역사는 인류의 오랜 역사만큼이나 길다. ㉠<u>화장하는 일은 내면의 가치를 소홀히 한 채 겉모습에만 치중하는 행위일 뿐이라고 오해하기 쉬우나, 그렇지만은 않다.</u> 화장의 여러 가지 기능을 살펴봄으로써 화장하는 행위에 담긴 욕구와 의도를 폭넓게 이해해 보자.

나 먼저, 화장에는 장식의 기능이 있다. 인간에게는 자연 그대로의 상태에 머무르지 않고 인공적으로 꾸미려는 욕구가 있다. 원하는 모습으로 자신을 꾸며 다른 사람에게 호감을 사기도 하고, 스스로 만족하려고 꾸미기도 한다. 화장을 활용하여 보여 주고 싶지 않은 결점을 숨기고, 드러내고자 하는 것은 강조하면서 자신이 원하는 이미지를 더욱 효과적으로 전달할 수 있다.

다 둘째로, 화장에는 주술적인 기능이 있다. 고대에서부터 사람들은 신과 교류하려는 목적으로 종교 의례에서 용모를 특별하게 꾸몄다. 어떤 사람들은 화장을 짙게 하면 신에게 보호받고 악귀가 몸에 들어오는 것을 막을 수 있다고 생각하였다. 주술적인 화장에는 평범한 사람들과 다르게 꾸며서 종교적인 신성성을 강화하려는 의도가 있다.

라 셋째로, 화장은 표지로서 기능한다. 사람들은 다른 사람들과 자신을 구별하고 싶어 한다. 문신을 새기거나 몸을 칠하는 행위는 원시 시대에서부터 시작되었는데, 이것 역시 소속 집단에서 특별한 지위를 차지하려는 욕구와 관련이 있다. 옛사람들은 흰 피부가 노동으로부터 자유로운 고귀한 신분임을 드러낸다고 여겨, 피부를 하얗게 가꾸기 위해 노력했다고 한다. 또, 옛 중국에서는 자신이 특권층임을 알리기 위해 손톱에 색을 칠하였다는 기록도 있다.

마 마지막으로, 화장에는 실용적인 기능도 있다. 예로부터 사람들은 얼굴에 흰 분을 발랐는데, 여기에는 단지 얼굴을 치장하려는 것뿐 아니라 피부를 보호하려는 의도가 있었다. 실제로 흰 분은 자외선을 산란시켜 피부를 보호하는 효과가 있다. 살펴본 바와 같이, 인류는 화장을 통해 다양한 목적을 달성해 왔다. 화장을 그저 아름다움을 좇기 위한 맹목적인 수단으로 치부할 것이 아니라 사람들이 화장을 하는 심리와 목적을 정확히 읽어 내며 존중하는 자세가 필요하다.

- **주술적** | 빌 呪, 꾀 術, 것 的 | 불행을 막거나 원하는 일을 이루기 위해 주문을 외거나 신비한 기술을 부리는 일 또는 그 기술과 관련된 것.
- **의례** | 법식 儀, 예도 禮 | 행사를 치르는 일정한 법식. 또는 정하여진 방식에 따라 치르는 행사.
- **표지** | 표할 標, 적을 識 | 어떤 것을 다른 것과 구별하게 하는 표시나 특징.

STEP 1 독해 기초 확인

지문 한눈에 보기

가 사람들이 화장하는 까닭은?

- 화장하는 일은 단순히 겉모습에만 치중하는 행위가 아님.
- 화장에는 여러 가지 □□이 있음.

나 화장의 기능 ①

□□적 기능

→ 자연 그대로의 상태에 머무르지 않고 □□□으로 꾸미려는 욕구

다 화장의 기능 ②

□□적 기능

→ 종교적인 □□□을 강화하려는 의도

라 화장의 기능 ③

□□ 기능

→ 다른 사람들과 자신을 □□하고 소속 집단에서 특별한 지위를 차지하려는 욕구

마 화장의 기능 ④

□□적 기능

→ 피부를 □□하려는 의도

지문 핵심 key

1. 윗글을 읽고 기억에 남는 단어를 모두 쓰시오.

2. 1에서 떠올린 것 중에서 중심 화제를 쓰시오.

3. 나~마에 나타난 설명 방법으로 알맞은 것을 고르시오.

- □ 이론의 발전 과정이 드러남.
- □ 설명 대상과 관련하여 다양한 관점이 드러남.

4. 윗글의 내용을 한 문장으로 요약하시오.

화장의 기능에는 ________________

실전 2회

정답과 해설 37쪽

STEP 2 독해 실력 확인

세부 내용 파악하기

1 윗글을 통해 알 수 있는 내용으로 적절하지 않은 것은?

① 화장은 자기 만족의 수단이기도 하다.
② 피부를 보호하려는 목적으로 화장을 하기도 하였다.
③ 엄격한 계급* 사회일수록 화장법이 더욱 발달하였다.
④ 원시 시대 사람들이 했던 문신도 화장의 한 부류이다.
⑤ 고대인들은 화장이 신과 교류하는 데 도움이 된다고 믿었다.

* **계급 사회** 계급 간의 차이가 분명하게 나누어져 있는 사회.

정보간의 관계 파악하기

2 〈보기〉의 내용을 근거로 활용할 수 있는 문단은?

보기
고려 시대에는 신분에 따라 화장법이 눈에 띄게 달라졌다. 기생들이 짙게 화장한 것과 달리, 귀부인들은 최대한 자연스럽고 연하게 화장했다. 조선 시대로 넘어가면서 신분에 따른 화장법의 구분은 더욱 두드러진다.

① 가 ② 나 ③ 다 ④ 라 ⑤ 마

이유 추론하기

3 윗글의 관점에서 ㉠의 이유를 적절하게 이해한 것은?

① 화장하는 일은 늘 이롭기 때문이다.
② 화장은 겉모습을 꾸미는 것과 관련이 없기 때문이다.
③ 화장을 하는 데에는 여러 가지 목적과 기능이 있기 때문이다.
④ 외적인 부분을 꾸미는 데 시간을 투자하는 것은 낭비이기 때문이다.
⑤ 화장을 하면 다른 사람의 시선으로부터 자유로워질 수 있기 때문이다.

지문에 나온 **어휘**, 확실히 짚고 가자!

1 다음 뜻풀이에 알맞은 단어를 고르시오.

❶ 사람의 힘으로 만든 것. ☐ 인공적 ☐ 인상적

❷ 성질이나 종류에 따라 갈라놓다. ☐ 구별하다 ☐ 구성하다

❸ 마음속으로 어떠하다고 생각하거나 여기다. ☐ 당부하다 ☐ 치부하다

❹ 어떤 것을 특히 두드러지게 하거나 강하게 주장하다. ☐ 강요하다 ☐ 강조하다

정답과 해설 37쪽

2 제시된 뜻풀이를 참고하여 다음 문장의 빈칸에 들어갈 알맞은 단어를 쓰시오.

❶ 모든 생명은 [ㄱ][ㄱ]하다.
훌륭하고 귀중함.

❷ 어떤 손님이든 [ㅅ][ㅎ][ㅎ] 대접해서는 안 된다.
중요하게 생각하지 않아 주의나 정성이 부족하게.

❸ 조선 시대에는 [ㅅ][ㅂ]에 따라 직업이 결정되었다.
① 개인이 사회에서 가지는 역할이나 지위.
② 봉건 사회에서 제도적으로 개인에게 주어진 지위나 서열.

❹ 그 광고는 소비자들의 구매 [ㅇ][ㄱ]를 자극하였다.
무엇을 얻거나 무슨 일을 하고자 바라는 일.

❺ 그는 머리부터 발끝까지 보석으로 [ㅊ][ㅈ]한 채 나타났다.
잘 매만져 곱게 꾸밈.

실전으로 차곡차곡 익숙하게!

독해 실전 3회

01 평화와 평등을 실현하는 길

교과 연계
도덕 ①_ 편견과 차별

가 《장자》 33편 중 두 번째 편의 제목은 '제물론'이다. '제물(齊物)'에는 가지런한 높이로 자라난 곡식처럼 모든 사물의 가치가 동등하다는 의미가 담겨 있다. 이 말은 크고 작음, 나와 너, 삶과 죽음을 분별하지 않고 만물을 동등하게 바라보는 장자의 사상을 대변한다.

나 중국 전국 시대에는 전쟁이 빈번히 일어났고 당시 지식인들은 저마다 자신의 사상이 옳다고 주장하기 바빴다. 장자는 지식인들의 논쟁에 동참하는 것을 거부하며, 누구의 말이 가장 옳은지 가려내는 데 집착할수록 세상은 더욱 혼란스러워질 것이라고 보았다. 장자에 따르면, 만물은 서로 연관되어 있어 결국 하나이므로 대상을 분별하는 시비, 선악, 미추 등의 기준은 인간이 지어낸 것에 불과하다.

다 보통 사람들은 꽃은 아름답고 똥은 추하다고 생각한다. 그러나 사실 꽃은 거름인 똥에 들어 있는 영양분을 흡수하여 피어난다. 장자의 사상을 바탕 삼아 보면, 꽃은 아름답고 똥은 추하다는 주장은 꽃과 거름이 서로 깊이 연관되어 있다는 사실을 이해하지 못한 선입견일 뿐이다. 또한 장자는 여러 사람이 아름답다고 손꼽은 미인일지라도 새들에게 다가가면 새들이 달아나 버릴 수 있다고 하였다. 누군가를 미인이라고 정하는 기준 또한 인간의 편견이 만들어 낸 것이므로, 모두가 동의하는 절대적인 가치가 아니라고 본 것이다. 장자에 따르면 어떤 사람을 미인이라고 판단하는 것도 대상의 본모습을 파악한 것이 아니며, 오히려 인간의 자유로운 생각을 방해하는 환상일 뿐이다.

라 모든 존재가 평등하다는 것을 강조하는 장자의 제물론은 갈등과 경쟁, 차별이 만연한 현대 사회에 많은 깨달음을 전해 준다. 장자가 주장하는 바와 같이, 대상을 분별하려는 일의 허점을 깨닫고 열린 마음으로 세상을 바라본다면 나와 다른 사람들을 포용할 수 있을 것이다. 또한 모든 존재가 평등함을 깨닫고 다른 사람을 함부로 대하지 않는 자세를 배울 수 있을 것이다.

- **분별하다** | 나눌 分, 다를 別 | 서로 다른 일이나 사물을 구별하여 가르다.
- **시비** | 옳을 是, 아닐 非 | 옳음과 그름.
- **미추** | 아름다울 美, 추할 醜 | 아름다움과 추함.
- **편견** | 치우칠 偏, 볼 見 | 공정하지 못하고 한쪽으로 치우친 생각.
- **포용하다** | 쌀 包, 받아들일 容 | 남을 너그럽게 감싸 주거나 받아들이다.

STEP 1 독해 기초 확인

지문 한눈에 보기

가 '제물'이란?

가지런한 높이로 자라난 곡식처럼 모든 사물의 가치가 □□하다는 의미가 담김.

↓

장자의 제물론

나 제물론이 탄생한 배경과 장자가 주장한 내용은?

- 등장 배경: 사상 논쟁이 빈번하던 중국 □□ 시대
- 장자의 주장: 만물은 결국 □□이며, 대상을 분별하는 시비, 선악, □□ 등의 기준은 인간이 지어낸 것임.

다 사례를 통해 제물론을 구체적으로 이해한다면?

- 예시 ①: 사람들은 꽃은 아름답고 똥은 추하다고 생각함.
  → 둘 사이의 깊은 연관을 이해하지 못하는 □□□임.
- 예시 ②: 미인을 보고 새가 달아나 버릴 수 있음.
  → 아름다움의 기준은 인간의 편견과 □□일 뿐임.

↓

라 오늘날 제물론은 어떤 의의가 있을까?

- 의의 ①: 나와 다른 사람을 □□할 수 있음.
- 의의 ②: 모든 존재가 □□함을 깨닫고 다른 사람을 함부로 대하지 않는 자세를 배울 수 있음.

지문 핵심 key

1. 윗글을 읽고 기억에 남는 단어를 모두 쓰시오.

2. 1에서 떠올린 것 중에서 중심 화제를 쓰시오.

3. 나와 다, 두 문단의 관계로 알맞은 것을 고르시오.

- □ 나와 상반되는 주장을 다에서 밝힘.
- □ 나의 주장이 적용된 예시를 다에서 소개함.

4. 윗글의 내용을 한 문장으로 요약할 때, 밑줄에 들어갈 알맞은 말을 각각 쓰시오.

> 장자의 ________은 만물이 본질적으로 ________이며, 따라서 모든 존재가 ________하다는 것을 강조하는 사상으로, 나와 다른 사람을 포용해야 한다는 가치를 전한다.

정답과 해설 38쪽

STEP 2 독해 실력 확인

세부 내용 파악하기

1 윗글에서 다룬 내용이 <u>아닌</u> 것은?

① 제물론의 의의
② 제물론의 한계
③ 제물에 담긴 뜻
④ 제물론의 등장 배경
⑤ 제물론을 주장한 사상가

관점 추론하기

2 윗글에 나타난 '장자'의 관점으로 적절하지 <u>않은</u> 것은?

① 아름다움에는 절대적인 기준이 없어.
② 한쪽으로 치우쳐 판단하면 자유롭게 생각하기 어려워.
③ 옳고 그름을 구별할 줄 알면 올바른 판단을 내릴 수 있어.
④ 만물이 서로 연관된 것을 모르는 사람은 대상의 가치를 함부로 평가하겠네.
⑤ 대상을 분별하지 않는 열린 마음은 모든 생명을 존중하는 태도로 이어질 수 있어.

구체적인 사례에 적용하기

3 윗글을 참고할 때, 〈보기〉의 빈칸에 들어갈 말로 적절한 것은?

보기

혜시: 친구에게 선물로 받은 박씨를 심었는데 지금까지 보지 못한 아주 큰 박이 달렸어. 바가지로 만들기에 너무 커서 쓸모가 없겠어.
장자: 왜 호수에 띄워 놓고 배처럼 쓰지 않아? 자네는 (　　　　　　　)에 갇혀 박이라는 사물을 있는 그대로 보지 못하고 있어.

① 경쟁　② 미추　③ 선악
④ 평등　⑤ 선입견

지문에 나온 어휘, 확실히 짚고 가자!

1 다음 문장의 흐름에 알맞은 단어를 고르시오.

❶ 돼지 전염병이 [ ]하여 농가의 피해가 크다. □ 만개 □ 만연

❷ 동양인이라는 이유로 유럽에서 인종 [ ]을 당했다. □ 차등 □ 차별

❸ 이번 행사에는 남녀노소 누구나 [ ]하게 참여할 수 있다. □ 동등 □ 상응

❹ 철학자들은 [ ]인 불변의 진리를 찾기 위해 논쟁을 해 왔다. □ 적대적 □ 절대적

2 제시된 뜻풀이를 참고하여 다음 문장의 빈칸에 들어갈 알맞은 단어를 쓰시오.

❶ 헌법에 따르면 모든 인간은 [ㅍ][ㄷ]하다.

권리, 의무, 자격 등이 차별 없이 고르고 한결같음.

❷ 부족 사이의 [ㄱ][ㄷ]으로 전쟁이 일어났다.

① 서로 생각이 달라 부딪치는 것.
② 마음속에서 어떻게 할지 결정을 못 한 채 괴로워하는 것.

❸ 그 동네에서는 사건 사고가 [ㅂ][ㅂ][ㅎ] 발생한다.

어떤 일이나 현상 등이 일어나는 횟수가 많게.

❹ 다른 사람의 작품을 베낀 그림은 예술적 [ㄱ][ㅊ]가 없다.

① 값이나 귀중한 정도.
② 의미나 중요성.

❺ 그 소설은 현실에 없는 [ㅎ][ㅅ]의 세계를 배경으로 삼았다.

현실성이나 가능성이 없는 헛된 생각.

정답과 해설 38쪽

02 수도를 옮기고 금나라를 정벌하자

교과 연계
역사 ② _ 묘청의 서경 천도 운동

가 고려의 귀족이었던 경원 이씨 집안은 80여 년간 열 명의 왕비를 배출하는 등 고려 사회에서의 영향력이 막강하였다. 그중 ㉠이자겸은 왕의 장인이자 외할아버지로서 권세를 휘두르며 백성들에게 횡포를 부렸다. 이자겸의 권력에 위협을 느낀 인종이 그를 없애려 하였지만 이를 눈치챈 이자겸이 먼저 반란을 일으켰다. 이자겸의 반란은 실패했으나, 반란을 계기로 왕의 권위가 떨어지고 고려 사회는 더욱 혼란스러워졌다.

나 이런 가운데 왕권을 강화하고 민생을 안정시키고 싶어 하는 인종에게 서경 출신의 묘청이 접근하였다. 묘청과 ㉡정지상을 중심으로 하는 서경 세력은 수도를 서경으로 옮기고 북방의 금나라를 정벌하고자 하였으며, 고려 임금을 황제로 칭하여야 한다는 주장을 펼쳤다. 묘청은 당시 수도였던 개경 땅의 기운이 약해졌기 때문에 서경으로 수도를 옮겨야 나라가 번창한다며 인종을 설득했다. 이에 인종은 서경에 궁궐을 짓기에 이른다.

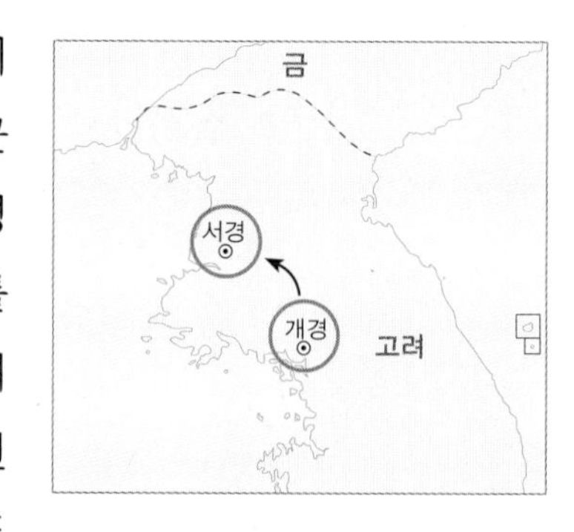

다 그러나 김부식을 중심으로 하는 ㉢개경 세력의 강한 반대로 인종이 수도를 옮기지 않기로 마음을 바꾸자, 묘청은 반란을 일으켰다. 묘청은 중앙 정부의 관리를 가두고 군사를 모아 서경을 수도로 하는 새로운 나라의 수립을 선언한 뒤, 그 소식을 인종에게 알렸다. 묘청의 반란에 몹시 화가 난 인종은 ㉣김부식을 ㉤토벌군의 사령관으로 임명하여 서경으로 보냈는데, 묘청을 따랐던 조광 등이 이에 겁먹고 묘청을 죽였다. 출정 전후로 김부식은 정지상 등 북벌론을 주장했던 이들을 없애거나 좌천시켰고, 이후 김부식을 중심으로 한 개경 귀족 세력이 정치를 독점하여 고려 왕조의 정치적·사회적 모순은 더욱 깊어지고 만다.

라 그렇다면 오늘날에는 서경 천도 운동을 어떻게 평가하고 있을까? 엄연히 고려 정부가 존재함에도 불구하고 묘청이 독단적으로 새로운 나라를 세우려 한 것이라고 보는 사람들은 묘청의 서경 천도 운동을 질서를 어지럽힌 반란으로 평가한다. 그러나 한편에서는 부패한 고려를 바로잡고 중국에 대한 예속에서 벗어나려 한 개혁 운동으로 평가하기도 한다.

- **반란** | 배반할 叛, 어지러울 亂 | 정부나 지도자 등에 반대하여 공격하거나 싸움을 일으킴.
- **민생** | 백성 民, 살 生 | 일반 국민의 생활 및 생계.
- **정벌하다** | 칠 征, 칠 伐 | 적 또는 죄 있는 무리를 무력으로써 치다.
- **북벌론** | 북녘 北, 칠 伐, 논할 論 | 무력으로 북쪽 지방을 치자는 논의.
- **천도** | 옮길 遷, 도읍 都 | 수도를 옮김.
- **예속** | 종 隸, 무리 屬 | 힘이 강한 대상의 지배 아래 매임.

STEP 1 독해 기초 확인

지문 한눈에 보기

가 서경 천도 운동의 배경이 된 고려 사회의 모습은?

이자겸 등 귀족의 □□와 왕권의 추락

↓

서경 천도 운동의 전개 과정

나 서경 세력이 주장한 것은?

- 금나라를 정벌할 것
- 고려 임금을 □□로 칭할 것
- 수도를 □□으로 옮길 것

다 인종이 마음을 바꾸자 벌어진 일은?

- 묘청이 군사를 소집하여 서경을 수도로 새 □□를 세움.
- 묘청이 죽임을 당하며 서경 천도 운동은 실패함.

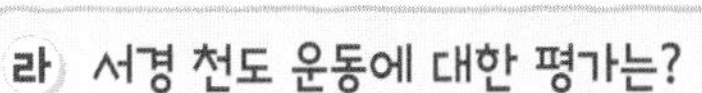

↓

라 서경 천도 운동에 대한 평가는?

- 부정적 평가: 질서를 어지럽힌 □□
- 긍정적 평가: 중국에 대한 예속에서 벗어나려 한 □□ 운동

지문 핵심 key

1. 윗글을 읽고 기억에 남는 단어를 모두 쓰시오.

2. 1에서 떠올린 것 중에서 중심 화제를 쓰시오.

3. 나와 다에 나타난 설명 방법으로 알맞은 것을 고르시오.

- □ 두 주장의 장단점을 비교함.
- □ 일이 진행되는 과정을 순서대로 설명함.

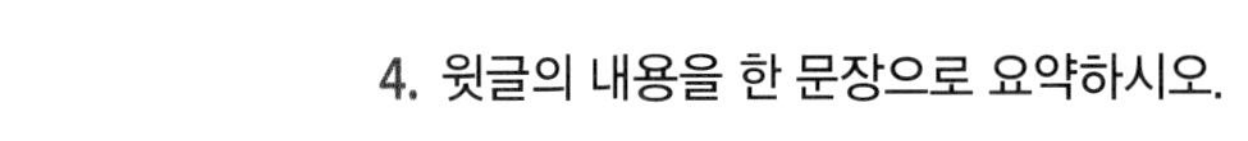

4. 윗글의 내용을 한 문장으로 요약하시오.

서경 천도 운동은 ______________

실전 3회

정답과 해설 39쪽

STEP 2 독해 실력 확인

중심 내용 파악하기

1 **윗글의 중심 내용으로 알맞은 것은?**

① 이자겸의 난
② 고려 귀족 사회의 혼란
③ 서경 세력과 개경 세력의 대립
④ 묘청의 서경 천도 운동의 실패 원인
⑤ 묘청의 서경 천도 운동의 전개 과정과 이에 대한 평가

드러나지 않은 내용 추론하기

★ 화친하다
나라와 나라 사이에 다툼 없이 가까이 지내다.

교과서 문제

2 **윗글을 바탕으로 하여 추측한 내용으로 적절한 것은?**

① 조광은 토벌군에 맞서 묘청을 지켜 준 인물이군.
② 묘청은 금나라와 화친하려고 서경 천도를 주장했군.
③ 김부식은 개경 세력에서 서경 세력으로 옮겨 간 사람이군.
④ 인종은 이자겸의 난 이후 자신의 권력을 강화하고 싶어 했군.
⑤ 인종은 묘청의 난이 일어난 뒤에 수도를 옮길 결심을 한 것이군.

관점 추론하기

3 **㉠~㉤ 중 북벌론에 찬성한 인물이나 세력으로 알맞은 것은?**

① ㉠ 이자겸 ② ㉡ 정지상 ③ ㉢ 개경 세력
④ ㉣ 김부식 ⑤ ㉤ 토벌군

지문에 나온 어휘, 확실히 짚고 가자!

1 다음 문장의 흐름에 알맞은 단어를 고르시오.

1 이 학교는 우수한 인재를 많이 [   ]하였다. □ 반출 □ 배출

2 아테네는 고대에 가장 [   ]했던 민주주의의 도시이다. □ 번창 □ 부실

3 그 정치인은 비리와 연관되면서 [   ]한 인간으로 취급받았다. □ 부산 □ 부패

4 그는 [   ]인 결정을 일삼아 주변 사람들로부터 신임을 얻지 못했다. □ 독단적 □ 양심적

정답과 해설 39쪽

2 제시된 뜻풀이를 참고하여 다음 문장의 빈칸에 들어갈 알맞은 단어를 쓰시오.

1 대륙을 지나면서 태풍의 [ㅅ][ㄹ]이 점차 약해졌다.
① 권력이나 기세의 힘.
② 어떤 속성이나 힘을 가진 집단.

2 전제 국가에서는 임금이 절대적인 [ㄱ][ㅇ]를 가지고 있었다.
특별한 능력, 자격, 지위로 남을 이끌어서 따르게 하는 힘.

3 운동 선수가 되기 위해서는 기초 체력부터 [ㄱ][ㅎ]해야 한다.
세력이나 힘을 더 강하고 튼튼하게 함.

4 벼슬아치의 [ㅎ][ㅍ]가 날로 심해져, 사람들이 하나둘 마을을 떠났다.
제멋대로 굴며 몹시 난폭함.

5 이 소설은 인간 사회의 [ㅁ][ㅅ]을 사실적으로 묘사한 것으로 유명하다.
어떤 사실의 앞뒤, 또는 두 사실이 이치상 어긋나서 서로 맞지 않음을 이르는 말.

03 세계에서 두루 쓸 수 있는 화폐, 국제 통화

교과 연계
사회 ② _ 국제 거래

가) 대부분의 나라가 자기 나라만의 화폐 단위를 가지고 있지만, 다른 화폐를 쓰는 여러 나라가 무역을 하기 위해서는 통일된 화폐 단위가 필요하다. 이때 기준이 되는 통화로서, 세계 각국에서 널리 통용될 수 있는 중심 화폐를 국제 통화라고 한다. 어떤 한 나라의 화폐가 국제 통화가 되기 위해서는 국제적으로 유통량이 풍부하고, 사용이 자유로워야 한다. 또한 신용이 뒤따라야 하므로, 국가의 정치력과 경제력이 안정적이어야 한다. 현재는 미국의 달러화가 세계 제1의 국제 통화를 맡고 있지만, 국제 통화로 쓰인 화폐의 종류는 시대와 함께 변해 왔다.

나) 서구를 중심으로 살펴보면 유럽 최초의 국제 통화는 기원전 5세기경 고대 그리스가 발행한 은화 드라크마로 추정된다. 이후 로마 제국이 들어서면서 로마의 금화 아우레우스와 은화 데나리우스가 국제 통화로 자리 잡는다. 당시 대제국이었던 로마는 자국 화폐를 무역 결제의 수단으로 삼아 지중해 주변 국가들과 활발하게 교역했다. 로마 제국이 동과 서로 나뉜 후에는 4세기에 동로마 제국이 발행한 금화 솔리두스가 10세기까지 광범위하게 쓰였다.

다) 13세기에 접어들어 이탈리아 도시를 중심으로 국제 무역이 발전하면서 이탈리아의 금화 제노인과 플로린이 국제 통화의 지위에 오른다. 그 후 14~16세기 르네상스 시대를 거쳐 세계 경제의 중심이 유럽의 북쪽으로 이동했고, 17세기에 이르러 네덜란드가 국제 무역의 중심에 서면서 많은 유럽 국가들이 네덜란드의 길더를 사용했다.

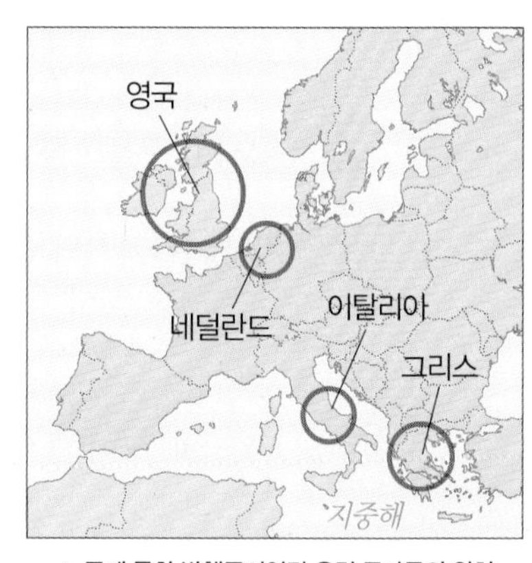

▲ 국제 통화 발행국이었던 유럽 국가들의 위치

라) 18세기 산업 혁명 이후에는 영국 런던이 국제 금융의 중심지가 되면서 영국의 파운드가 국제 통화의 자리에 올라선다. 하지만 1차 세계 대전으로 영국의 경제 상황이 악화되어 파운드화가 힘을 잃게 되자, 2차 세계 대전이 끝날 무렵에는 미국의 달러화가 국제 통화의 지위를 획득한다. 이후 유로화가 각광받던 시대를 거쳐, 최근에는 세계 최대의 수출국인 중국의 위안화의 위상이 높아졌다. 이 같은 흐름으로 볼 때 현재의 달러화 역시 국제 통화로서 영원한 것이 아니며, 국제 통화로 쓰이는 화폐는 화폐 발행국의 경제적 위상에 따라 언제든지 바뀔 수 있음을 알 수 있다.

- **통화** | 통할 通, 돈 貨 | 한 사회에서 사용하는 화폐.
- **통용되다** | 통할 通, 쓸 用 | 일반적으로 두루 쓰이다.
- **교역하다** | 서로 交, 바꿀 易 | 주로 나라와 나라 사이에서 물건을 사고팔고 하여 서로 바꾸다.
- **위상** | 자리 位, 서로 相 | 어떤 사물이 다른 사물과의 관계 속에서 가지는 위치나 상태.

STEP 1 독해 기초 확인

지문 한눈에 보기

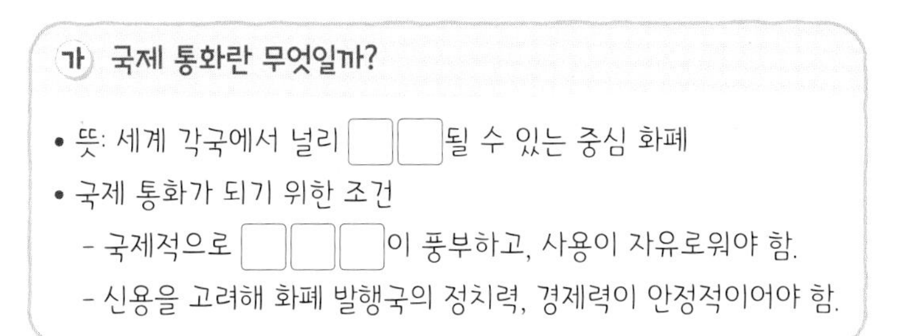

가 국제 통화란 무엇일까?
• 뜻: 세계 각국에서 널리 □□ 될 수 있는 중심 화폐
• 국제 통화가 되기 위한 조건
- 국제적으로 □□□ 이 풍부하고, 사용이 자유로워야 함.
- 신용을 고려해 화폐 발행국의 정치력, 경제력이 안정적이어야 함.

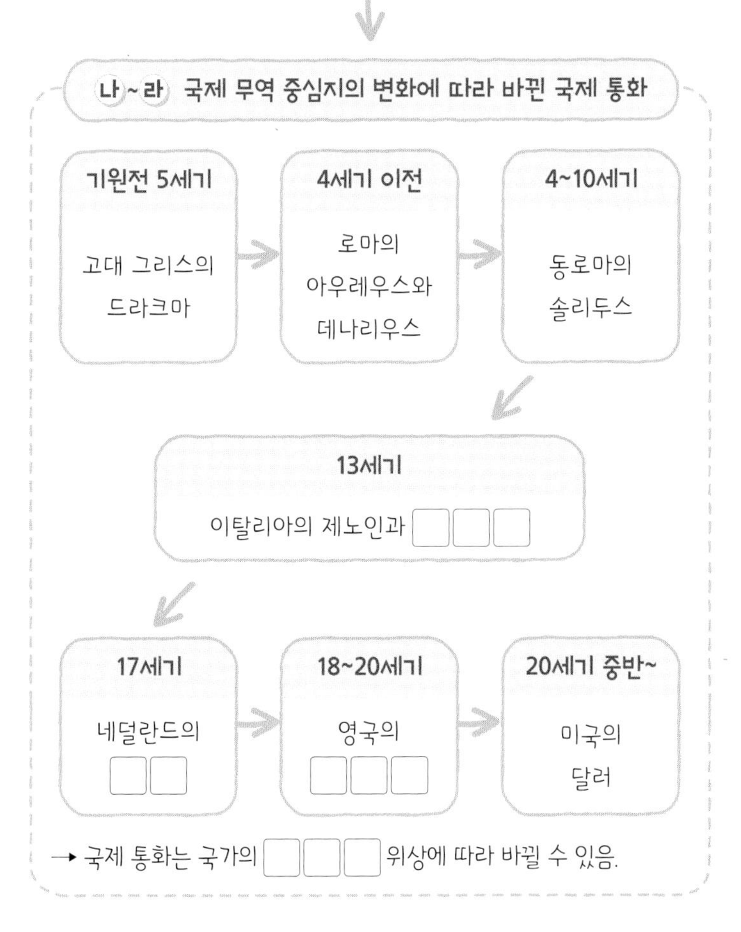

나~라 국제 무역 중심지의 변화에 따라 바뀐 국제 통화
기원전 5세기
고대 그리스의 드라크마
4세기 이전
로마의 아우레우스와 데나리우스
4~10세기
동로마의 솔리두스
13세기
이탈리아의 제노인과 □□□
17세기
네덜란드의 □□
18~20세기
영국의 □□□
20세기 중반~
미국의 달러
→ 국제 통화는 국가의 □□□ 위상에 따라 바뀔 수 있음.

지문 핵심 key

1. 윗글을 읽고 기억에 남는 단어를 모두 쓰시오.

2. 1에서 떠올린 것 중에서 중심 화제를 쓰시오.

3. 시간의 흐름에 따른 변화 과정이 잘 드러난 문단을 모두 고르시오. (정답 3개)

□ 가 □ 나
□ 다 □ 라

4. 윗글의 내용을 한 문장으로 요약할 때, 밑줄에 들어갈 알맞은 말을 각각 쓰시오.

> 국제 통화로 사용된 ________는 국제 ________ 중심지의 변화나 국제 통화로 쓰이는 화폐 발행국의 경제적 ________에 따라 변화해 왔다.

실전 3회

정답과 해설 40쪽

STEP 2 독해 실력 확인

세부 내용 파악하기

1 **윗글의 내용과 일치하는 것은?**

① 고대 그리스에서는 금화 플로린을 널리 사용했다.
② 로마는 드라크마를 사용하여 지중해 주변 국가들과 교역했다.
③ 네덜란드의 길더는 많은 유럽 국가들이 사용한 국제 통화였다.
④ 13세기부터 이탈리아에서는 데나리우스를 국제 통화로 사용했다.
⑤ 영국의 파운드는 달러를 제치고 현재 세계 제1의 국제 통화로 쓰인다.

드러나지 않은 내용 추론하기

* **자국**
  자기 나라.

2 **윗글을 읽고 추론한 내용으로 적절한 것은?**

① 국제 통화는 국제 거래 시 사용하는 자국의 화폐를 뜻해.
② 국제 통화로서 달러화의 위상은 앞으로도 변하지 않을 거야.
③ 국제 통화는 전 세계 국가들의 결정에 따라 정기적으로 바뀌는구나.
④ 국제 통화로서 힘을 잃은 화폐는 자국 내에서도 사용하기 어려웠을 거야.
⑤ 국제 통화인 달러화는 국제적으로 사용이 자유롭고 신용도도 높을 거야.

이유 추론하기

* **대두**
  머리를 쳐든다는 뜻으로, 어떤 세력이나 현상이 새롭게 나타남을 이르는 말.

3 **윗글을 참고할 때, 〈보기〉의 빈칸에 들어갈 말로 가장 적절한 것은?**

보기

18세기 산업 혁명 이후에 영국의 파운드화가 국제 통화로 대두된 이유는 영국의 (   ) 위상이 높아졌기 때문이다.

① 문화적 ② 정치적 ③ 경제적
④ 도덕적 ⑤ 종교적

지문에 나온 어휘, 확실히 짚고 가자!

1 다음 문장의 흐름에 알맞은 단어를 고르시오.

1. 잇몸 질환이 [ ] 되어 치과 시술을 빨리 받아야 한다. ☐ 승화 ☐ 악화
2. 대형 화재 사고로 재산 피해가 수십억 원에 달할 것으로 [ ] 된다. ☐ 추적 ☐ 추정
3. 서울올림픽의 성공으로 우리나라의 국제적 [ ] 가 크게 향상되었다. ☐ 지위 ☐ 지휘
4. 모바일이나 인터넷상에서 상품을 구입할 때는 먼저 대금을 [ ] 해야 물건을 받을 수 있다. ☐ 결재 ☐ 결제

실전 3회

정답과 해설 40쪽

2 제시된 뜻풀이를 참고하여 다음 문장의 빈칸에 들어갈 알맞은 단어를 쓰시오.

1. 은행에서 수표를 [ㅂ][ㅎ]했다.
   공공의 기능을 하는 화폐나 증권, 증서 등을 만들어 내놓음.
2. 추석을 앞두고 농산물의 [ㅇ][ㅌ][ㄹ]이 크게 늘었다.
   화폐나 물품 등이 세상에서 널리 쓰이는 양.
3. 우리 지역 관광 상품이 관광객들에게 [ㄱ][ㄱ]을 받고 있다.
   많은 사람들의 관심 또는 사회적 주목과 인기.
4. 은행에서는 그의 [ㅅ][ㅇ]을 확인하고 대출을 승인해 주었다.
   물건이나 돈을 먼저 받고 대가를 나중에 지불할 수 있는 능력. 또는 그 능력이 있다고 인정되는 상황.
5. 김 선수는 이번 세계 선수권 대회에서 금메달을 [ㅎ][ㄷ]했다.
   얻어 내거나 얻어 가짐.

04 조선 시대에도 출산 휴가가 있었다

교과 연계
사회 ①_ 한국 사회의 변동

가 저출생 현상은 한국 사회가 마주한 주요 문제 중 하나이다. 2020년 기준 우리나라의 출산율은 0.84명으로, 한국은 OECD 회원국 중 출산율이 1명 미만인 유일한 나라다. 전문가들은 저출생 현상으로 노동에 참여할 수 있는 생산 가능 인구가 감소하고, 그에 따라 국가의 경제 성장 잠재력이 저하될 수 있음을 경고한다. 대한민국 정부도 심각성을 인지하고 2000년대 중반부터 저출생 문제에 대응하는 정책을 추진하고 있다.

나 그런데 출산과 관련한 정책은 비단 오늘날에만 있었던 것이 아니다. 노동력이 가장 중요했던 농업 중심의 조선 사회에서도 다양한 출산 장려 정책이 시행되었다. 《세종실록》을 보면, ㉠1426년에 노비가 아이를 낳으면 100일 동안 휴가를 주었다는 기록이 있다. 세종 이전에도 7일간 휴가를 주었지만, 출산 후 산모가 건강을 회복하고 영아를 돌볼 수 있게 휴가 기간을 더 준 것이다. 그뿐만 아니라, 출산 한 달 전부터 여종이 일을 쉴 수 있게 했으며, 여종의 남편에게도 30일간 출산 휴가를 주어 산모를 돕게 했다.

다 《인조실록》에는 출산 직후뿐 아니라 양육 중에도 어려움을 겪는 가정을 위해 물품을 하사했다는 기록이 남아 있다. 또한 정조 때에는 경제적 이유로 미혼자가 많이 발생하자, 그 수를 조사하여 결혼 적령기의 미혼 남녀에게 결혼 비용을 대 주는 정책을 시행했다. 결혼 적령기에 혼인하지 못하는 것이 개인의 문제를 넘어서는 사회 문제임을 인지하고 대책을 마련한 것이다.

라 시대가 변했지만 출산 휴가 지원, 양육비 및 결혼 지원금 지급과 같은 (ⓐ) 차원의 정책들은 오늘날에도 여전히 유효하다. 그러므로 현재의 실정을 고려하여 조선 시대처럼 국가 주도하에 다양하고 실효성 높은 정책을 펼칠 필요가 있다. 그 밖에도 아이를 낳고 키우기 좋은 사회 분위기를 조성하는 등 저출생 문제를 극복할 방안을 다각도로 모색하고, 도입하는 것이 한국 사회가 해결해야 할 중요한 과제로 보인다.

- **비단** | 아닐 非, 다만 但 | 여럿 가운데 오직.
- **하사하다** | 아래 下, 줄 賜 | 왕이나 웃사람이 신하나 아랫사람에게 물건을 주다.
- **유효하다** | 있을 有, 효과 效 | 보람이나 효과가 있다.
- **실정** | 열매 實, 본성 情 | 실제 사정이나 형편.

STEP 1 독해 기초 확인

지문 한눈에 보기

가 출산율 감소에 따른 한국 사회의 문제는?

- 한국은 OECD 회원국 중 출산율이 1명이 되지 않는 유일한 나라임.
  → 생산 가능 인구 감소로 국가의 □□ □□ 잠재력이 저하될 수 있음.
- 2000년대 중반부터 저출생 문제에 대응하는 정책을 추진함.

나~다 조선 시대에도 출산 장려 정책이 있었다고?

세종 때의 정책
- 산모의 출산 □ 휴가 100일 지원
- 산모의 출산 □ 휴가 30일 지원
- 산모 출산 후 □□에게도 휴가 30일 지원

인조 때의 정책: 양육 중에 어려움을 겪는 가정에 물품 지원

정조 때의 정책: 결혼 적령기의 미혼 남녀에게 □□ 비용 지원

라 저출생 문제를 해결하기 위해 어떻게 해야 할까?

조선 시대 정책의 시사점: □□의 문제를 넘어 사회 문제로 파악하여 대책을 마련함.
→ □□ 주도하에 오늘날 한국 사회에 맞는 다양하고 실효성 높은 정책을 펼쳐야 함.

지문 핵심 key

1. 윗글을 읽고 기억에 남는 단어를 모두 쓰시오.

2. 1에서 떠올린 것 중에서 중심 화제를 쓰시오.

3. 가와 라, 두 문단 간의 관계로 알맞은 것을 고르시오.

- □ 가에서 소개한 이론의 가치와 한계를 라에서 밝힘.
- □ 가에서 언급한 대책의 구체적인 방향을 라에서 제시함.

4. 윗글의 내용을 한 문장으로 요약하시오.

조선 시대의 정책처럼 ____________

실전 3회

정답과 해설 41쪽

STEP 2 독해 실력 확인

중심 내용 파악하기

1 윗글의 중심 내용으로 알맞은 것은?

① 양육비 지급과 출산 휴가의 실효성
② 경제 성장을 위한 국가 차원의 노력
③ 조선 시대의 출산 장려 정책의 시사점
④ OECD 회원국의 출산율 감소 원인 분석
⑤ 세종과 인조 시대의 출산 장려 정책의 차이점

드러나지 않은 내용 추론하기

2 ㉠과 같이 결정한 이유로 가장 적절한 것은?

① 세종 이전부터 내려오던 정책이어서
② 물품보다는 휴가를 지원하는 것이 편리하여서
③ 노비들이 더 긴 출산 휴가를 적극적으로 요구하여서
④ 세종 이전에는 여종의 남편에게 출산 휴가를 주지 않아서
⑤ 세종 이전에 주었던 출산 휴가가 충분하지 않다고 판단하여서

빈칸에 들어갈 내용 추론하기

3 ⓐ에 들어갈 표현으로 적절한 것은?

① 개인적 ② 국가적 ③ 기술적
④ 문화적 ⑤ 전 인류적

지문에 나온 어휘, 확실히 짚고 가자!

1 다음 문장의 밑줄 친 말과 바꾸어 쓸 수 있는 단어를 고르시오.

1. 새로운 규정은 다음 달부터 실제로 행할 예정이다. ☐ 시행할 ☐ 활용할
2. 그는 문제를 평화롭게 해결하기 위한 방법을 찾는 중이다. ☐ 개발하는 ☐ 모색하는
3. A 국가에서는 선진국의 기술을 국내에 들여오기로 결정했다. ☐ 도입하기로 ☐ 집중하기로
4. 의사는 환자가 매우 위급한 상황임을 알고 서둘러 응급 처치를 했다. ☐ 의지하고 ☐ 인지하고

2 제시된 뜻풀이를 참고하여 다음 문장의 빈칸에 들어갈 알맞은 단어를 쓰시오.

1. 복지 제도가 [ㅅ][ㅎ][ㅅ]이 있는지 검증이 필요하다.
   실제로 효과를 나타내는 성질.
2. 체력 [ㅈ][ㅎ]를 막으려면 운동을 게을리하지 말아야 한다.
   정도나 수준, 능률 등이 떨어져 낮아짐.
3. 학생들이 이번 가을 축제를 [ㅈ][ㄷ]해서 진행하기로 했다.
   중심이 되어 어떤 일을 이끎.
4. 문제의 원인을 [ㄷ][ㄱ][ㄷ][ㄹ] 검토하여 해결책을 찾아야 한다.
   여러 방면으로.
5. 신입 사원 중에 취업 [ㅈ][ㄹ][ㄱ]를 넘긴 나이 많은 사람도 있었다.
   어떤 일을 하기에 알맞은 나이가 된 기간.

과학 05 광합성이 밝혀지기까지

교과 연계
과학 2 _ 광합성에 필요한 물질

가 광합성이란 식물이 빛 에너지를 이용하여 스스로 양분을 만드는 과정이다. 식물의 광합성에 필요한 물질은 물과 이산화 탄소이며, 광합성 결과 생성되는 물질은 포도당과 같은 양분과 산소이다. 많은 과학자들이 오랜 시간에 걸쳐 식물이 살아가는 데 필요한 물질과 식물이 만드는 물질을 연구한 끝에, 광합성의 원리가 구체적으로 밝혀질 수 있었다.

나 17세기 이전만 해도 사람들은 동물이 먹이를 먹듯 식물이 흙을 먹고 자란다고 생각했다. 17세기 벨기에의 과학자 헬몬트는 만약 사람들의 주장대로 식물이 흙을 먹고 자란다면 식물이 자라는 만큼 흙의 무게가 줄어들어야 한다고 생각했다. 그래서 그는 화분에 약 90kg의 흙을 넣고 2kg 정도의 버드나무를 심은 후 물만 주면서 키웠다. 식물을 심은 지 5년이 지난 뒤 버드나무는 대략 77kg이 되었지만, 흙의 무게는 거의 줄지 않았다. 이를 통해 그는 식물은 흙이 아니라 물을 먹고 자란다는 결론을 내렸다.

다 100여 년이 지나, 18세기 영국의 과학자 프리스틀리는 유리종 안에 쥐와 식물을 넣어 두는 실험을 하였다. 그는 유리종에 쥐나 식물을 각각 넣었을 때는 쥐와 식물이 모두 죽지만, 쥐와 식물을 함께 넣으면 둘 다 죽지 않고 산다는 사실을 확인했다. 실험 결과 그는 식물이 동물의 호흡 때문에 오염된 공기를 신선한 공기로 정화한다는 결론을 내렸다. 이는 식물이 동물이 살아가는 데 필요한 기체를 만든다는 것을 암시했다.

라 프리스틀리의 실험 이후에 잉엔하우스는 유리종을 2개 준비하여 하나는 어두운 곳, 하나는 해가 드는 곳에 두고 각각의 유리종에 쥐와 식물을 함께 넣었다. 그 결과 빛이 있을 때만 식물과 쥐가 살 수 있다는 것을 알아내었다. 식물이 쥐의 생존에 필요한 기체, 즉 산소를 만드는 데에 빛이 필요하다는 사실을 밝혀낸 것이다.

마 그 후 19세기, 소쉬르는 빛을 받은 식물이 이산화 탄소를 흡수하고 산소를 방출한다는 사실과 함께 식물이 광합성을 하려면 물이 반드시 있어야 한다는 사실을 밝혀낸다. 20세기에는 광합성의 세부 단계가 구체적으로 밝혀졌고, 1961년에는 화학자 캘빈이 포도당이 합성되는 과정을 밝히며 노벨상을 받기도 하였다.

- **포도당** | 포도 葡, 포도 萄, 설탕 糖 | 단맛이 나고 물에 잘 녹으며 생물의 에너지원으로 쓰이는 탄수화물의 한 종류.
- **유리종** | 유리 琉, 유리 璃, 쇠북 鐘 | 모양이 종같이 생긴 유리 기구.
- **암시하다** | 어두울 暗, 보일 示 | 직접 드러나지 않게 가만히 알리다.

STEP 1 독해 기초 확인

지문 한눈에 보기

가 광합성이란 무엇일까?

- 뜻: 식물이 빛 에너지를 이용하여 스스로 □□을 만드는 과정
- 광합성에 필요한 물질: □, 이산화 탄소
- 광합성으로 생성되는 물질: 포도당, □□

광합성의 원리를 밝히는 데 영향을 끼친 실험과 연구

나 17세기 헬몬트의 실험

버드나무와 흙의 □□ 변화를 측정함.
→ 식물은 □을 먹고 자람.

다~라 18세기 프리스틀리와 잉엔하우스의 실험

- 프리스틀리의 실험: □□□에 쥐와 식물을 넣음.
  → 식물은 동물이 살아가는 데 필요한 □□(산소)를 만듦.
- 잉엔하우스의 실험: 쥐와 식물을 넣은 유리종을 각각 어두운 곳과 해가 드는 곳에 둠.
  → 식물이 산소를 만드는 데에 □이 필요함.

마 19세기 소쉬르와 20세기 캘빈의 연구

- 소쉬르: 빛을 받은 식물이 이산화 탄소를 흡수하여 산소를 방출하며, □□□ 과정에 물이 반드시 필요함을 밝힘.
- 캘빈: □□□이 합성되는 과정을 밝힘.

지문 핵심 key

1. 윗글을 읽고 기억에 남는 단어를 모두 쓰시오.

2. 1에서 떠올린 것 중에서 중심 화제를 쓰시오.

3. 나에 나타난 설명 방법으로 알맞은 것을 고르시오.

- □ 일이 진행된 과정을 설명함.
- □ 두 대상 간의 공통점을 밝혀 설명함.

4. 윗글의 내용을 한 문장으로 요약할 때, 밑줄에 들어갈 알맞은 말을 각각 쓰시오.

식물에 관심을 가졌던 과학자들이 다양한 ________과 연구를 통해 광합성에 필요한 물질은 ______, 이산화 탄소, ______이라는 ________의 원리를 밝혀냈다.

정답과 해설 42쪽

STEP 2 독해 실력 확인

세부 내용 파악하기

1 윗글의 내용과 일치하지 않는 것은?

① 17세기 이전 사람들은 식물이 흙을 먹는다고 여겼다.
② 헬몬트는 식물이 물을 먹고 자란다는 점을 알아냈다.
③ 프리스틀리는 식물이 공기를 정화할 수 있음을 알아냈다.
④ 잉엔하우스는 빛이 없어도 식물이 살 수 있음을 알아냈다.
⑤ 소쉬르는 식물이 광합성을 하려면 물이 반드시 필요함을 알아냈다.

드러나지 않은 내용 추론하기

2 윗글을 읽고 추론한 내용으로 적절한 것은?

① 광합성을 할수록 식물의 무게는 줄어든다.
② 식물은 빛이 전혀 없어도 광합성을 할 수 있다.
③ 광합성의 세부 단계는 18세기에 이미 밝혀졌다.
④ 식물은 흙에서 영양분을 얻어야만 광합성을 할 수 있다.
⑤ 동물은 호흡할 때 이산화 탄소를 내보내고 산소를 흡수한다.

구체적인 상황에 적용하기

교과서 문제

3 윗글을 참고할 때, 〈보기〉의 실험 결과 중 쥐가 살 수 있는 경우를 모두 고른 것은?

보기

① ㄱ　② ㄴ　③ ㄷ
④ ㄱ, ㄴ　⑤ ㄱ, ㄴ, ㄷ

지문에 나온 어휘, 확실히 짚고 가자!

1 제시된 한자를 살펴보고 다음 문장의 빈칸에 들어갈 알맞은 단어를 쓰시오.

1 吸 마실 [ㅎ], 收 거둘 [ㅅ] — 휴지가 기름을 [ㅎ][ㅅ]했다.

2 汚 더러울 [ㅇ], 染 물들 [ㅇ] — [ㅇ][ㅇ]된 땅에서는 풀이 자라지 않는다.

3 生 살 [ㅅ], 存 있을 [ㅈ] — 지구 온난화가 인류의 [ㅅ][ㅈ]을 위협한다.

4 合 합할 [ㅎ], 成 이룰 [ㅅ] — 빛을 [ㅎ][ㅅ]하여 다른 색깔의 빛을 만들 수 있다.

실전 3회

정답과 해설 42쪽

2 제시된 뜻풀이를 참고하여 다음 문장의 빈칸에 들어갈 알맞은 단어를 쓰시오.

1 비가 갠 오후, [ㅅ][ㅅ]한 공기를 한껏 마셨다.
새롭고 산뜻함.

2 백두산 천지는 화산 폭발로 [ㅅ][ㅅ]된 화구호이다.
사물이 생겨남.

3 편식하지 않으면 [ㅇ][ㅂ]을 골고루 섭취할 수 있다.
영양이 되는 성분.

4 미생물로 더러운 물을 [ㅈ][ㅎ]하는 기술이 개발되었다.
더러운 것이나 순수하지 않은 것을 깨끗하게 함.

5 공장에서 불법으로 약품을 [ㅂ][ㅊ]하여 강물이 썩어 가고 있다.
비축하여 놓은 것을 내놓음.

06 안경을 쓰면 잘 보이는 까닭은

교과 연계
과학 1 _ 빛과 파동

㉮ 눈이 나쁜 사람도 안경을 쓰면 잘 볼 수 있는 까닭은 무엇일까? 사람의 눈에는 수정체라고 부르는 렌즈 형태의 투명한 조직이 있다. 만약 수정체가 빛을 잘 모아 망막에 상을 정확히 맺히게 하면 물체를 또렷이 볼 수 있다. 그러나 근시인 사람은 수정체를 통과한 빛이 망막 앞에 모여 먼 곳에 있는 물체가 잘 안 보인다. 반대로, 원시인 사람은 수정체를 통과한 빛이 망막 뒤에 모여 가까이에 있는 물체를 잘 볼 수 없다. 안경은 빛이 망막에 모이게 빛을 굴절시키는 역할을 하는데, 안경 렌즈가 어떤 렌즈인지에 따라 빛이 굴절하는 양상이 다르다.

㉯ 먼저 오목 렌즈는 그 이름처럼 가운데가 오목한 렌즈다. 즉 렌즈의 가장자리가 가운데보다 더 두껍다. 오목 렌즈를 통과한 빛은 바깥쪽으로 굴절되어 퍼져 나가며, 오목 렌즈로 물체를 비춰서 보면 물체의 상이 똑바로 서 있고 물체가 작게 보인다. 이와 달리 볼록 렌즈는 가운데 부분이 볼록하여 가장자리보다 두꺼운 렌즈이다. 볼록 렌즈를 통과한 빛은 안쪽으로 굴절되어 한 점에 모인다. 볼록 렌즈의 경우 물체와 렌즈 사이의 거리에 따라 상이 맺히는 모습이 달라진다. 물체가 멀리 있을 때는 물체가 뒤집혀서 작게 보이지만, 볼록 렌즈를 물체 가까이 가져가면 물체의 상은 똑바로 서 있는 대신 물체가 크게 보인다.

㉰ 근시와 원시는 상이 맺히는 위치가 다르기 때문에 각각 다른 렌즈를 사용하여 상이 맺히는 위치를 조정해야 한다. 근시가 있으면 수정체를 통과한 빛이 망막 앞에 모이므로 오목 렌즈로 시력을 교정한다. 수정체 앞에 오목 렌즈를 놓으면 빛을 바깥쪽으로 퍼지게 하여 원래보다 더 뒤에서 상이 맺힐 수 있다. 반대로 원시가 있으면 수정체를 통과한 빛이 원래보다 망막 뒤에 모이기 때문에 볼록 렌즈를 사용한다. 볼록 렌즈를 통해 빛을 모아 주면 상이 더 앞에 맺히므로 물체를 잘 볼 수 있게 된다.

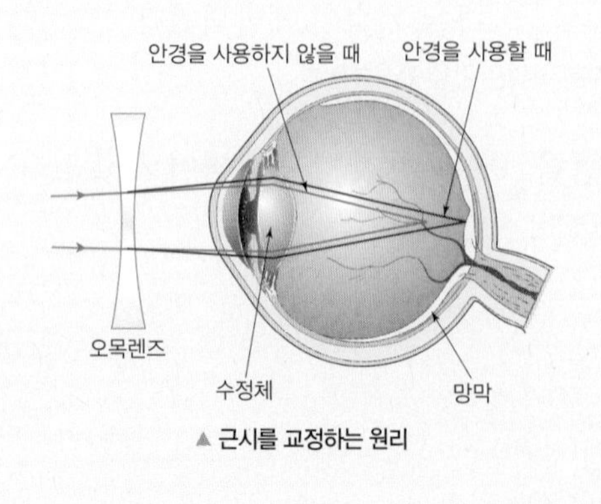

▲ 근시를 교정하는 원리

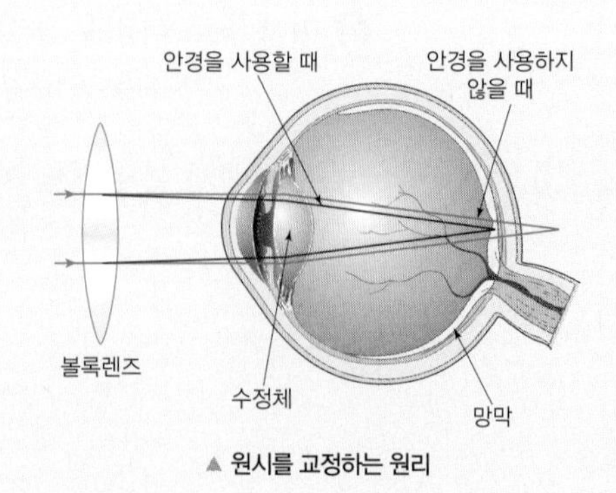

▲ 원시를 교정하는 원리

- **수정체** | 물 水, 밝을 晶, 몸 體 | 안구의 동공 바로 뒤에 붙어 있는 볼록 렌즈 모양의 탄력성 있는 투명체.
- **망막** | 그물 網, 막 膜 | 눈 안쪽에 있으며 빛을 받아들이는 중요한 기관으로 시각 신경이 퍼져 있는 막.
- **상** | 모양 像 | 물체에서 나온 빛이 렌즈나 거울 등에 비쳐서 나타나는 모양.

STEP 1 독해 기초 확인

지문 한눈에 보기

㉮ 안경을 쓰면 더 잘 보이는 까닭은?

- 근시: 수정체를 통과한 빛이 망막 ☐에 모임.
- 원시: 수정체를 통과한 빛이 망막 ☐에 모임.

→ 안경의 역할: 빛이 ☐☐에 모이게 빛을 굴절시킴.

↓

㉯ 렌즈에 상이 맺히는 원리는?

오목 렌즈는 빛이 바깥쪽으로 굴절되어 퍼져 나감.
→ 물체의 상이 똑바로 서 있고 물체가 ☐☐ 보임.

볼록 렌즈는 빛이 안쪽으로 굴절되어 한 점에 모임.
→ 물체가 렌즈에서 먼 경우: 물체의 상이 뒤집혀서 ☐☐ 보임.
→ 물체가 렌즈에서 가까운 경우: 물체의 상이 똑바로 서 있는 대신 물체가 ☐☐ 보임.

↓

㉰ 근시와 원시를 교정할 때 사용하는 렌즈는?

- 근시: 더 뒤에 상이 맺히게 하기 위해 ☐☐ 렌즈를 사용함.
- 원시: 더 앞에 상이 맺히게 하기 위해 ☐☐ 렌즈를 사용함.

지문 핵심 key

1. 윗글을 읽고 기억에 남는 단어를 모두 쓰시오.

2. 1에서 떠올린 것 중에서 중심 화제를 쓰시오.

3. ㉯에 나타난 설명 방법으로 알맞은 것을 고르시오.

☐ 서로 다른 대상을 비교함.
☐ 더 나은 해결책을 밝혀냄.

4. 윗글의 내용을 한 문장으로 요약하시오.

실전 3회
정답과 해설 43쪽

STEP 2 독해 실력 확인

세부 내용 파악하기

1 윗글의 내용과 일치하지 않는 것은?

① 수정체는 빛이 통과할 때 빛을 모아 주는 역할을 한다.
② 볼록 렌즈는 물체와의 거리에 따라 물체가 다르게 보인다.
③ 빛이 볼록 렌즈를 지나면 바깥쪽으로 굴절하여 퍼져 나간다.
④ 빛이 망막의 앞이나 뒤에 모이면 물체가 제대로 보이지 않는다.
⑤ 안경은 오목 렌즈나 볼록 렌즈로 빛을 망막에 모이게 하는 도구이다.

시각 자료에 적용하기

교과서 문제

2 다음 관찰 상황에 쓰인 렌즈의 특징으로 알맞은 것을 〈보기〉에서 모두 고른 것은?

- 관찰 목적: 렌즈를 통해 보이는 상의 특징 확인하기
- 관찰 방법: 렌즈 뒤에 인형을 세우고, 렌즈를 통해 보이는 상을 관찰하기
- 관찰한 상의 특징: 상의 모양은 바로 선 모양이고, 상의 크기는 본래 인형보다 작다.

보기

ㄱ. 가장자리보다 가운데가 얇은 렌즈이다.
ㄴ. 렌즈를 통과한 빛은 안쪽으로 굴절한다.
ㄷ. 렌즈를 통해 똑바로 서 있는 상만 관찰할 수 있다.
ㄹ. 물체와의 거리에 따라 좌우가 바뀐 상을 관찰할 수 있다.

① ㄱ ② ㄱ, ㄷ ③ ㄴ, ㄷ ④ ㄴ, ㄹ ⑤ ㄱ, ㄷ, ㄹ

구체적인 사례에 적용하기

3 〈보기〉와 같은 말을 하는 친구에게 조언해 줄 말로 적절한 것은?

보기

눈이 잘 안 보여서 안과에 갔더니 근시라고 했어.

① 물체의 상이 망막의 앞쪽에 맺히니 물체가 선명히 보이겠구나.
② 오목 렌즈를 사용하면 원래보다 상이 앞쪽에 맺혀 잘 보일 거야.
③ 오목 렌즈를 사용하면 원래보다 상이 뒤쪽에 맺혀 잘 보일 거야.
④ 볼록 렌즈를 사용하면 원래보다 상이 앞쪽에 맺혀 잘 보일 거야.
⑤ 볼록 렌즈를 사용하면 원래보다 상이 뒤쪽에 맺혀 잘 보일 거야.

지문에 나온 어휘, 확실히 짚고 가자!

1 다음 뜻풀이에 알맞은 단어를 고르시오.

❶ 틀어지거나 잘못된 것을 바로잡다. ☐ 교정하다 ☐ 규정하다

❷ 끝 쪽으로 가면서 점점 굵거나 넓적하게 벌어지다. ☐ 모이다 ☐ 퍼지다

❸ 가운데가 동그스름하게 폭 패거나 들어가 있는 상태이다. ☐ 볼록하다 ☐ 오목하다

❹ 가까운 데 있는 것은 잘 보아도 먼 데 있는 것은 선명하게 보지 못하는 시력. ☐ 근시 ☐ 원시

2 제시된 뜻풀이를 참고하여 다음 문장의 빈칸에 들어갈 알맞은 단어를 쓰시오.

❶ 선반 위에 [ㅌ][ㅁ]한 유리잔이 놓여 있다.

① 물 등이 속까지 환히 비치도록 맑음.

② 물체가 빛을 잘 통과시킴.

❷ 막대기를 물속에 넣으면 [ㄱ][ㅈ]되어 보인다.

① 휘거나 꺾임.

② 물이나 렌즈 등을 만나는 경계면에서 빛이나 소리 등의 진행 방향이 바뀌는 것.

❸ 과학 시간에 현미경으로 세포 [ㅈ][ㅈ]을 관찰하였다.

생물체에서 모양과 크기, 기능이 같은 세포의 모임.

❹ 우리 학교는 등교 시간을 아침 8시로 [ㅈ][ㅈ]하였다.

어떤 기준이나 상황에 맞게 바로잡아 정리함.

❺ 예상외의 후보자가 등장하면서 선거는 새로운 [ㅇ][ㅅ]으로 접어들었다.

사물이나 현상의 모양이나 상태.

태양광 발전의 미래

교과 연계
기술·가정 ② _ 신·재생 에너지

가 태양광 발전은 태양으로부터 오는 빛을 이용하여 전기를 생산하는 발전 방식이다. 태양광 발전은 석탄이나 석유, 천연가스와 같은 화석 연료를 태우지 않아 온실가스를 배출하지 않는다. 그렇기 때문에 온실가스를 줄이려는 세계 각국의 정부들은 태양광 발전에 많은 관심을 기울이고 있다.

나 태양광 발전에서 태양 빛을 전기로 바꾸는 장치는 태양 전지이다. 태양 전지의 가격이 비싸다는 것이 태양광 발전의 약점이었으나, 과거에 비해 태양 전지의 가격이 많이 저렴해졌다. 또, 태양 전지가 태양 빛을 전기로 변환하는 효율도 계속해서 높아지고 있다. 과거에는 전지판이 받아들이는 태양 빛의 15%를 전기로 바꾸었지만, 이제는 25% 이상을 전기로 바꿀 수 있다.

다 현재 태양광 발전이 마주한 가장 큰 과제는 에너지 생산의 간헐성이다. 태양광 발전은 태양 빛을 이용하는 기술이므로 해가 안 비치는 밤이나 흐린 날에는 전기 생산이 중단되거나 줄어들 수 있다. 같은 낮이어도 여름보다 겨울에 햇빛의 세기가 약하므로 태양광 발전은 계절의 영향에서도 자유롭지 않다. 이에 반해 사람들은 어느 때나 전기가 필요하다. 태양 빛이 충분하지 않을 때, 전기 소비량이 전기 생산량보다 많다면 전기를 이용하지 못할 위험이 있는 것이다.

라 이 문제를 해결할 수 있는 것이 바로 ㉠배터리이다. 태양 빛이 충분할 때 생산한 전기를 배터리에 저장해 두었다가 태양 빛이 충분하지 않을 때 쓰는 것이다. 장마나 폭설 때문에 오랜 기간 태양 빛이 부족한 시기에도 배터리를 활용하여 대비하면 된다. 그러나 배터리를 별도로 구입해야 하고 그 비용도 비싸 배터리에만 의존하기 어려운 것이 현실이다.

마 이러한 이유로 태양광 발전은 지금까지 화력 발전이나 원자력 발전과 함께 운용되고 있다. 태양광 발전만으로는 안정적으로 충분한 양의 전기를 생산하기 어렵기 때문이다. 그러나 태양광 발전은 온실가스를 많이 배출하는 화력 발전에 비해 친환경적이고, 사고 위험이 있는 원자력 발전에 비해서는 안전하다는 장점이 있는 것은 분명하다. 태양광 발전이 안고 있는 기술적 한계를 개선하여 인류가 더욱 편리한 삶을 누리게 되기를 기대해 본다.

- **발전** | 일어날 發, 전기 電 | 전기를 일으킴.
- **온실가스** | 따뜻할 溫, 집 室 gas | 지구 대기를 오염시켜 온실 효과를 일으키는 가스를 통틀어 이르는 말.
- **간헐성** | 사이 間, 쉴 歇, 성질 性 | 얼마 동안의 시간 간격을 두고 되풀이하여 일어났다 쉬었다 하는 성질.

STEP 1 독해 기초 확인

지문 한눈에 보기

가 태양광 발전이란?

- 뜻: □□ 빛을 이용하여 전기를 생산하는 발전 방식
- 장점: 온실가스를 배출하지 않음.

↓

나 태양 전지의 단점 개선

태양 전지: 태양 빛을 전기로 바꾸는 장치
→ 과거에 비해 가격은 저렴해지고, □□은 높아짐.

다 태양광 발전의 문제점

간헐성: 시간대, 날씨, 계절에 따라 □□ 생산량이 달라져 필요할 때 전기를 이용하지 못할 위험이 있음.

→

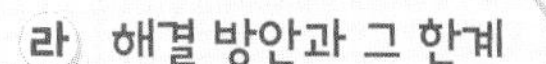

라 해결 방안과 그 한계

- 해결 방안: □□□를 활용하여 사전에 생산한 전기를 저장했다가 나중에 꺼내 씀.
- 한계: 별도로 드는 비용이 비쌈.

↓

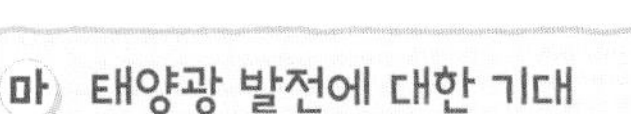

마 태양광 발전에 대한 기대

태양광 발전은 비교적 □□□적이고 안전하다는 장점이 있음.
→ 기술적 한계를 개선할 것에 대한 기대

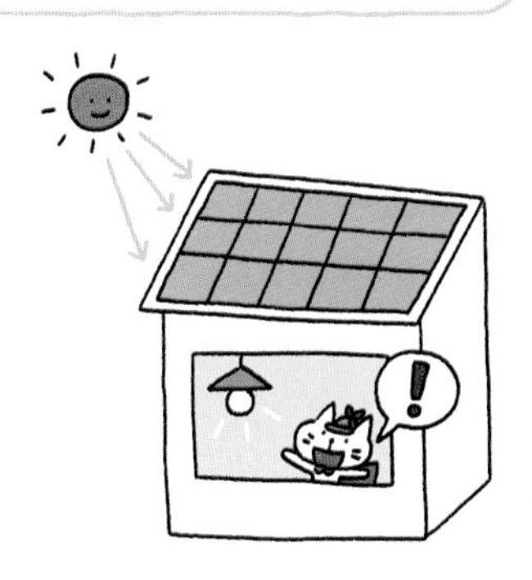

지문 핵심 key

1. 윗글을 읽고 기억에 남는 단어를 모두 쓰시오.

2. 1에서 떠올린 것 중에서 중심 화제를 쓰시오.

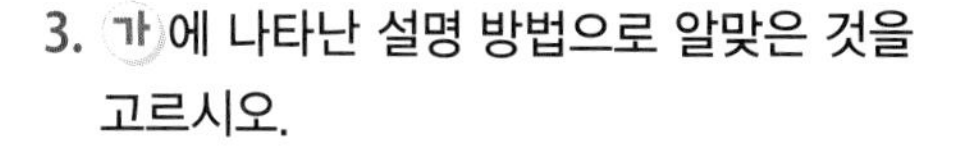

3. 가에 나타난 설명 방법으로 알맞은 것을 고르시오.

- □ 어떤 말이나 사물의 뜻을 밝혀 풀이함.
- □ 어떤 문제와 관련해 스스로 묻고 답함.

4. 윗글의 내용을 한 문장으로 요약할 때, 밑줄에 들어갈 알맞은 말을 각각 쓰시오.

> ＿＿＿＿＿ 발전은 과거에 비해 태양 ＿＿＿＿와 관련한 약점을 극복하였으나, 전기 생산량이 외부 요인에 좌우되는 ＿＿＿＿＿이라는 기술적 과제를 마주한 상황이다.

STEP 2 독해 실력 확인

중심 내용 파악하기

1 윗글의 중심 내용으로 알맞은 것은?

① 태양 빛이 전기가 되는 과정
② 태양광 발전이 꼭 필요한 이유
③ 태양광 발전 기술을 발명한 사람
④ 태양광 발전의 과제와 그 해결 방안
⑤ 태양광 발전과 원자력 발전의 차이점

세부 내용 파악하기

2 윗글을 읽고 '태양광 발전'의 특징을 이해한 내용으로 적절한 것은?

① 온실가스를 많이 배출한다.
② 대형 사고가 발생할 위험이 있다.
③ 안정적으로 전기를 생산할 수 있다.
④ 태양 전지판의 가격이 비싸지고 있다.
⑤ 태양 빛 전부를 전기로 바꾸지는 못한다.

드러나지 않은 내용 추론하기

3 ㉠의 기능에 대한 설명으로 가장 적절한 것은?

① 태양광 발전의 간헐성을 보완해 준다.
② 태양광 발전의 생산 비용을 낮추어 준다.
③ 태양광 발전 과정에서 발생하는 사고를 방지한다.
④ 태양광 발전의 도움 없이 전기를 자체 생산할 수 있다.
⑤ 태양광 발전과 화석 연료 발전을 함께 운용하게 해 준다.

지문에 나온 어휘, 확실히 짚고 가자!

1 다음 문장의 밑줄 친 말과 바꾸어 쓸 수 있는 단어를 고르시오.

1. 그가 이번 사건의 범인임이 <u>틀림없다</u>. ☐ 분명하다 ☐ 분분하다
2. 비가 많이 와서 비행기 운항을 <u>멈추었다</u>. ☐ 중단했다 ☐ 처단했다
3. 우리 가게는 다른 가게보다 물건값이 <u>싸다</u>. ☐ 저렴하다 ☐ 저조하다
4. 학교까지 다녀오는 데 한 시간이면 <u>넉넉하다</u>. ☐ 과분하다 ☐ 충분하다

실전 3회
정답과 해설 44쪽

2 제시된 뜻풀이를 참고하여 다음 문장의 빈칸에 들어갈 알맞은 단어를 쓰시오.

1. 이 냉장고는 에너지 [ㅎ][ㅇ]이 좋다.
   들인 노력이나 힘에 대한 결과의 비율.
2. 다른 사람의 [ㅇ][ㅈ]을 들추는 것은 비겁한 일이다.
   모자라서 남에게 뒤떨어지거나 떳떳하지 못한 점.
3. 우리는 장마에 [ㄷ][ㅂ]하여 안전 시설을 점검하였다.
   앞으로 일어날지도 모르는 어떠한 일에 대응하기 위하여 미리 준비함. 또는 그런 준비.
4. 그는 남에게 [ㅇ][ㅈ]하지 않고 독립적으로 판단하려 하였다.
   어떠한 일을 자신의 힘으로 하지 못하고 다른 것의 도움을 받아 의지함.
5. 할머니께서는 재산을 잘 [ㅇ][ㅇ]하여 젊은 나이에 큰돈을 모으셨다.
   무엇을 움직이게 하거나 사용함.

08 전기 차가 움직이는 원리

교과 연계
기술·가정 ② _ 수송 기술

㉮ 전기 차를 선호하는 사람들이 점점 늘어나고 있다. 특히 내연 기관 자동차보다 연료비가 적게 들고 소음이 적다는 장점이 있어 많은 사랑을 받고 있다. 전기 차는 내연 기관 자동차와 움직이는 원리가 다르다. 전기 차의 필수 부품을 중심으로 전기 차의 구동 원리를 알아보자.

㉯ 전기 차를 움직이는 전기는 배터리에 저장된다. 내연 기관 자동차가 기름이나 가스를 연료 통에 넣어 두는 것과 비슷하다. 배터리는 차체의 바닥에 깔려 있으며, 전기 차에서 가장 비싼 부품이다. 배터리의 성능에 따라 전기 차가 1회에 주행할 수 있는 거리가 결정된다.

㉰ 배터리의 전기는 인버터를 거쳐 모터로 간다. 인버터는 배터리의 직류 전기를 모터에 적합한 교류 전기로 변환해 준다. 전기 에너지를 전달받은 모터는 빠르게 회전하여 동력을 만들어 낸다. 모터를 뜯어 보면 자석 주위에 구리 코일이 감겨 있는데 이 구조에서 회전력이 만들어진다.

㉱ 모터의 회전력은 바퀴로 전달되어야 한다. 그런데 전기 차의 모터는 회전 속도가 매우 빨라서 모터의 회전력을 바퀴에 효율적으로 전달하려면 회전수를 줄여 주어야 한다. 이때 모터와 바퀴 사이에 있는 감속기가 모터의 회전수를 자동차 바퀴에 맞게 줄여 준다. 감속기를 거치면서 회전수는 적정한 수준으로 줄어드는 대신 바퀴를 회전시키는 힘, 즉 바퀴가 지면을 박차고 나가는 힘은 커진다.

㉲ 배터리, 인버터, 모터, 감속기는 전기 차가 움직이는 데 꼭 필요한 주요 부품이다. 여기에 작은 부품까지 전부 더하면 전기 차에 들어가는 부품은 약 1만여 개에 이른다. 기존의 내연 기관 자동차 부품 수가 2~3만 개 정도인 것과 비교하면, 전기 차의 구조는 단순하다. 내연 기관의 엔진을 만드는 것은 까다롭지만, 전기 차는 모터와 배터리 등 핵심 부품만 조립하면 비교적 쉽게 제조할 수 있다.

㉳ 대신 전기 차에서는 컴퓨터 소프트웨어의 성능이 더욱 부각된다. 부품 간 전기의 흐름을 통제하고 배터리를 관리하는 정교한 일을 소프트웨어가 처리하기 때문이다. 또한 자율 주행 기술이나, 차 안에서 정보를 검색하는 부가적인 기술을 위해서도 소프트웨어가 필요하다. 이런 점에서 전기 차 시대의 차는 (　　㉠　　)라 할 수 있다.

- **내연 기관** | 안 內, 탈 燃, 기계 機, 관계할 關 | 기관의 내부에서 연료를 연소시켜 동력을 얻는 기관.
- **구동** | 몰 驅, 움직일 動 | 동력을 가하여 움직임.
- **직류** | 곧을 直, 흐를 流 | 전기에서, 시간이 지나도 전류의 크기와 방향이 변하지 않는 전류.
- **교류** | 바꿀 交, 흐를 流 | 전기에서, 시간에 따라 크기와 방향이 주기적으로 바뀌어 흐르는 전류.
- **감속기** | 덜 減, 빠를 速, 기계 機 | 한 축에서 다른 축으로 동력을 전달할 때, 회전 속도를 줄이는 장치.

STEP 1 독해 기초 확인

지문 한눈에 보기

가 전기 차를 선호하는 사람들이 늘어난 까닭은?

연료비가 적게 들고 □□이 적다는 장점이 있음.

↓

전기 차의 구동 원리

나 전기 에너지가 저장되는 배터리

배터리: 성능에 따라 □□ □□가 달라짐.

다 인버터에서 교류로 변환된 전기가 모터를 작동시킴.

- 인버터: 배터리의 직류 전기 → 모터용 □□ 전기
- 모터: 빠르게 □□하여 동력을 만들어 냄.

라 모터의 동력을 바퀴에 맞게 조절하는 감속기

감속기의 작용: 모터의 □□□를 줄이고 바퀴를 회전시키는 힘을 키움.

↓

마 전기 차 제작 과정에서의 간편성

내연 기관 차의 부품 수 2~3만여 개 ↔ 전기 차의 부품 수 □만여 개

↓

바 전기 차 소프트웨어의 용도와 중요성

① 부품 간 전기 흐름 통제
② 배터리 관리
③ □□ 주행 기술
④ 정보 탐색과 같은 부가 기술

지문 핵심 key

1. 윗글을 읽고 기억에 남는 단어를 모두 쓰시오.

2. 1에서 떠올린 것 중에서 중심 화제를 쓰시오.

3. 전기 차의 구동 원리가 잘 드러난 문단을 모두 고르시오. (정답 3개)

□ 가 □ 나 □ 다
□ 라 □ 마 □ 바

4. 윗글의 내용을 한 문장으로 요약하시오.

전기 차를 구동하는 부품은 ______

STEP 2 독해 실력 확인

세부 내용 파악하기

1 윗글에 대한 설명으로 적절하지 않은 것은?

① 전기 차를 구성하는 주요 부품을 소개하고 있다.
② 전기 차 배터리가 작동하는 원리를 설명하고 있다.
③ 전기 차가 사람들에게 사랑받는 이유를 밝히고 있다.
④ 전기 차와 내연 기관 자동차의 차이점을 언급하고 있다.
⑤ 전기 차에서 소프트웨어가 부각되는 이유를 다양하게 열거하고 있다.

시각 자료에 적용하기

2 〈보기〉의 ⓐ에 대한 설명으로 적절한 것은?

보기

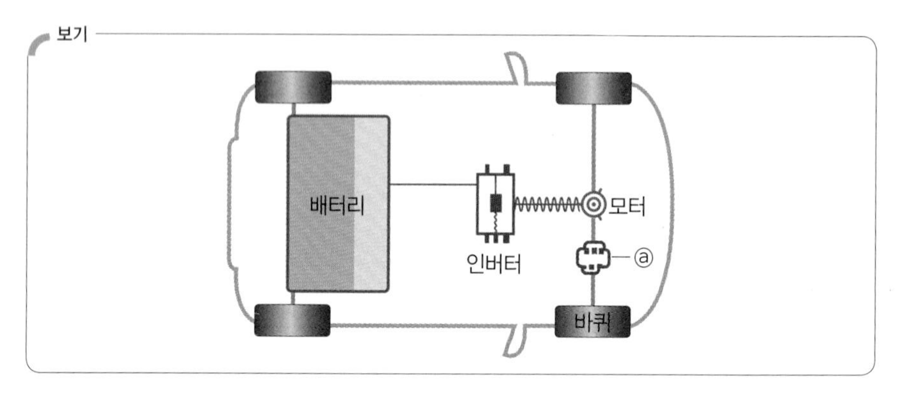

① 모터에 전기를 공급해 준다.
② 배터리에 전기를 충전해 준다.
③ 모터의 회전 속도를 조절해 준다.
④ 전기의 성질을 직류에서 교류로 바꾸어 준다.
⑤ 지면에 닿아 회전하여 자동차를 움직이게 한다.

빈칸에 들어갈 내용 추론하기

3 ㉠에 들어갈 내용으로 적절한 것은?

① 내 손 안의 컴퓨터
② 환경을 생각하는 자동차
③ 도로 위를 달리는 컴퓨터
④ 내연 기관이 필요 없는 자동차
⑤ 운전의 부담에서 해방되는 자동차

지문에 나온 어휘, 확실히 짚고 가자!

1 다음 문장의 흐름에 알맞은 단어를 고르시오.

❶ 동생이 새로 산 장난감을 ______ 하고 있다. □ 수립 □ 조립

❷ 요즘 학생들은 작고 가벼운 가방을 ______ 한다. □ 선도 □ 선호

❸ 인공위성은 궤도를 따라 지구 ______ 를 돌고 있다. □ 부위 □ 주위

❹ 이 기계는 수많은 톱니바퀴가 ______ 하게 맞물리며 움직인다. □ 정갈 □ 정교

정답과 해설 45쪽

2 제시된 뜻풀이를 참고하여 다음 문장의 빈칸에 들어갈 알맞은 단어를 쓰시오.

❶ 이 회사는 태양열을 이용한 [ㄷ][ㄹ] 장치를 개발하였다.
수력, 전력, 화력, 원자력, 풍력 등을 사람이 쓸 수 있도록 바꾼 기계적인 에너지.

❷ 비포장도로를 [ㅈ][ㅎ]할 때에는 예비 타이어를 준비해야 한다.
자동차나 열차 등이 달림.

❸ 기계가 매끄럽게 움직일 수 있게 [ㅂ][ㅍ] 사이에 기름을 칠했다.
기계 등의 전체 중 어느 한 부분을 이루는 물건.

❹ 사고가 일어나는 바람에 경찰이 건물의 출입을 [ㅌ][ㅈ]하고 있다.
어떤 방침이나 목적에 따라 행위를 하지 못하게 막음.

❺ 여러 가지 [ㅅ][ㅇ]이 섞여 앞사람이 하는 말을 알아들을 수 없었다.
불규칙하게 뒤섞여 불쾌하고 시끄러운 소리.

09 천의 얼굴, 하회탈

예술

교과 연계
미술 ① _ 조형 요소와 원리

가 우리나라에서는 예로부터 탈놀이가 성행하여 조선 시대에는 지방마다 고유한 탈이 있었을 정도로 각양각색의 탈이 많았다. 그중에서도 경북 안동 하회 마을에서 별신굿을 할 때 쓰던 하회탈은 국보로 지정되어 더욱 특별하다. 원래 한국의 탈은 대부분 바가지나 종이로 만드는 데다 탈놀이가 끝난 후 탈을 태워 버리는 것이 일반적이기 때문에 탈이 오래 보존된 사례가 드물다. 그러나 하회탈은 흔치 않은 목조탈이고 보수한 흔적이 있다는 점에서 특이하다. 또, 오리나무에 옻칠을 여러 번 해 색 표현에서 완성도가 높으며 조각 기술 면에서도 우수함이 돋보인다는 평가를 받는다.

나 하회탈의 뛰어난 조형미는 그 모양새를 활용하여 다양한 표정을 연출할 수 있다는 점에서 빛을 발한다. 특히 양반탈, 선비탈, 중탈, 백정탈은 따로 조각한 아래턱을 노끈으로 매달아 놓아 탈을 쓰고 놀이하면 마치 말하는 것처럼 턱이 실감 나게 움직인다. 또 탈을 쓴 광대가 고개를 뒤로 젖히면 탈의 입이 크게 벌어져 웃는 얼굴로 보이고, 고개를 숙이면 탈의 윗입술과 아랫입술이 딱 붙어서 화난 얼굴로 보인다.

다 각시탈, 부네탈, 할미탈과 같은 여성탈은 턱은 분리되지 않지만, 좌우 눈 길이, 볼 높이 등의 차이로 보는 각도에 따라 얼굴이 다르게 보인다. 각시탈의 경우, 왼쪽에서 보면 차분한 눈매를 하고 있지만 오른쪽에서 보면 눈을 바로 뜨고 있는 것처럼 보인다. 한편 초랭이탈도 마찬가지로 턱은 고정되어 있으나, 얼굴의 좌우가 비대칭이어서 그 표정이 독특하다. 초랭이탈은 입이 삐뚤어져 있는데, 한쪽은 화난 듯하고 한쪽은 웃는 듯하기 때문에 장면에 따라 다양한 감정을 표현하기에 좋다.

라 이렇듯 특유의 조형미 덕분에 하회탈은 '천의 얼굴을 가진 탈'이라는 평가를 받으며, 한국을 대표하는 상징물로 주목받고 있다. 하회탈은 온전한 얼굴을 한 경우가 드물어, 처음 마주했을 때는 생김새가 기이하다는 생각에 사로잡힐 수 있다. ㉠그러나 일단 탈놀이가 시작되면 하회탈이 마치 살아 있는 인물처럼 우리에게 말을 걸어올 것이다.

- **탈놀이** | 탈을 쓰고 하는 놀음놀이. 꼭두각시놀음, 산대놀음 등이 있다.
- **별신굿** | 다를 別, 귀신 神 | 마을의 수호신에게 마을의 평화와 농사의 풍년을 기원하는 굿.
- **조형미** | 지을 造, 모양 形, 아름다울 美 | 어떤 모습을 입체감 있게 예술적으로 만들어 표현하는 아름다움.

STEP 1 독해 기초 확인

지문 한눈에 보기

가) 하회탈의 특징은 무엇일까?

- 흔치 않은 □□□이고 보수한 흔적이 있음.
- 색 표현의 완성도가 높으며, □□ 기술이 우수함.

↓

하회탈의 뛰어난 조형미

나) 턱이 분리된 하회탈

- 마치 □하는 것처럼 턱이 실감 나게 움직임.
- 탈을 쓴 □□의 고갯짓에 따라 표정을 생생하게 표현할 수 있음.

예 양반탈, 선비탈, 중탈, 백정탈

다) 턱이 고정된 하회탈

좌우 눈 길이, 볼 높이 등의 차이로 □□에 따라 다양한 표정이 연출됨.

예 각시탈, 부네탈, 할미탈과 같은 여성탈

좌우가 □□□이어서 장면에 따라 다양한 감정을 표현할 수 있음.

예 초랭이탈

↓

라) 하회탈이 한국을 대표하는 상징물이 된 비결은?

특유의 □□□ 덕분에 주목받고 있음.

지문 핵심 key

1. 윗글을 읽고 기억에 남는 단어를 모두 쓰시오.

2. 1에서 떠올린 것 중에서 중심 화제를 쓰시오.

3. 나 와 다 에 나타난 설명 방법으로 알맞은 것을 고르시오.

- □ 예외적인 사례를 들어 주장을 반박함.
- □ 여러 대상을 기준에 따라 나누어 각각의 특징을 밝힘.

4. 윗글의 내용을 한 문장으로 요약할 때, 밑줄에 들어갈 알맞은 말을 각각 쓰시오.

우리나라의 _____인 ________은 뛰어난 _________를 갖추어, _________에서 인물의 표정과 감정을 생생하게 표현하기에 좋다.

STEP 2 독해 실력 확인

중심 내용 파악하기

1 윗글의 중심 내용으로 알맞은 것은?

① 우리나라의 다양한 탈놀이
② 탈을 오랫동안 보관하는 방법
③ 하회탈의 외형적 결함과 한계
④ 하회탈의 뛰어난 조형미와 예술적 가치
⑤ 하회 별신굿에 등장하는 여러 탈의 역할

시각 자료에 적용하기

2 나와 다에 〈보기〉의 사진 자료를 활용하고자 할 때, 자료가 바르게 짝지어지지 않은 것은?

보기

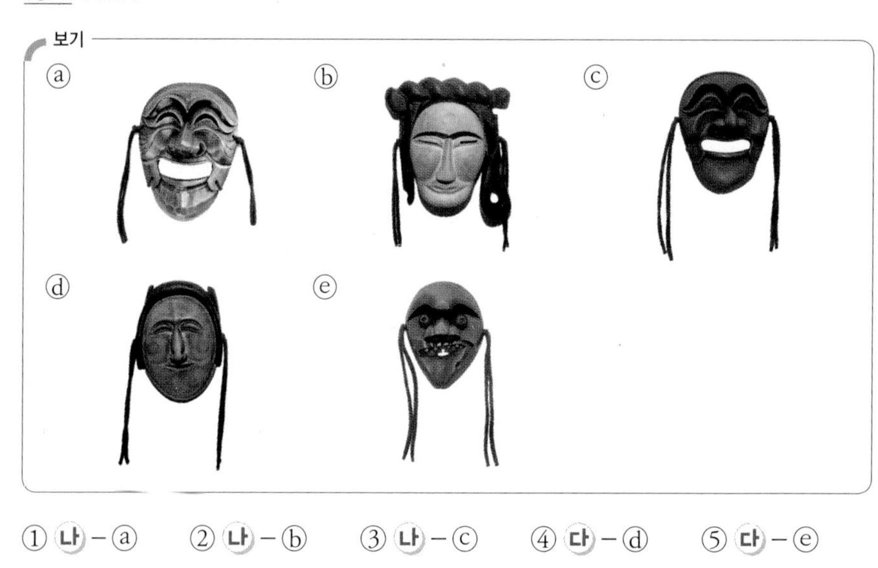

① 나 – ⓐ ② 나 – ⓑ ③ 나 – ⓒ ④ 다 – ⓓ ⑤ 다 – ⓔ

이유 추론하기

3 ㉠의 이유로 가장 적절한 것은?

① 실제 한국인의 얼굴과 가장 흡사하게 제작한 탈이어서
② 오랫동안 사용한 목조탈이어서 사람들에게 친근하므로
③ 탈의 종류가 다양한 덕분에 여러 인물이 등장할 수 있어서
④ 탈놀이는 관객이 적극적으로 참여할 수 있는 공연이기 때문에
⑤ 광대의 움직임에 따라 다양한 표정을 실감 나게 표현할 수 있어서

지문에 나온 어휘, 확실히 짚고 가자!

1 제시된 한자를 살펴보고 다음 문장의 빈칸에 들어갈 알맞은 단어를 쓰시오.

❶ 固 본디 ㄱ, 有 있을 ㅇ — 가야금은 우리나라 ㄱㅇ의 악기이다.

❷ 獨 홀로 ㄷ, 特 특별할 ㅌ — 그 음식에서는 처음 맡아 보는 ㄷㅌ한 냄새가 났다.

❸ 實 실제 ㅅ, 感 느낄 ㄱ — 배우들은 ㅅㄱ 나는 연기로 영화의 긴장감을 높였다.

❹ 優 뛰어날 ㅇ, 秀 빼어날 ㅅ — 이 노트북은 가벼운 데다 성능이 ㅇㅅ해서 인기가 많다.

실전 3회
정답과 해설 46쪽

2 제시된 뜻풀이를 참고하여 다음 문장의 빈칸에 들어갈 알맞은 단어를 쓰시오.

❶ 나는 황당한 ㅍㅈ을 감추고 어색하게 웃었다.
마음속에 품은 감정이나 생각 등이 얼굴에 드러남. 또는 그런 모습.

❷ 그는 흔들리는 책상에 못을 박아서 ㄱㅈ하였다.
① 한번 정한 내용을 변경하지 않음.
② 한곳에서 움직이지 않음. 또는 움직이지 않게 함.

❸ 어머니께서 나무를 깎아서 ㅁㅈ 장식물을 만드셨다.
나무로 물건을 만듦. 또는 그 물건.

❹ 새로 눈이 쌓인 길 위로 사람이 지나간 ㅎㅈ이 없었다.
어떤 현상이나 실체가 없어졌거나 지나간 뒤에 남은 자국이나 자취.

❺ 그 소설은 등장인물의 ㅅㄱㅅ를 자세하게 묘사하였다.
생긴 모양새.

10 마법처럼 사라진 립스틱 자국

교과 연계
미술 ② _ 미술과 다양한 분야

가 미술관에 가면 오래전에 제작된 그림도 볼 수 있는 까닭은, 미술관에서 미술품을 잘 관리하였기 때문이다. 사실 미술품은 만들어지는 순간부터 끊임없이 손상될 위험을 안고 있다. 예기치 못한 사고로 그림이 망가지기도 하고, 시간이 흘러 자연적으로 낡기도 한다. 그림의 색은 변하고, 캔버스와 천에는 미세한 균열이 생긴다. 이런 그림들을 되살려 내는 작업이 바로 미술품 복원이다. 복원 작업의 핵심은 작가가 표현하고자 했던 의도를 살리고 인위적인 처리를 최소화하는 데 있다.

나 앤디 워홀의 작품인 '욕조' 그림에 빨간 립스틱 자국이 선명하게 찍히는 사고가 있었다. 알코올이나 벤젠 등을 사용하여 립스틱 자국을 녹일 수 있지만, 녹은 립스틱이 그림에 스며들어 보기 흉한 립스틱 자국이 남을 위험이 있었다. 해결 방법을 고민하던 미술관 관계자들은 미국 항공 우주국에서 발표했던 연구를 기억해 냈다. [A] 높은 고도에서는 자외선에 의해 원자 상태가 된 산소가 우주 왕복선의 표면을 녹이는 일이 생긴다. 이에 골머리를 앓던 연구원들이 산소 원자의 강력한 분해 능력을 다른 분야에 활용할 수 있겠다는 생각을 떠올렸고, 산소 원자를 활용하여 화재로 망가진 미술 작품을 복원하는 데 성공했던 것이다.

다 그림은 화재에 매우 취약해서 불길에 살짝 그을리기만 해도 복원하는 것이 아주 어려워진다. 그을음을 벗겨 낼 때 사용하는 약품 때문에 그림 표면이 부풀어 오르고 탈색이 일어나기 때문이다. 그러나 산소 원자는 원작 그림 성분에는 반응하지 않고 그을음에만 반응을 일으킨 다음 일산화 탄소, 이산화 탄소, 물로 변한다. 결론적으로 그을음 위에 산소 원자를 쐬어 주면 그을음은 흔적 없이 '마법처럼' 사라진다고 볼 수 있다.

라 앤디 워홀의 작품에 묻은 립스틱은 화재로 생기는 그을음과 같이 탄화수소로 이루어졌다. 앤디 워홀의 작품을 넘겨받은 미국 항공 우주국 연구자들은 캔버스 천 한 올 한 올에 산소 원자 층을 쏘는 작업을 시작했다. 계속되는 작업 끝에 빨간 립스틱 자국은 점차 사라졌고, 하마터면 영영 볼 수 없을 뻔했던 '욕조'가 다시 미술관의 한 자리를 차지할 수 있게 되었다. 이처럼 미술품 복원은 위대한 작품들의 원래 모습을 되찾아 주며 그 생명을 연장하고 있다.

- **복원** | 회복할 復, 처음 元 | 원래대로 회복함.
- **그을음** | 어떤 물질이 불에 탈 때에 연기에 섞여 나오는 먼지 모양의 검은 가루.
- **탈색** | 벗을 脫, 빛 色 | 천이나 옷감 등에 들어 있는 색깔을 뺌.
- **캔버스** | 유화를 그릴 때 쓰는 천.

STEP 1 독해 기초 확인

지문 한눈에 보기

가 손상된 그림도 되살릴 수 있다고?

미술품 복원: 사고로 망가지거나 낡아서 손상된 미술품을 원래대로 □□□ 내는 작업

↓

나 앤디 워홀의 '욕조' 그림에 묻은 립스틱 자국

[기존의 복원 방식]		[새로운 복원 방식]
알코올, 벤젠 등을 쓰면 자국을 남길 가능성이 있음.	VS	□□ 원자의 강력한 분해 능력을 활용함.

→

다 산소 원자의 복원 원리

산소 원자
- ↗ 원작 그림 성분과는 반응하지 않음.
- ↘ □□□에만 화학 반응을 일으켜 일산화 탄소, 이산화 탄소, 물로 변해 사라짐.

↓

라 립스틱 자국을 지운 산소 원자

□□□□로 이루어진 립스틱 자국에 산소 원자를 쏘아 '욕조' 그림을 원래대로 복원하는 데 성공함.

→ 미술 작품의 □□을 연장하는 복원 작업

지문 핵심 key

1. 윗글을 읽고 기억에 남는 단어를 모두 쓰시오.

2. 1에서 떠올린 것 중에서 중심 화제를 쓰시오.

3. 나에 나타난 설명 방법으로 알맞은 것을 고르시오.

□ 실제 사건을 사례로 제시함.

□ 추상적인 개념의 뜻을 밝힘.

4. 윗글의 내용을 한 문장으로 요약하시오.

산소 원자를 활용하여 ____________

실전 3회

정답과 해설 47쪽

STEP 2 독해 실력 확인

중심 내용 파악하기

1 윗글의 중심 내용으로 알맞은 것은?

① 그림이 화재에 취약한 까닭
② 미술관에 있는 다양한 직업
③ 미술품 전시와 보존의 어려움
④ 산소 원자를 활용한 표현 기법
⑤ 과학 기술을 활용한 미술품 복원 작업

드러나지 않은 내용 추론하기

2 윗글의 내용을 바탕으로 짐작할 수 있는 내용이 아닌 것은?

① 미술품은 자연 그대로 놔두어도 변할 수 있구나.
② 산소 원자가 모든 성분에 반응하는 것은 아니구나.
③ 알코올과 벤젠은 립스틱 자국을 더 선명하게 하는구나.
④ 화재로 손상된 미술품도 산소 원자로 복원할 수 있구나.
⑤ 립스틱의 주성분이 탄화수소여서 산소 원자를 활용하기로 했구나.

구체적인 사례에 적용하기

3 [A]에서 '산소 원자'를 활용한 상황과 가장 어울리는 말은?

① 감탄고토(甘呑苦吐)
② 유비무환(有備無患)
③ 일석이조(一石二鳥)
④ 전화위복(轉禍爲福)
⑤ 청출어람(青出於藍)

지문에 나온 어휘, 확실히 짚고 가자!

1 다음 뜻풀이에 알맞은 단어를 고르시오.

❶ 가장 작게 함. □ 최대화 □ 최소화

❷ 불이 나는 재앙. 또는 불로 인한 재앙. □ 화재 □ 화제

❸ 거북의 등에 있는 무늬처럼 갈라져 터짐. □ 균열 □ 균형

❹ 길이나 시간, 거리 등을 본래보다 길게 늘리다. □ 연기하다 □ 연장하다

정답과 해설 47쪽

2 제시된 뜻풀이를 참고하여 다음 문장의 빈칸에 들어갈 알맞은 단어를 쓰시오.

❶ 돌멩이의 [ㅍ][ㅁ]이 무척 매끄러웠다.

① 사물의 가장 바깥쪽. 또는 가장 윗부분.

② 겉으로 나타나거나 눈에 띄는 부분.

❷ 눈 위에 누군가가 걸어간 [ㅈ][ㄱ]이 있었다.

다른 물건이 닿거나 묻어서 생긴 자리. 또는 어떤 것에 의하여 원래의 상태가 달라진 흔적.

❸ 내용물이 [ㅅ][ㅅ]되지 않게 뚜껑을 살살 열었다.

① 물체가 깨지거나 상함.

② 병이 들거나 다침.

③ 품질이 변하여 나빠짐.

❹ 아무도 [ㅇ][ㄱ]하지 않았던 뜻밖의 사건이 벌어졌다.

앞으로 닥쳐올 일에 대하여 미리 생각하고 기다림.

❺ 이 물질은 화학적으로 특별한 [ㅂ][ㅇ]을 일으키지 않는다.

자극에 대응하여 어떤 현상이 일어남. 또는 그 현상.

그림 · 사진 자료 출처

독해 실전 1회

본책 56쪽	게르 _게티이미지뱅크, ImazinsCP
본책 80쪽	Gargoyle _셔터스톡, Alfonso de Tomas
본책 84쪽	백수백복도 세부 _국립민속박물관

독해 실전 2회

본책 98쪽	보스코 베르티칼레 _셔터스톡, Cristian Zamfir
본책 110쪽	손으로 든 야채 _셔터스톡, Tatevosian Yana
본책 122쪽	피아노 연주 _셔터스톡, melnikof
본책 126쪽	화장품 및 도구 _셔터스톡, Plateresca

독해 실전 3회

본책 160쪽	전기 차 _셔터스톡, jamesteohart
본책 164쪽	하회 별신굿 탈놀이 _셔터스톡, wizdata

CHUNJAE
EDUCATION

해법 중학 국어

비문학
독해 DNA
깨우기

0
독해 기초

정답과 해설

천재교육

비문학 독해 DNA 깨우기

정답과 해설

독해 기초 원리

원리 01 글자 말고 의미 읽기

바로 확인 1 본문 10쪽

(1) 전통 음식이 / 한국인의 입맛에 / 잘 맞는다.

➡ '전통'은 '음식'의 종류를 나타내고, '한국인의'는 누구의 '입맛'인지 알려 주는 '입맛'과 관련한 구체적인 정보이며, '잘'은 '맞는다'를 꾸며 주는 말로, 서로 밀접하게 연관되어 있다. 따라서 '전통 음식이', '한국인의 입맛에', '잘 맞는다'는 각각 하나의 의미 단위이다. 의미 단위별로 어구를 나누어 읽을 수 있으므로 '전통 음식이 / 한국인의 입맛에 / 잘 맞는다.'와 같이 끊어 읽기 표시를 할 수 있다.

(2) 청소년 시기에는 / 성장 호르몬이 / 많이 분비된다.

➡ '청소년'과 '성장'은 각각 '시기', '호르몬'과 관련하여 구체적인 정보를 밝히는 말이고, '많이'는 '분비된다'를 꾸며 주는 말이므로 서로 밀접하게 연관되어 있다. 따라서 '청소년 시기에는', '성장 호르몬이', '많이 분비된다'는 각각 하나의 의미 단위이다. 의미 단위별로 어구를 나누어 읽을 수 있으므로 '청소년 시기에는 / 성장 호르몬이 / 많이 분비된다.'와 같이 끊어 읽기 표시를 할 수 있다.

바로 확인 2 본문 11쪽

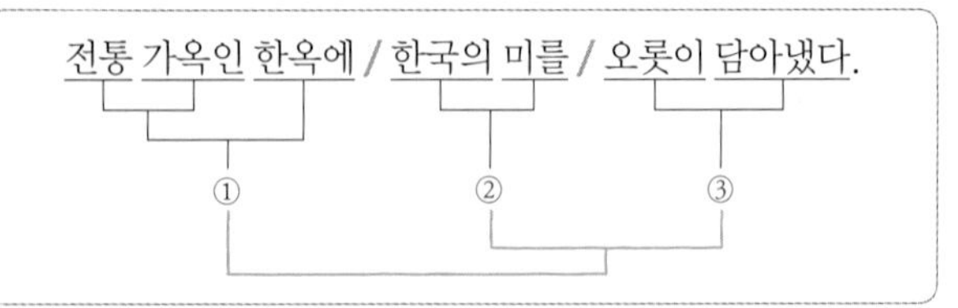

전통 가옥인 한옥에 / 한국의 미를 / 오롯이 담아냈다.
①
②
③

➡ (1) ①, ②, ③ 각각을 하나의 의미 단위로 볼 수 있으므로, 사이사이에 끊어 읽기 표시를 할 수 있다.

(2) '담아내다'라는 말은 '무엇을'이라는 말과 함께 쓰이므로 ①보다는 ②와 ③이 의미상 더 가깝다. '한국의 미를 오롯이 담아냈다'라는 확장된 의미 단위에 ①을 묶어 문장 전체를 하나의 의미 단위로 이해할 수도 있다.

연습 문제 의미 단위별 끊어 읽기 (1) 본문 12쪽

1 정보화 시대에는 / 정보의 가치가 / 매우 중요하다.

➡ '정보화'와 '정보의'는 각각 '시대', '가치'와 관련한 구체적인 정보이며, '매우'는 '중요하다'를 꾸며 주는 말로 서로 밀접하게 연관되어 있다. 따라서 의미 단위별로 묶어 '정보화 시대에는 / 정보의 가치가 / 매우 중요하다.'와 같이 끊어 읽기 표시를 할 수 있다.

2 화산 활동은 / 바다의 밑바닥에서 / 활발하게 발생한다.

➡ '화산'은 어떤 '활동'인지를 나타내는 구체적인 정보이고, '바다의'는 무엇의 '밑바닥'인지를 알 수 있게 하는 구체적 정보이다. 그리고 '활발하게'는 '발생한다'를 꾸며 주는 말이다. 따라서 의미 단위별로 묶어 '화산 활동은 / 바다의 밑바닥에서 / 활발하게 발생한다.'와 같이 끊어 읽기 표시를 할 수 있다.

3 자급자족 시대의 사람들은 / 필요한 물건을 / 스스로 만들었다.

➡ '자급자족'은 '시대'와 관련한 구체적인 정보이고 '자급자족 시대의'가 '사람들'을 꾸며 준다. 또, '필요한'과 '스스로'는 각각 '물건'과 '만들었다'를 꾸며 준다. 따라서 의미 단위별로 묶어 '자급자족 시대의 사람들은 / 필요한 물건을 / 스스로 만들었다.'와 같이 끊어 읽기 표시를 할 수 있다.

4 시민 단체가 / 인터넷 중독 문제 해결에 / 적극적으로 나섰다.

➡ '시민'은 어떤 '단체'인지 나타내는 구체적인 정보이다. '인터넷'은 무엇에 '중독'된 것인지 알려 주는 '중독'과 관련한 구체적인 정보이다. '인터넷 중독'은 위치상, 그리고 의미상 가까운 '문제', '해결'과 순차적으로 연결되어 '인터넷 중독 문제 → 인터넷 중독 문제 해결'처럼 더 큰 의미 단위를 형성한다. 그리고 '적극적으로'는 '나섰다'를 꾸며 준다. 따라서 의미 단위별로 묶어 '시민 단체가 / 인터넷 중독 문제 해결에 / 적극적으로 나섰다.'와 같이 끊어 읽기 표시를 할 수 있다.

5 은행 본점과 고급 상점이 / 새로운 도시의 중심에 / 빠르게 들어섰다.

➡ '은행'과 '고급'은 각각 '본점', '상점'과 관련한 구체적인 정보이다. '새로운'은 '도시'를 꾸며 주는 말이고, '새로운 도시'는 어디의 '중심'인지 알려 주는 '중심'과 관련한 구체적인 정보이다. 또한 '빠르게'는 '들어섰다'를 꾸며 주는 말이다. 따라서 의미 단위별로 묶어 '은행 본점과 고급 상점이 / 새로운 도시의 중심에 / 빠르게 들어섰다.'와 같이 끊어 읽기 표시를 할 수 있다.

연습 문제 의미 단위별 끊어 읽기 (2) 본문 13쪽

1

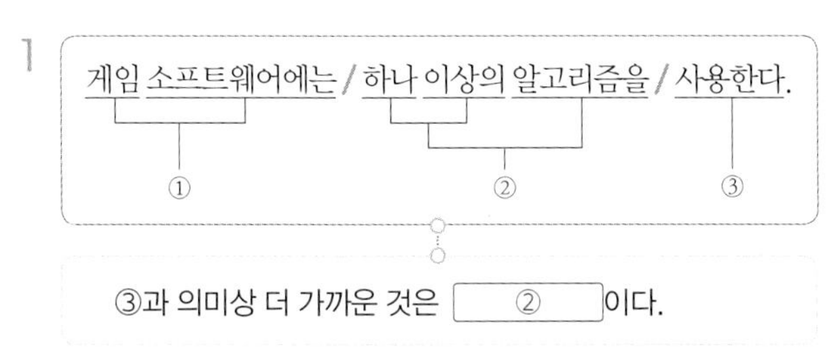

③과 의미상 더 가까운 것은 [②]이다.

➡ '하나 이상의 알고리즘을'은 무엇을 '사용하는' 것인지 알려 주는 정보이기 때문에 ③과 의미상 더 가까운 것은 ②이다.

2

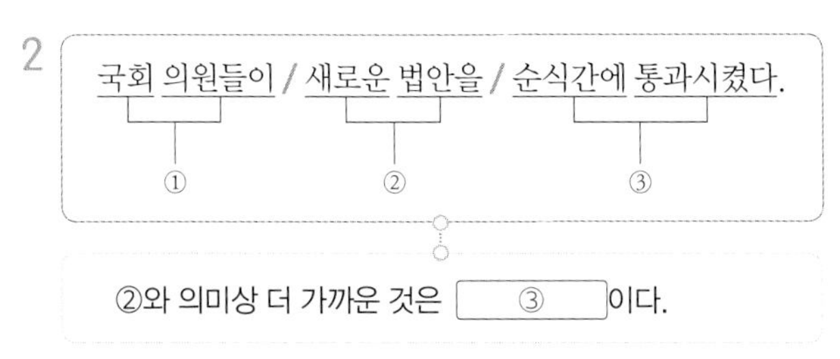

②와 의미상 더 가까운 것은 [③]이다.

➡ '새로운 법안을'은 무엇을 '순식간에 통과시킨' 것인지 알려 주는 정보이기 때문에 ②와 ③은 의미상 밀접한 관계에 있다.

3

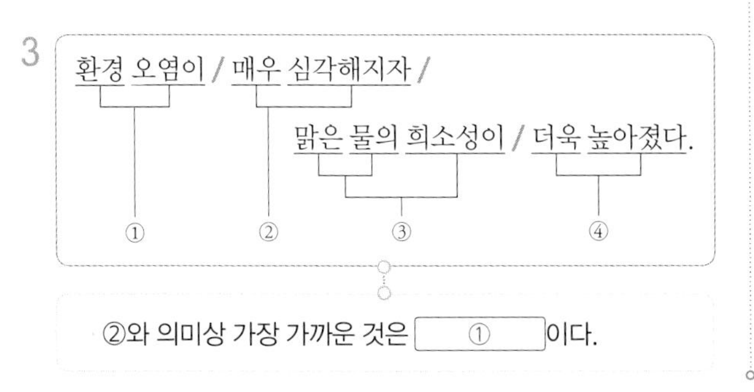

②와 의미상 가장 가까운 것은 [①]이다.

➡ '매우 심각해지다'라는 말의 주체는 '환경 오염'이므로 ①과 ②가 의미상 밀접하고, '더욱 높아졌다'라는 말의 주체는 '맑은 물의 희소성'이므로 ③과 ④가 의미상 밀접하다.

연습 문제 의미 단위별 끊어 읽기 (3) 본문 14~15쪽

1

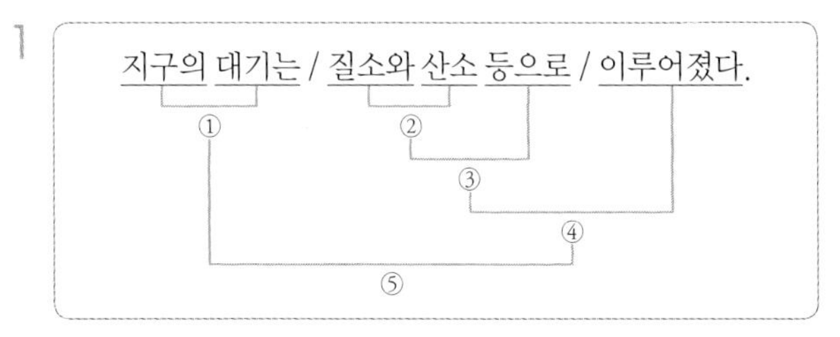

• 지구의 대기를 이루는 것 중에는 [질소와 산소]가 있다.

2

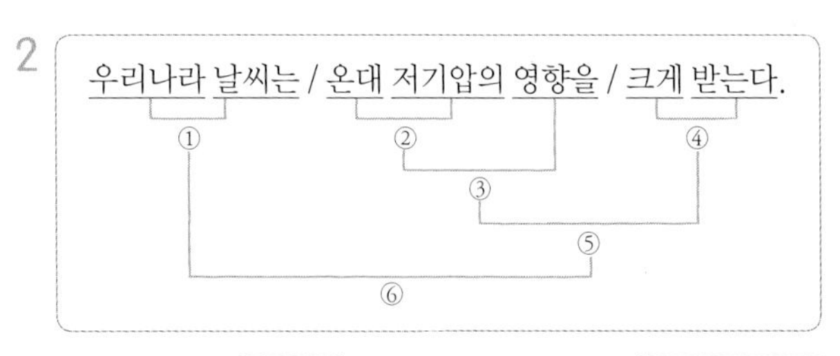

• 우리나라의 [날씨]에 큰 영향을 주는 것은 [온대 저기압]이다.

3

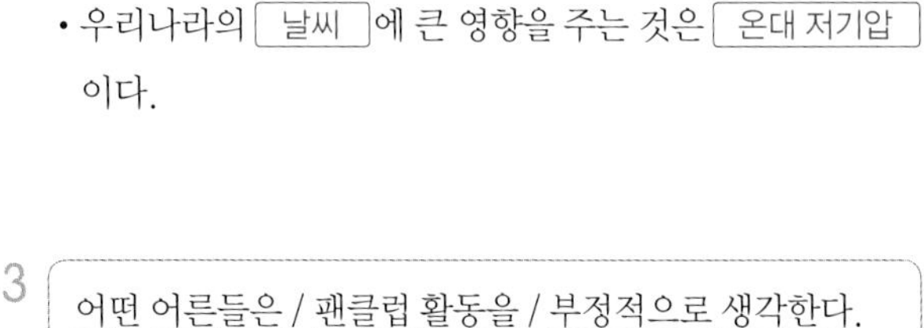

• [팬클럽] 활동을 부정적으로 생각하는 [어른]들도 있다.

4

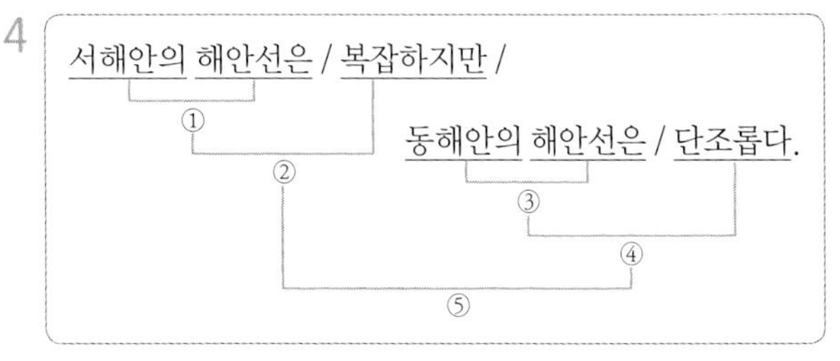

• 해안선이 복잡한 곳은 [서해안]이고, 단조로운 곳은 [동해안]이다.

5

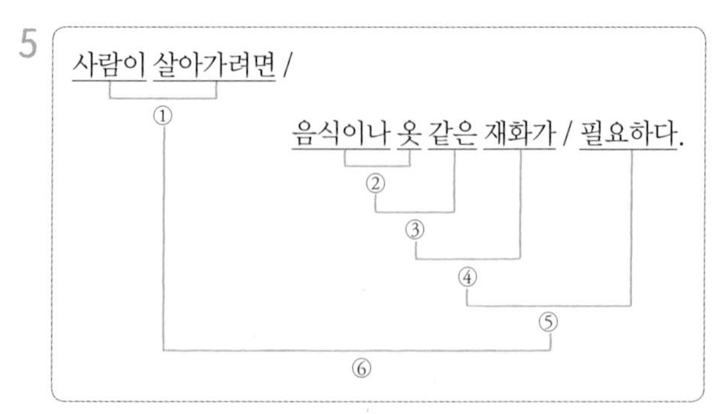
사람이 살아가려면 /
음식이나 옷 같은 재화가 / 필요하다.
①
②
③
④
⑤
⑥

• 음식이나 [옷]은 사람이 살아가는 데 필요한 [재화]이다.

6

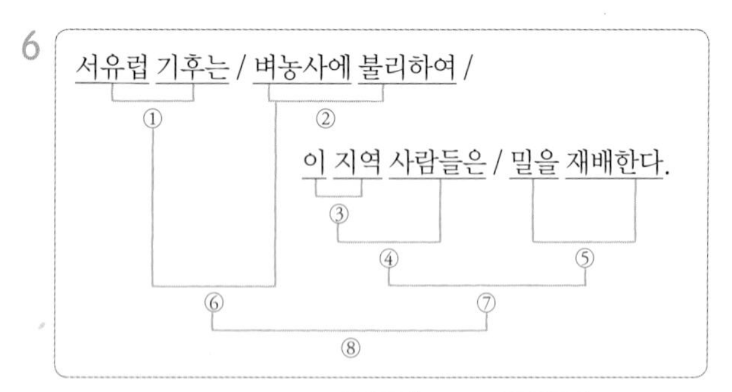
서유럽 기후는 / 벼농사에 불리하여 /
이 지역 사람들은 / 밀을 재배한다.
①
②
③
④
⑤
⑥
⑦
⑧

• 서유럽 지역 사람들은 [벼]보다는 [밀]을 많이 재배한다.

7

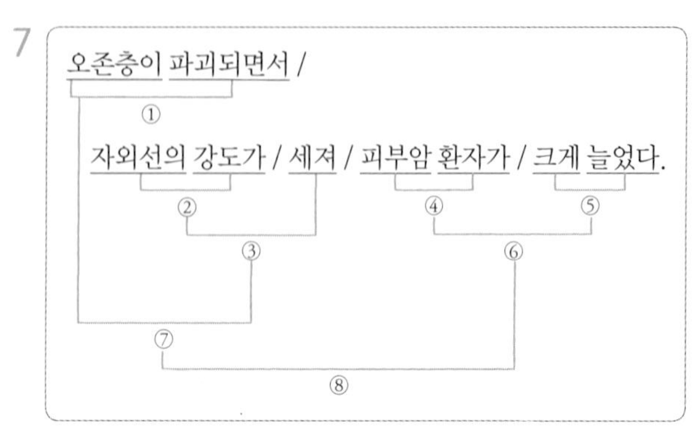
오존층이 파괴되면서 /
자외선의 강도가 / 세져 / 피부암 환자가 / 크게 늘었다.
①
②
③
④
⑤
⑥
⑦
⑧

• 자외선의 강도가 세진 원인은 [오존층]이 파괴된 데 있고, 그 결과 [피부암] 환자가 크게 늘었다.

원리 02 문장 연결하며 읽기

바로 확인 1 본문 16쪽

(1)

대화는 두 사람 이상이 모여 말로써 서로의 생각과 느낌을 주고받는 의사소통 방법이다. [하지만] 모든 대화가 생각대로 잘 이루어지지는 않는다.

➡ 두 문장의 공통 화제는 '대화'이다. '하지만'은 내용이 서로 일치하지 않거나 반대인 두 개의 문장을 이어 줄 때 쓰는 접속 표현이다.

(2)

우리나라를 찾는 점박이물범은 여름에는 백령도 근처에 머물러 지낸다. [그리고] 늦가을이 되면 점박이물범들은 모두 중국 보하이만으로 이동한다.

➡ 두 문장의 공통 화제는 '점박이물범'이다. '그리고'는 앞의 내용에 이어 뒤의 내용을 단순히 나열할 때 쓰는 접속 표현이다.

바로 확인 2 본문 17쪽

(1)

석주명은 나비 연구를 생물학에 국한하지 않았다. [그]의 나비 연구는 자연 과학을 넘어 인문학적 탐구까지 포괄하였다.

➡ '그'는 앞 문장의 '석주명'을 대신하는 대용 표현이다.

(2)

남과 구분되는 나만의 고유한 특성을 개성이라고 한다. [이]를 잘 가꾸어 나가면 자신을 더 매력적인 존재로 만들 수 있다.

➡ '이'는 앞 문장의 '개성'을 대신하는 대용 표현이다.

바로 확인 3 본문 18쪽

(1)

①학생들의 스마트폰 중독이 점점 심각해지고 있다. ② [따라서] 학생들은 스마트폰 사용 습관을 바로잡아야 한다.

▶ ①과 ② 사이의 의미 관계: 근거 – [주][장]

➡ 접속 표현 '따라서'를 기준으로 하여 ①은 근거, ②는 그 근거가 뒷받침하는 주장이다.

(2)

①자율 주행차는 운전자에게 많은 편의를 가져다준다. ② [하지만] 운전자의 안전은 아직 충분히 보장하지 못한다.

▶ ①과 ② 사이의 의미 관계: 앞 문장의 내용(자율 주행차의 장점) – 앞 문장과 [반][대]되는 내용(자율 주행차의 단점)

➡ 접속 표현 '하지만'을 기준으로 하여 ①은 자율 주행차의 장점을, ②는 앞 문장과 반대되는 내용인 자율 주행차의 단점을 설명하고 있다.

바로 확인 4 본문 19쪽

직업을 신의 명령으로 이해하고, 근면과 절약을 통해 이룬 개인의 성공을 구원의 증거로 본 청교도 윤리의 등장은 생산 활동과 부의 축적에 대한 부정적 인식을 사라지게 한 계기가 되었다.

▶ 연결해 읽을 단어 및 어구
(1) 직업 – 신의 명령 – 생산 활동
(2) 근면과 절약을 통해 이룬 개인의 성공 – 구원의 증거 – 부의 축적

➡ '청교도 윤리의 등장'을 기준으로 하여 앞부분에서는 청교도 윤리가 무엇인지를, 뒷부분에서는 청교도 윤리의 영향을 설명하고 있다. 단어 간의 관계를 파악하면 '직업 – 신의 명령 – 생산 활동', '근면과 절약을 통해 이룬 개인의 성공 – 구원의 증거 – 부의 축적'을 각각 연결해 읽을 수 있다.

연습 문제 대용 표현을 고려해 문장 연결하며 읽기 본문 20쪽

1
최근에는 동요를 새롭게 작곡하는 대신, 우리의 전통 민요를 찾아 그것을 동요로 고쳐서 다시 짓기도 한다.

동요 / (전통 민요)

➡ '그것'은 앞부분의 '전통 민요'를 대신하는 대용 표현이다.

2
신라, 백제, 고구려 삼국은 한반도 중앙에 위치한 한강 유역을 두고 다투었는데, 가장 먼저 이곳을 영토로 삼은 국가는 백제였다.

한반도 / (한강 유역)

➡ '이곳'은 앞부분의 '한강 유역'을 대신하는 대용 표현이다.

3
청소년은 주어진 시간을 어떻게 사용할지 스스로 계획하여 실천하는 자기 관리 능력을 갖추어야 한다. 이와 함께 자신에게 닥친 다양한 문제 상황을 직접 해결하는 주체적인 삶의 태도도 지녀야 한다.

(자기 관리 능력을 갖추어야 한다) / 주체적인 삶의 태도를 지녀야 한다

➡ '이'는 앞 문장의 '자기 관리 능력을 갖추어야 한다'를 대신하는 대용 표현이다.

4
수용액에서 이온이 반응을 일으키려면 특정한 양이온과 음이온이 만나야 한다. 그러한 조건이 아니면 이온 사이의 반응은 일어나지 않는다.

수용액에서 이온 반응이 일어나야 한다 / (특정한 양이온과 음이온이 만나야 한다)

➡ '그러한'은 앞 문장의 '특정한 양이온과 음이온이 만나야 한다'를 대신하는 대용 표현이다.

연습 문제 접속 표현을 고려해 문장 연결하며 읽기 (1) 본문 21쪽

1
사이버 공간은 인종, 국적 등에 상관없이 누구나 평등하게 자신의 의견을 밝히는 공간이다.(원인) 이 때문에, 사이버 공간에는 매우 다양한 생각과 문화들이 함께 공존한다.(결과)

비교 / (원인 – 결과) / 문제 – 해결 방안

➡ 접속 표현 '이 때문에'를 기준으로 하여 앞 문장에서는 원인, 뒤 문장은 원인에 따른 결과를 설명하고 있다.

2
해바라기, 샐러리와 같은 쌍떡잎식물은(쌍떡잎식물의 예) 관다발이 줄기 가장자리에 규칙적으로 배열되어 있다.(쌍떡잎식물의 특징) 반면 백합, 옥수수와 같은 외떡잎식물은(외떡잎식물의 예) 관다발이 불규칙적으로 흩어져 있다.(외떡잎식물의 특징)

(대조) / 결과 – 이유 / 문제 – 해결 방안

➡ 접속 표현 '반면'을 기준으로 하여 앞 문장에서는 쌍떡잎식물의 특징을, 뒤 문장에서는 이와 반대되는 외떡잎식물의 특징을 설명하고 있다.

3
멕시코 출신의 화가 프리다 칼로는 수없이 많은 자화상을 그렸다.(결과) 왜냐하면 자신의 모습을 직접 그림으로써 외로움을 극복할 수 있고 진정한 내면을 표현할 수 있다고 믿었기 때문이다.(원인)

(결과 – 원인) / 목적 – 수단 / 문제 – 해결 방안

➡ 접속 표현 '왜냐하면'을 기준으로 하여 앞 문장에서는 결과, 뒤 문장은 결과가 나타난 원인을 설명하고 있다.

4

우리나라가 분단국가가 된 요인은 크게 두 가지로 나누어진다. 첫째 한반도를 둘러싼 강대국이 서로 대립하였다는 국제적 요인과 둘째 민족의 역량을 한데 모으지 못하고 분열하였다는 국내적 요인이 그것이다.

우리나라가 분단국가가 된 요인 ①
우리나라가 분단국가가 된 요인 ②

과정	예시	나열

➡ 접속 표현 '첫째', '둘째'를 기준으로 하여 우리나라가 분단국가가 된 까닭을 나열하고 있다.

연습 문제 접속 표현을 고려해 문장 연결하며 읽기 (2) 본문 22쪽

1

파라오의 통치 아래 고대 이집트인들은 ①나일강의 범람을 예측하고 관개 시설을 정비하였다. 그리고 ②태양을 기준으로 하는 태양력을 사용하여 농사를 짓기에 적절한 시기를 알아냈다.

고대 이집트 문명의 특징 ①
고대 이집트 문명의 특징 ②

①과 ②는 서로 대등한 내용이다. 따라서 빈칸에는 (그리고, 그러므로, 그러나)가 들어가는 것이 자연스럽다.

➡ 나일강 유역에서 발전한 이집트 문명을 설명한 글로, 고대 이집트 문명의 특징을 나열하고 있다. ①과 ②는 서로 대등한 내용이므로 접속 표현 '그리고'로 두 문장을 이어 줄 수 있다.

2

①기상 이변으로 각국에 큰 피해가 발생하고 있다. 가령 ②태국에서는 수백 명의 사람이 최악의 대홍수로 목숨을 잃었고, 오스트레일리아에서는 소와 양을 방목하며 살던 사람들이 극심한 물 부족을 겪었다.

기상 이변에 따른 피해 사례 ①
기상 이변에 따른 피해 사례 ②

①은 어떤 현상에 대한 설명이고, ②는 ①의 구체적인 예이다. 따라서 빈칸에는 (가령, 반면, 하지만)이 들어가는 것이 자연스럽다.

➡ ②에서 기상 이변으로 각국에서 발생한 피해 사례를 제시하고 있으므로 빈칸에는 '예를 들어'를 뜻하는 접속 표현 '가령'이 들어가는 것이 자연스럽다.

3

①한 사람의 힘으로 세상을 긍정적으로 바꾸기는 어렵다. 왜냐하면 ②한 사람이 지닌 힘은 미약하기 때문이다. 그래서 ③그 한 사람의 영향력을 지지하고 그 지지를 행동으로 보여 주는 더 많은 사람의 힘이 필요하다.

결과 / 이유 및 원인 / 주장

(1) ①은 결과, ②는 이유에 해당한다. 따라서 ①과 ② 사이의 빈칸에는 (또한, 만일, 왜냐하면)이 들어가는 것이 자연스럽다.

(2) ③은 주장이고 ①과 ②는 이를 뒷받침하는 근거에 해당한다. 따라서 ②와 ③ 사이의 빈칸에는 (그리고, 그래서, 특히)가 들어가는 것이 자연스럽다.

➡ (1) 결과와 이유 순서로 제시될 때는 접속 표현 '왜냐하면'으로 문장을 연결할 수 있다.
(2) 앞 내용에 근거, 뒤 내용에 주장이 제시될 때는 접속 표현 '그래서'로 문장을 연결할 수 있다.

연습 문제 연관된 단어·어구 연결하며 읽기 본문 23쪽

1

군인들이 정치를 하던 고려의 무신 정권기에는 ㉠이의민을 비롯한 ㉡천민 출신이 권력을 쥐는 경우가 종종 나타났다. 이처럼 ㉢노비나 ㉣낮은 지위에 있던 사람이 ㉤윗사람을 꺾고 권력을 잡는 풍조가 널리 퍼지자, 고려 사회의 신분 질서는 흔들리게 되었다.

고려 때의 무신

➡ ㉡은 ㉠의 출신을 나타내는 말이므로 서로 연관되어 있다. 그리고 ㉡~㉣은 모두 비슷한 의미를 가진 말로 함께 연결해서 이해할 수 있다. 이와 달리 ㉤은 ㉠~㉣과 반대되는 의미를 가진 말이다.

2

미술 작품 중에는 현실이 아닌 ㉠상상의 세계를 표현한 작품들이 많다. ㉡무의식 속 장면, ㉢실제로 없을 것 같은 기묘한 풍경, ㉣신비로운 동화 속 세상 등을 표현한 작품들은, 우리에게 ㉤일상의 단조로움에서 벗어나 생동감을 느끼게 한다.

➡ ㉡~㉣은 ㉠의 구체적인 예이므로 ㉠~㉣은 서로 연결해서 이해할 수 있다. 그러나 ㉤은 상상의 세계에서 표현하는 모습이 아니라, 그러한 작품들이 벗어나게 해 주는 대상이므로 ㉠~㉣이 나타내는 의미와는 성격이 다르다.

3

물질이 ㉠액체에서 기체로 변할 때는 물질을 이루고 있는 ㉡분자들이 점점 불규칙하게 배열된다. 이 과정에서 ㉢분자 사이의 거리가 멀어지므로 그 결과 ㉣물질의 부피가 증가한다. 반대로, 물질이 기체에서 액체로 변할 때에는 ㉤분자들이 점점 규칙적으로 배열되면서, 분자 사이의 거리가 가까워지고 물질의 부피가 감소한다.

물질이 기체에서 액체로 변할 때 일어나는 일

➡ ㉡~㉣은 ㉠과 관련된 현상이므로 ㉠~㉣은 서로 연결해서 이해할 수 있다. 그러나 ㉤은 물질이 기체에서 액체로 변할 때 일어나는 현상이므로 ㉠~㉣과 연관성이 적다.

4

사람에게는 ㉠주관적인 눈과 객관적인 눈이 있다. 암스트롱이 아폴로 11호를 타고 인류 최초로 달에 발을 내디딘 후, 달에 생명체가 살지 않는다는 것은 ㉡과학적 사실로 증명되었다. 하지만 우리는 ㉢'달에 계수나무가 있다'는 믿음을 여전히 마음 한편에 갖고 있다. 이 믿음은 사실과 다르지만 우리의 ㉣마음을 따뜻하게 만들어 준다. 사실은 사실대로 인정하면서도 우리의 ㉤마음에 풍요로움을 느끼게 하는 눈을 함께 갖는 것은 어떨까?

과학적 사실의 예

➡ ㉢~㉤은 ㉠과 관련된 표현으로, ㉠을 다른 말로 풀이하거나(㉢, ㉤), ㉠의 성격을 나타낸 것이다(㉣). 이와 달리 ㉡은 윗글에서 ㉠과 구별되는 의미로 쓰인 '객관적인 눈'과 의미상 연결되는 어구이다.

원리 03 중심 화제와 핵심 정보 찾으며 읽기

바로 확인 1 본문 24쪽

시의 운율은 시를 읽을 때 느껴지는 말의 리듬을 말한다. 운율은 시에 음악성을 더하는 요소로, 「일정한 위치에 같은 소리, 단어 등이 반복되면서 만들어지기도 하고, 같거나 비슷한 문장 구조를 반복하면서 형성되기도 한다.」 운율의 종류로는 외형률과 내재율이 있는데, 외형률은 시의 바깥에 뚜렷이 드러나는 운율이며, 내재율은 시 안에서 은근히 느껴지는 운율이다.

운율의 뜻 / 운율의 효과 / 「 」: 운율 형성 방법 / 운율의 종류

(1) 윗글에서 가장 많이 반복되는 말 두 개: 시, 운율

➡ 윗글에서 가장 많이 반복되는 말은 각각 다섯 번씩 쓰인 시와 운율이다.

(2) 반복되는 말 중, 중심 화제에 더 가까운 것: 운율

➡ 윗글은 시의 요소 중 하나인 운율의 뜻을 밝히고 운율의 효과, 형성 방법, 종류를 설명하고 있으므로 시와 운율 중에서 중심 화제에 더 가까운 것은 '운율'이다.

바로 확인 2 본문 25쪽

매사냥은 언제, 어디에서 시작되었을까? ①기록에 따르면 매사냥은 4,000여 년 전 고대 중앙아시아와 서아시아에서 시작되어 세계로 퍼져 나갔다. ②메소포타미아 유적지에서는 매사냥꾼을 새긴 유물이 발견되었고, 마르코 폴로의 《동방견문록》에는 쿠빌라이 황제가 사냥터로 떠날 때 다양한 매 500마리를 동원한 기록이 남아 있다.

핵심 정보를 찾기 위한 단서 / 핵심 정보

(1) 핵심 정보를 찾을 수 있는 단서가 나타난 문장: 매사냥은 언제, 어디에서 시작되었을까?

➡ 글쓴이는 '매사냥은 ~ 시작되었을까?'라는 표현으로 글을 시작하여 '매사냥의 기원'을 강조하고 이를 설명하려는 의도를 드러내고 있다. 따라서 핵심 정보를 찾을 수 있는 단서는 윗글의 첫 번째 문장이다.

(2) ①, ② 중 윗글의 핵심 정보를 담고 있는 문장의 번호: ①

➡ 윗글의 첫 번째 문장을 핵심 정보를 찾기 위한 단서로 볼 때, 윗글의 핵심 정보는 매사냥이 언제, 어디서 시작되었는지를 언급한 ①이다.

연습 문제 중심 화제 찾기 (1) 본문 26쪽

1

독도는 우리나라의 가장 동쪽에 있는 섬이다. 독도는 두 개의 큰 섬인 동도와 서도 외에 89개의 크고 작은 섬들로 구성되어 있으며, 1982년에 천연기념물 제336호로 지정되었다.

독도의 위치 / 독도의 구성 / 독도의 천연기념물 지정 현황

(독도) | 동도와 서도 | 우리나라의 섬

➡ 첫 번째 문장에서 '독도'의 위치를, 두 번째 문장에서 '독도'의 구성과 천연기념물로 지정된 현황을 설명하고 있으므로, 반복적으로 언급된 '독도'가 중심 화제임을 알 수 있다.

2

과거에 어떤 역사적 사건이 있었는지를 알려 주는 것이 사료이다. 「사료에는 책, 신문 등의 문헌 사료, 비석이나 건축물에 새겨진 문구와 같은 비문헌 사료가 있다. 영화, 다큐멘터리 등의 영상 정보도 사료가 될 수 있다.」

사료의 뜻 / 「 」: 사료의 종류

(사료) | 역사 | 문헌 사료

➡ 첫 번째 문장에서 '사료'의 뜻을, 다음 두 문장에서 '사료'의 종류를 설명하고 있으므로, 반복적으로 언급된 '사료'가 중심 화제임을 알 수 있다.

3

「다른 문화를 존중하는 관용의 자세는 다른 문화에 속한 사람을 이해하는 것뿐만 아니라 우리 사회가 발전하는 데에도 큰 도움이 된다.」 이는 역사적으로 문화적 관용을 중시하였던 나라가 여러 문화의 장점을 수용해 문화의 번영을 누린 사실에서도 알 수 있다.

「 」: 문화적 관용이 지닌 가치

다른 문화	문화적 관용	문화의 번영

➡ 첫 번째 문장에서 다른 문화를 존중하는 관용의 자세가 어떤 가치를 지니는지 설명하였고, 두 번째 문장에서 이를 뒷받침하는 근거로 문화적 관용을 중시하였던 나라가 문화의 번영을 누렸다는 사실을 제시하였다. 반복적으로 언급된 '문화'와 '관용', 즉 문화적 관용이 윗글의 중심 화제임을 알 수 있다.

4

좋은 기업이, 좋은 뜻을 갖고, 좋은 방식으로 만든 상품을 소비하겠다는 윤리적 소비가 점차 늘고 있다. 이는 만들어진 상품만 보고 소비하는 것이 아니라 「원재료를 얻은 후 제품을 만들고 이를 유통하는 과정까지 살펴보고, 더 나아가 기업의 정신까지 따지며 소비하는 것」을 가리킨다. 이웃, 사회, 자연에 미칠 영향까지 고려한 소비 행위인 것이다.

윤리적 소비의 뜻 / 「 」: 윤리적 소비의 뜻을 부연하여 설명함. / 윤리적 소비의 의의

소비 행위	기업의 정신	윤리적 소비

➡ 첫 번째 문장에서 '윤리적 소비'가 늘고 있음을 언급하고, 두 번째, 세 번째 문장에서 '윤리적 소비'가 무엇인지 더 자세히 설명하며 그 의의를 밝히고 있으므로, 반복적으로 설명하고 있는 '윤리적 소비'가 중심 화제임을 알 수 있다.

연습 문제 중심 화제 찾기 (2)

본문 27쪽

1

음악을 더 가까이하고, 즐기고 싶은데 뜻대로 되지 않아 아쉬워하는 사람들이 있다. 그런 사람들이 음악과 친해지는 방법이 있다. 음악을 많이 듣는 것에서 머물지 말고 「그 음악이 어떠한 배경에서 어떠한 형식으로 만들어졌는지, 작곡자는 누구인지, 관련된 에피소드는 무엇인지 등을 알아보면 더 좋다.」 다른 사람들이 그 음악을 듣고 느낀 점을 참고하거나, 자신이 느낀 점과 비교해 보는 것도 좋은 방법이다. 이렇게 하면 자신도 모르는 사이에 음악에 대한 이해와 흥미가 더 높아질 것이다.

「 」: 음악과 친해지는 방법 ① / 음악과 친해지는 방법 ②

➡ 음악이 창작된 배경 또는 관련 에피소드를 알아보는 것이나 다른 사람이 음악을 듣고 감상한 내용을 참고하는 것은 모두 음악과 친해지는 방법을 소개한 것이므로, 윗글의 중심 화제는 '음악과 친해지는 방법'이다.

2

무게와 질량의 차이는 다음과 같다. 무게는 물체에 작용하는 중력의 크기이고, 질량은 물체의 고유한 양이다. 중력은 지구에서뿐만 아니라 달이나 화성과 같은 다른 천체에서도 작용한다. 이때 천체마다 중력의 크기가 다르므로 물체의 무게도 다르게 측정된다. 그러나 질량은 물체가 가지고 있는 고유한 양이므로 장소가 달라지더라도 변하지 않는다. 예를 들어 「질량이 300g인 사과의 무게는 지구에서 2.94N이다. 이 사과는 달에서도 질량은 300g이지만 무게는 지구에서의 1/6인 0.49N이다.」

무게의 뜻 / 질량의 뜻 / 「 」: 무게와 질량의 차이를 보여 주는 예

• N은 힘의 단위로, 뉴턴이라 읽는다. 무게의 단위로도 쓰인다.

➡ 윗글에서는 무게와 질량의 뜻을 각각 밝히고 그 차이를 예를 들어 설명하고 있으므로, 윗글의 중심 화제는 '무게와 질량의 차이'이다.

3

옛날에는 '과학자'라는 용어가 없었다. 고대 그리스의 아리스토텔레스는 철학뿐만 아니라 과학 분야도 연구한 학자였다. 르네상스 시대의 레오나르도 다 빈치는 화가로 알려져 있으나, 그가 남긴 노트에는 오늘날에 볼 수 있는 최신 공학 기구들의 설계도와 인체를 해부한 기록이 남아 있다. 그러나 우리는 이 두 사람을 가리켜 과학자라고 부르지는 않는다.

'과학자'라는 용어가 없었기 때문임.

우리가 생각하는 의미의 과학자는 그보다 훨씬 나중에야 등장했다. '과학자'라는 용어를 처음 쓴 사람은 영국의 자연 철학자 휴엘이다. 그는 1840년경 자연 과학 분야의 지식을 연구하고 이해하는 사람을 뜻하는 말로 '과학자'라는 용어를 사용했다.

'과학자'의 뜻

➡ 첫 번째 문단에서는 아리스토텔레스와 레오나르도 다 빈치가 과학 분야를 연구하고 과학적 성취를 이루었음에도 과학자라고 불리지 않음을 설명하였다. 이어 두 번째 문단에서는 '과학자'라는 용어의 등장 시기와 그 뜻을 밝히고 있다. "과학자'라는 용어'를 반복적으로 언급하고 있고, 역사적 인물을 예로 들어 '과학자'라는 용어가 만들어지기 전과 후의 차이를 설명하고 있으므로, "과학자'라는 용어'가 윗글의 중심 화제로 적절하다.

연습 문제 질문과 맥락을 고려해 핵심 정보 찾기 (1) 본문 28쪽

1

모든 신념이 바람직하다고 할 수 있을까? 「①한 식품 판매업자의 신념이 '수단과 방법을 가리지 않고 큰돈을 벌면 된다.'라면 어떨까. ②그는 자신의 신념에 따라 이윤을 늘리기 위해 식품의 원산지를 속이고 값싼 식품을 비싸게 팔지도 모른다.」 ③이처럼 타인에게 해를 끼치는 바람직하지 않은 신념도 있다.

「 」: 모든 신념이 바람직하지 않을 수 있음을 설명하기 위해 제시한 예

➡ 제시된 질문을 통해 글쓴이의 의도가 모든 신념이 바람직하지 않을 수 있음을 설명하는 데 있다는 것을 짐작할 수 있다. 질문의 답이 되는 정보이자 핵심 정보는 ③의 '바람직하지 않은 신념도 있다'이다.

2

선사 시대 미술의 특징은 무엇일까? ①흔히 미술은 대상의 아름다움과 가치를 표현하는 예술로 알려져 있다. ②그러나 선사 시대의 라스코 동굴 벽화, 빌렌도르프의 비너스에는 그런 미술의 특징이 잘 드러나지 않는다. ③그 대신 더 많은 생산과 출산을 비는 주술적 성격이 강하게 나타난다.

(일반적인 미술의 특징 / 선사 시대 미술의 예 / 선사 시대 미술의 특징)

➡ 밑줄 친 부분의 답이 되는 정보이자 핵심 정보는 ③의 '더 많은 생산과 출산을 비는 주술적 성격이 강하게 나타난다'이다.

3

조선 후기 서민 음악에는 민요, 판소리, 산조 등이 있었다. 그중에서도 서민 음악을 대표하는 민요는 이 시기에 큰 변화를 겪는다. ①보통 사람들이 일상에서 부르던 노래가 민요였다. ②그런데 조선 후기에 직업적으로 노래를 부르는 전문 소리꾼이 등장해 민요를 예술적으로 재구성하였다. ③그래서 이 시기의 민요를 과거의 향토 민요와 구분해 통속 민요라고도 부른다.

(조선 후기 민요의 특징)

➡ 밑줄 친 부분에서 언급한 '큰 변화'가 무엇인지 설명하는 내용이 글의 핵심 정보라 할 수 있다. 따라서 조선 후기에 전문 소리꾼의 등장으로 변화한 민요를 설명하고 있는 ②가 핵심 정보이다.

4

19세기 초반에 내연 기관 자동차보다 먼저 등장했던 전기 차가 20세기 후반에 들어서서 다시 주목받게 된 이유는 무엇일까? ①이를 알기 위해서는 친환경성 같은 전기 차의 장점 외에도 자동차 개발과 국제 유가 사이의 관계를 함께 살펴봐야 한다. ②19세기 중반에는 석유 가격이 높았기 때문에 석유가 소모되지 않는 전기 차의 개발과 이용이 활발하였다. ③하지만 이후 20세기 들어서 유가가 하락하면서 굳이 효율이 좋지 않은 전기 차를 이용할 필요가 없어져 휘발유를 연료로 사용하는 내연 기관 차의 개발이 활발해졌다. ④그러나 20세기 후반 다시 유가가 폭등하자 전기 차의 인기가 늘어 전기 차 개발과 이용이 활발해졌다.

(유가가 높으면 전기 차에 대한 관심이 높아짐. / 유가가 낮으면 전기 차보다 내연 기관 자동차에 대한 관심이 높아짐. / 20세기 후반 전기 차가 주목받게 된 이유)

➡ 밑줄 친 부분의 답이 되는 정보이자 핵심 정보는 ④의 '20세기 후반 다시 유가가 폭등하자 전기 차의 인기가 늘어'이다.

연습 문제 질문과 맥락을 고려해 핵심 정보 찾기 (2) 본문 29쪽

1

문학 작품에 대한 해석과 평가는 독자마다 다를 수 있다. 물론 자유로운 해석과 평가는 최대한 보장되어야 하지만 모든 해석과 평가가 허용될 수는 없으므로 독자들이 유의해야 할 것이 있다. 문학 작품을 해석하고 평가할 때에는 항상 작품을 바탕으로 하여 그에 대한 타당한 근거를 제시할 수 있어야 한다는 것이다.

(작품을 해석·평가할 때 고려할 점 ① / 작품을 해석·평가할 때 고려할 점 ②)

모든 해석을 허용함.	작품을 바탕으로 해석함.	평가의 타당한 근거를 제시함.

➡ 밑줄 친 부분의 답이 되는 정보이자 핵심 정보는 마지막 문장에 제시되어 있다. '모든 해석을 허용함.'은 글에서 독자들이 유의해야 할 해석과 평가의 기준으로 제시한 내용과 관련이 없으므로 핵심 정보와 거리가 멀다.

2

우주선에 김치를 싣고 가려면 김치에 포함된 수분을 제거해서 무게를 줄여야 한다. 그런데 김치에 열을 가해서 수분을 증발시키면 김치 고유의 맛이 사라져 버린다. 식품의 맛을 유지하면서 수분을 제거하는 방법은 무엇일까? 「영하 50~70도 정도의 저온에서 식품 속의 수분을 급속 냉동시켜 얼린 뒤, 진공 상태의 건조기에서 얼음을 수증기로 바꾸어 증발시키는 진공 동결 건조법을 사용하면 된다.」 열을 가하지 않은 채 수분을 제거하는 방식이기 때문에 음식의 맛을 지킬 수 있는 것이다.

「 」: 진공 동결 건조법의 원리 / 식품의 맛을 유지하면서 수분을 제거하는 방법 / 진공 동결 건조법의 장점

높은 열을 가함.	진공 동결 건조법	얼음을 수증기로 증발시킴.

➡ 밑줄 친 부분의 답이 되는 정보이자 핵심 정보는 '진공 동결 건조법'으로, 얼음을 수증기로 증발시키는 방식이다. '높은 열을 가함.'은 김치나 음식 고유의 맛이 사라져 버리게 하는 방법이므로, 밑줄 친 부분의 답이 되는 정보, 즉 핵심 정보와 거리가 멀다.

3

가짜 뉴스는 개인이나 사회에 부정적인 영향을 미친다. 개인에게는 명예 훼손이나 사생활 침해 등의 피해를 입힐 수 있고, 사회적으로는 구성원 간의 신뢰를 떨어뜨리고 혼란을 야기할 수 있다.

그렇다면 가짜 뉴스 문제를 해결하는 방법은 무엇일까? 사회적 차원에서는 기술적 대응 방안을 마련해야 한다. 예컨대 가짜 뉴스 여부를 자동으로 확인할 수 있는 프로그램을 개발하여 가짜 뉴스를 차단하는 것이다. 개인적 차원에서는 뉴스를 접할 때 아무 의심 없이 정보를 수용하기보다는 신중하고 비판적인 태도로 정보의 신뢰성을 따지는 태도를 가지는 것이다.

기술적 대응 방안의 예 / 개인적 차원에서 가짜 뉴스에 대응하는 방법

기술적 대응 방안	가짜 뉴스의 영향력	신중하고 비판적인 태도

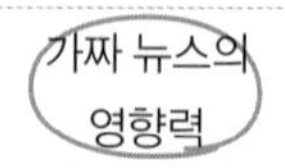

➡ 밑줄 친 부분의 답이 되는 정보를 사회적 차원, 개인적 차원으로 구분하여 제시하고 있다. 가짜 뉴스에 대응하는 방안과 관련이 없는 '가짜 뉴스의 영향력'은 핵심 정보와 거리가 멀다.

원리 04 중심 내용 찾으며 읽기

바로 확인 1

본문 30쪽

인간이 스스로 삶을 이끌어 나가기 위해서는 일을 해야 한다. 그렇다면 일이란 무엇일까? [1] '일'은 인간이 의식주를 비롯한 욕구를 충족하기 위해 신체나 도구를 이용하여 자연이나 환경을 쓸모 있게 변형하는 활동을 뜻한다. [2] 농사를 짓는 행위, 옷을 만드는 행위, 집과 도로를 건설하는 행위, 다른 나라와 교역을 하는 행위 등이 모두 일에 해당한다.

✔① 일의 뜻을 정의하는 [1]
② 일의 구체적인 사례를 보여 주는 [2]

➡ [1]은 윗글의 화제인 '일'의 뜻을 정의하고 있고, [2]는 [1]의 내용을 쉽게 이해할 수 있게 사례를 제시하고 있다. 사례 또는 예시는 중요도가 낮은 세부 내용이므로 중심 내용으로 적절한 것은 [1]이다.

바로 확인 2

본문 31쪽

㉠불은 인류의 삶에 획기적인 변화를 가져왔다. 인간은 불을 사용하면서 추위와 맹수의 위협에서 벗어날 수 있었다. 어두운 밤을 밝혀 생산 활동을 지속하게 된 것도, 음식을 익혀 먹어 건강한 삶을 살게 된 것도 불 덕분이다. 또한 인간이 쇠붙이를 녹여 가공하고 새로운 도구를 만들 수 있게 된 것도 모두 불이라는 강력한 도구가 있었기 때문이다.

① 인간이 불을 사용하면서 생긴 변화를 구체적으로 밝히고 있어서
✔② 인간이 불을 사용하게 된 일의 의의를 종합적으로 평가하고 있어서

➡ 윗글은 '불의 사용'에 대해 설명하고 있다. ㉠에서 인간이 불을 사용하게 된 일의 의의를 평가한 다음, ㉠의 뒤에서 불을 사용하면서 생긴 변화를 구체적으로 나열하고 있으므로 ㉠이 문단 전체를 아우를 수 있는 중요한 내용이다.

바로 확인 3 본문 32쪽

'부패'란 개인이나 집단이 도덕적으로나 정신적으로 잘못된 길로 빠져 있음을 뜻하는 말이다. ~~영어에서 '부패(corruption)'라는 단어가 '함께 파멸하다'라는 뜻인 것에서 알 수 있듯이,~~ 부패가 심한 사회는 유지되기가 어렵다. ~~마치 몸에 심각한 질병이 있으면 사람이 생명을 유지하기 어려운 것처럼 말이다.~~ 정의롭고 건강한 사회를 구현하려면 사회의 부패를 막는 장치를 마련해야 한다.

➡ 윗글에서는 '부패'의 뜻을 설명한 뒤, 정의 사회 구현을 위해서는 부패를 막는 장치가 필요하다고 주장하고 있다. 글쓴이가 설명하고자 하는 것과 주장하는 바를 고려할 때, 첫 번째 문장과 마지막 문장은 중요도가 높은 핵심 정보로 선택할 수 있다. 반면 '부패(corruption)'라는 영어 단어의 뜻을 구체적으로 설명하는 부분은 중심 내용에 덧붙는 부가적인 내용이므로 삭제할 수 있다. 이해를 돕기 위해 빗대어 보충하는 부분도 부가적인 내용이므로 '마치 ~ 것처럼 말이다'도 삭제할 수 있다.

바로 확인 4 본문 33쪽

금강석은 가공하여 사파이어, 다이아몬드와 같은 보석으로 이용하고, 석영은 유리를 만드는 데 사용한다. 자철석이나 적철석에서 뽑아낸 철과 황동석에서 뽑아낸 구리도 우리 주변에서 다양한 용도로 쓰이고 있다.

➡ [요약] 다양한 ( )들이 우리 생활 곳곳에서 ( ) 쓰이고 있다.

✔① 광물 – 유용하게 ② 자원 – 충분하게 ③ 도구 – 해롭게

➡ '금강석', '석영', '자철석', '적철석', '황동석'을 포괄하는 말은 '광물'이다. 가공된 광물이 우리 생활 곳곳에서 다양한 용도로 쓸모 있게 쓰이고 있으므로, 이를 '유용하게' 쓰이고 있다고 바꿔 표현할 수 있다.

연습 문제 중요도를 고려해 중심 문장 찾기 (1) 본문 34~35쪽

1

[1] 우리는 일상 생활에서 바람직하지 않은 행동을 하는 사람을 보았을 때, "저 사람은 정말 비인간적인 사람이군."이라고 말한다. [2] 반대로, 선한 행동을 하는 사람에게는 "저 사람은 정말 인간적인 사람이군."이라고 말한다. [3] 우리는 이미 우리도 모르는 사이에 '도덕적인 관점'을 가진 채로 '인간다움'(중심 화제)이 무엇인지를 판단하고 있는 것이다.(중심 문장)

(1) [1], [2]는 인간적인 사람과 비인간적인 사람을 판단한 사례를 제시하고 있다. (O)
(2) [3]은 '인간다움'의 뜻을 정의하고 있다. (X)
(3) [1], [2]는 서로 대등한 관계이므로 중요도가 같다. (O)
(4) [3]은 [1], [2]를 바탕으로 하여 사람들이 어떤 관점으로 '인간다움'을 판단하는지 정리하고 있으므로 중요도가 높다. (O)

➡ (2) [3]은 '인간다움'의 뜻을 따로 정의하지 않고, 앞의 내용을 바탕으로 하여 사람들이 어떤 관점으로 '인간다움'을 판단하는지 정리하고 있다.

2

[1] 환경을 오염시키는 것은 순식간이지만 오염된 환경을 되살리는 데는 수십, 수백 배의 시간과 노력이 든다. [2] 예를 들어, 어린나무 한 그루가 아름드리나무로 성장하는 데는 약 30년에서 50년이 걸린다고 한다. [3] 또, 우유 한 컵으로 오염된 물을 물고기가 살 수 있는 깨끗한 물로 만들려면 우유 한 컵의 약 2만 배의 물이 필요하다. [4] 이는 자연이 자정 능력을 넘어설 정도로 심각한 환경 오염(중심 화제)은 감당하지 못하기 때문이다. [5] 자연이 아예 회복 불가능한 상태가 되지 않게 이제부터라도 환경 오염을 줄여야 한다.(중심 문장)

(1) [1]은 [2]의 내용을 포괄하고 있으므로 [2]보다 중요도가 높다. (O)
(2) [2]와 [3]은 구체적인 사례를 제시한 문장으로, 문장의 중요도는 같다. (O)
(3) [4]는 문제 상황의 원인을 제시하고 있으므로 중요도가 가장 높다. (X)
(4) [5]는 [1]~[4]를 바탕으로 하여 글쓴이의 주장을 분명하게 드러내고 있으므로 윗글에서 중요도가 가장 높다. (O)

➡ (3) 문제 상황의 원인을 제시하고 있는 [4]보다 [1]~[4]의 내용을 바탕으로 하여 글쓴이가 말하고자 하는 바를 압축적으로 드러내고 있는 [5]의 중요도가 더 높다.

3

1 동아시아, 동남아시아 등 강수량이 많아 벼농사를 짓는 지역에서는 음식의 주재료로 쌀을 사용하는 음식 문화(중심 화제)가 발달했다. 2 반대로 유럽과 같이 강수량이 적어 밀농사를 짓는 지역에서는 음식의 주재료로 밀을 사용하는 음식 문화가 발달했다. 3 즉, 지역의 음식 문화는 자연 환경의 영향을 받는 것이다.(중심 문장) 4 아마도 강수량이 너무 적어서 곡물 재배가 어려운 사막, 극지방 같은 지역이라면, 쌀이나 밀을 재료로 사용하는 것과는 다른 음식 문화가 발달했을 것이다.

(1) 1, 2는 강수량에 따라 음식 문화가 지역별로 차이가 있음을 설명하고 있다. (O)

(2) 3은 1, 2를 바탕으로 하여 음식 문화와 자연환경의 관계를 정리하고 있다. (O)

(3) 4는 글의 주제를 직접적으로 드러내므로 중요도가 가장 높다. (X)

(4) 1, 2, 4는 세부적인 내용을 담고 있으므로 중요도가 낮고, 3은 가장 포괄적인 내용을 담고 있으므로 중요도가 높다. (O)

➡ (3) 4는 3에 추측을 덧붙이는 내용으로 글의 주제를 직접적으로 드러내지 않는다. 구체적인 사례를 바탕으로 하여 음식 문화와 자연환경의 관계를 정리하고 있는 3의 중요도가 더 높다.

4

1 '스티로폼 A'에는 리모넨 오일이 함유된 과일즙을 떨어뜨리고, '스티로폼 B'에는 촛불을 갖다 내는 실험을 진행했다. 2 관찰 결과, '스티로폼 B'는 녹으면서 많은 그을음이 발생했다. 3 하지만 리모넨 오일이 함유된 과일즙을 떨어뜨린 '스티로폼 A'에는 오염 물질이 발생하지 않고 스티로폼만 깨끗하게 녹았다. 4 실험을 통해, 리모넨 오일이 함유된 과일즙을 활용해 스티로폼을 분해하는 방식(중심 화제)은 친환경적 방식으로 활용될 수 있음을 확인할 수 있다.(중심 문장)

(1) 1, 2, 3은 실험의 과정과 결과를 구체적으로 설명하고 있다. (O)

(2) 2, 3은 관찰 결과를 정리하고 있으므로 1보다 중요도가 낮다. (X)

(3) 3은 실험의 의의와 더 직접적으로 연관되므로 2보다 중요도가 더 높다. (O)

(4) 4는 실험의 의의를 정리하고 있으므로 중요도가 가장 높다. (O)

➡ (2) 1에서는 실험의 조건을, 2와 3에서는 실험의 결과를 언급하고 있다. 2와 3은 1의 내용을 포함하여 관찰 결과라는 정보를 더하고 있으므로 1보다 중요도가 높다.

연습 문제 중요도를 고려해 중심 문장 찾기 (2)

본문 36쪽

1

1 지구를 둘러싼 대기(중심 화제)는 어떤 역할을 할까? 2 대기는 지구의 기온을 일정하게 유지해 생명체들의 생명 활동을 가능하게 해 준다.(중심 문장) 3 현재 지구의 평균 기온은 약 15℃이다. 4 하지만 대기가 사라진다면, 대기에 의한 온실 효과가 줄어들면서 지구의 평균 기온은 -18℃까지 내려가게 된다. 5 결국 인간은 물론 동식물들도 생존하기 어려운 극한의 환경이 되는 것이다.

▶ 윗글에서 가장 중요한 문장은 2이다.

➡ 1에서 글의 화제를 제시하고, 2에서 그 답을 밝히며 대기의 역할을 설명한 다음, 3~5에서 구체적인 상황을 가정하여 2의 내용을 뒷받침하고 있으므로, 2가 가장 중요한 문장이다.

2

1 '적극적 국가관'(중심 화제)은, 국가가 국민의 인간다운 삶을 위해 개인의 생활에 적극적으로 개입해야 한다는 관점이다. 2 이 관점은, 국가가 개인의 삶에 개입하면, 개인의 자유와 권리를 제약하지 않고 오히려 더욱 증진한다고 본다.(중심 문장) 3 수술비를 마련하기 어려운 사람에게 국가가 적극적으로 의료 혜택을 제공하여 인간답게 살 권리를 보장해 주는 것을 보면 알 수 있다.

▶ 윗글에서 가장 중요한 문장은 2이다.

➡ 1에서 소개한 '적극적 국가관'의 개념을 바탕으로 하여 2에서 '적극적 국가관'의 효과를 설명하고 있고, 3에서 구체적인 예시로 이를 뒷받침하고 있으므로 2가 가장 중요한 문장이다.

연습 문제 중심 내용 요약하며 읽기 본문 37~39쪽

1

[1] 대화를 할 때 인간의 얼굴 표정은 다른 포유류와 어떻게 다를까? [2] 인간, 침팬지, 여우는 모두 동료들과 소통할 때 얼굴의 표정 변화가 나타난다. [3] 하지만 인간의 얼굴 표정은 훨씬 다양하고 섬세하다. [4] 인간은 여우나 침팬지와 달리, 대화를 나누면서 여러 가지 표정을 순식간에 만들어 말의 의미를 보강하기 때문이다. [5] 「예를 들어, 실눈을 뜨면서 이마를 살짝 찌푸리는 표정은 이해하지 못해 혼란한 상태임을 나타낸다.」 [6] 「또 입술이 벌어진 상태에서 입꼬리를 살짝 위로 올려서 행복함이나 즐거움을 나타내는 반면, 입술을 꽉 다물어서 상대에 대한 불신을 나타내기도 한다.」 [7] 인간이 짓는 다양한 얼굴 표정은, 말을 주고받는 행위의 뒤에서 그림자처럼 따라다니며 대화 내용과 관련된 또 다른 의미나 감정 상태를 정교하게 표현하는 역할을 하는 것이다.

(중심 화제 / 인간이 짓는 표정의 특징 / 인간이 짓는 표정의 기능 / 「 」: 인간의 표정이 말의 의미를 보강하는 사례 ① / 「 」: 인간의 표정이 말의 의미를 보강하는 사례 ②)

(1) 중심 화제: (인간의 얼굴) 표정

➡ 동물과 비교했을 때 '인간의 얼굴 표정'이 훨씬 다양하고 섬세한데, 그 까닭이 표정으로 말의 의미를 보강하기 때문이라고 설명하며 예시를 덧붙이는 글이므로 윗글의 중심 화제는 '인간의 얼굴 표정'이다.

(2) ① [1]의 질문에 대한 답이 [3], [4]에 있으므로, [3], [4]는 [2]보다 중요도가 더 높다. (○)

➡ [2]는 '침팬지', '여우'를 언급하며 [1]의 내용을 보충하는 문장이다. [3], [4]는 [1]의 질문에 대한 답을 제시하고 있으므로 [2]보다 [3], [4]의 중요도가 더 높다.

② [5], [6]은 예를 들어 [3], [4]의 내용을 구체화하고 있으므로 [3], [4]보다 중요도가 낮다. (○)

➡ [5], [6]과 같이 구체적인 예를 제시하는 문장은 뒷받침 문장이다. [3], [4]는 [1]의 질문에 대한 답을 담은 핵심 내용이므로 [5], [6]은 [3], [4]보다 중요도가 낮다.

(3) '삭제하기'를 할 수 있는 문장 2개: [5], [6]

➡ 구체적인 예시를 덧붙이는 문장인 [5], [6]은 비교적 중요도가 낮은 문장이므로 삭제할 수 있다.

(4)

인간은 [표][정]으로 [말]의 의미를 보강하기 때문에 다른 [포][유][류]보다 표정이 다양하고 섬세하다.

2

가 2050년에 세계 인구는 90억 명을 넘을 것이고, 그에 따라 식량 생산량도 늘어나야 한다. 하지만 식량 생산량을 늘리는 것은 쉽지 않다. 그래서 유엔 식량 농업 기구는 식용 곤충을 유망한 미래 식량으로 꼽고 있다.

(중심 화제) ▶ 식량 생산량이 부족해질 위기에 처한 세계 인구

나 우선 식용 곤충은 매우 경제적인 식재료이다. 「누에는 태어난 지 20일 만에 몸무게가 1,000배나 늘어나고, 큰메뚜기의 경우에는 하루 만에 몸집이 2배 이상 커질 수 있다.」 이처럼 곤충은 성장 속도가 놀랍도록 빠르다. 또한 식용 곤충을 키우는 데 필요한 토지는 가축 사육에 비해 상대적으로 훨씬 적으며 필요한 노동력과 사료도 크게 절감된다.

(「 」: 성장 속도가 빠른 식용 곤충의 사례 / 식용 곤충이 경제적인 식재료인 까닭 ① / 식용 곤충이 경제적인 식재료인 까닭 ②) ▶ 식용 곤충의 장점 ①

다 또 식용 곤충은 영양이 매우 풍부하다. 「식용 곤충의 단백질 비율은 쇠고기, 생선과 유사하고 오메가 3의 비율은 쇠고기, 돼지고기보다 높다. 또한 리놀레산, 키토산, 각종 미네랄과 비타민까지 골고루 함유하고 있다.」

(「 」: 식용 곤충이 함유한 영양 성분) ▶ 식용 곤충의 장점 ②

라 또한 식용 곤충 사육은 친환경적이다. ㉠소, 돼지, 닭, 오리 등을 사육할 때는 비료, 분뇨 등에서 발생하는 온실가스가 지구 전체 온실 가스 발생량의 18% 이상을 차지한다. 반면 갈색거저리 애벌레, 귀뚜라미 등의 곤충을 사육할 때 발생하는 온실 가스는 약 100배 정도 적다.

(식용 곤충이 친환경적인 까닭) ▶ 식용 곤충의 장점 ③

마 이처럼 식용 곤충은 성장 속도가 빠르고 비용도 적게 들며, 각종 영양분도 충분할 뿐 아니라, 온실 가스도 적게 발생한다. 그래서 식량을 충분히 늘리지 못하는 인류가 주목하고 있는 식량 자원이다.

(식용 곤충의 가치) ▶ 미래 식량 자원의 새로운 대안인 식용 곤충

(1) 중심 화제: 식용 곤충

➡ 세계 인구가 늘고 있으나 식량 생산량을 늘리는 것은 쉽지 않다는 문제 상황을 언급하고, 그에 대한 답으로 식용 곤충을 제시한 다음 식용 곤충의 장점을 밝히는 글이므로 중심 화제는 '식용 곤충'이다.

(2) (가)~(라)의 각 문단에서 중요도가 가장 높은 문장: (가) 세 번째 문장, (나)~(라) 첫 번째 문장

➡ (가)는 문제 상황을 제시하고 그 대안으로 식용 곤충을 언급하고 있다. 따라서 문제 상황의 답을 제시한 세 번째 문장의 중요도가 가장 높다.

한편 (나)~(라)는 모두 식용 곤충의 장점을 밝힌 다음, 구체적인 예시를 들어 뒷받침하고 있다. 따라서 구체적인 예시를 언급하기에 앞서 식용 곤충의 장점을 밝힌 (나)~(라)의 첫 번째 문장이 각 문단에서 중요도가 가장 높다.

(3) ㉠을 포괄할 수 있는 알맞은 상위어: 가축

➡ '소, 돼지, 닭, 오리'를 포괄하는 단어는 '집에서 기르는 짐승'을 이르는 말인 '가축'이다.

(4)

식용 곤충은 경제적이고, 영양이 풍부하며, 친환경적이어서 미래의 식량 자원으로 주목받고 있다.

3

가 ㉠ 인류는 오래전부터 자연에서 영감을 얻고 이를 모방해 왔다. 비행기는 새의 모양과 비행 기술을 연구한 결과이고, 카메라 렌즈는 사람의 눈을 모방하여 만든 것이다. ㉡ 이처럼 생명체가 가지고 있는 물질, 구조, 기능, 행동 등을 연구하여 이를 적용하는 기술을 '생체 모방 기술'이라고 한다.

중심 화제

▶ 생체 모방 기술의 뜻

나 연잎에 비가 내리면 물방울이 스며들지 않고 잎 표면에 맺힌다. 이는 육안으로는 확인할 수 없는, 연잎 표면의 미세 돌기 때문이다. ㉢ 연잎의 이러한 특성을 모방한 하나의 예로 기능성 의류를 들 수 있다. 의류를 만들 때 연잎의 표면과 유사한 구조가 되도록 옷감을 처리하면, 음식이 묻어도 쉽게 더러워지지 않고 비를 맞아도 잘 젖지 않는다.

연잎에 물방울이 스며들지 않는 이유

▶ 생체 모방 기술의 사례 ①

다 홍합은 바닷물 속에서도 표면이 거친 바위에 잘 붙어 있는다. 이는 「홍합의 '족사'에 있는 특수한 단백질」 때문이다. 족사의 접착 단백질은 질기고 탄성이 뛰어나 천연 접착제로 활용될 수 있다. 홍합에서 접착 단백질을 추출하여 여기에 접착력과 유연성 등을 강화하는 과정을 거치면 의료용 접착제로 만들 수 있다.

「 」: 홍합이 거친 바위에 잘 붙어 있는 이유

▶ 생체 모방 기술의 사례 ②

라 생명체를 모방해 인간의 삶에 적용하려는 생체 모방 기술은 다양한 분야에서 시도되고 있다. 자연에 적응하며 살아온 생명체의 원리와 장점을 연구하는 생체 모방 기술은 인류의 삶의 질을 높이는 데 기여할 것이다.

생체 모방 기술의 전망에 대한 긍정적 시각이 나타남.

▶ 생체 모방 기술의 전망

(1) 중심 화제: 생체 모방 기술

➡ 생체 모방 기술의 뜻을 밝히고 구체적인 사례를 제시한 뒤, 생체 모방 기술의 전망을 소개하는 글이므로 중심 화제는 '생체 모방 기술'이다.

(2) ① 중심 화제를 고려할 때 ㉠보다는 ㉡의 중요도가 높다. (O)

➡ ㉠의 사례를 바탕으로 하여 ㉡에서 글의 중심 화제인 '생체 모방 기술'의 뜻을 밝히고 있으므로 ㉡의 중요도가 더 높다.

② ㉢은 생체 모방 기술의 사례로 ㉡을 뒷받침하므로 ㉡보다 중요도가 낮다. (O)

➡ ㉢은 구체적인 사례를 활용하여, 중심 화제의 뜻을 밝히고 있는 문장인 ㉡을 풀어 설명하고 있으므로 ㉢의 중요도가 더 낮다.

(3) ① (가), (나), (다)에 소개된 사례들의 차이점을 일반화하여 요약했구나.

② (나), (다)에서 부가적인 설명은 삭제하고 핵심만 선택해서 요약했구나.

③ (라)에서 중복되는 내용을 삭제하고 문장을 연결해서 요약했구나.

➡ 윗글은 생체 모방 기술의 개별적인 사례를 소개하며 이들이 모두 인간의 삶에 유용하게 활용되고 있음을 밝히고 있다. 개별 사례의 차이점이 아니라 공통점에 주목해 일반화하고 있으므로 ①은 적절하지 않은 반응이다.

원리 05 내용 추론하며 읽기

바로 확인 1 본문 40쪽

(1) 건조한 날씨에는 산불이 자주 발생한다.

① 산불은 대기를 건조하게 만든다.
② 대기의 습도는 산불 발생과 관련이 깊다. ✔

➡ 건조한 날씨에는 산불이 자주 발생한다고 하였으므로, 대기가 습한 정도와 산불 발생이 서로 관련 있음을 추론할 수 있다.

(2) 자신의 신체 발달 수준을 고려해 적합한 운동을 선택해야 한다.

① 신체 발달 수준은 사람마다 다르다. ✔
② 운동을 하려면 신체 발달 수준이 높아야 한다.

➡ 제시된 문장을 통해 사람마다 신체 발달 수준이 다를 수 있다는 점, 따라서 그에 따라 적합한 운동이 다를 수 있다는 점을 추론할 수 있다.

바로 확인 2 본문 41쪽

(1) 우리나라의 전통 건축물은 자연과 조화를 이루고 있다.

전통 건축물이 자연과의 조화를 강조했다는 것으로 볼 때, 조상들은 자연을 (가까이하려고 (○), 멀리하려고) 했다.

➡ '조화'는 '서로 잘 어울림'을 뜻하므로 조상들이 자연을 가까이하려고 했음을 추론할 수 있다.

(2) 수원 화성은 정조 임금이 직접 엄격하게 고른 자리에 지어졌다.

정조 임금이 신하에게 시키지 않고 직접 자리를 골랐다는 것으로 볼 때, 정조는 수원 화성을 짓는 일을 (하찮게, 중요하게 (○)) 여겼다.

➡ '엄격하다'는 '태도 등이 매우 엄하고 철저하다'라는 뜻이므로, 정조 임금이 수원 화성을 지을 곳을 엄하고 철저한 태도로 고른 이유는 그가 수원 화성을 짓는 일을 중요하게 여겼기 때문임을 추론할 수 있다.

연습 문제 드러나지 않은 내용 추론하기 (1) 본문 42쪽

1 ㉠저출생에 관한 정책의 실패가 계속되면서, 향후 우리나라의 전체 인구에서 노인 인구가 차지하는 비율이 더욱 가파르게 상승할 것으로 보인다.

출산율이 증가함.	혼인율이 증가함.
고령층 인구가 감소함.	저연령층 인구가 감소함. (○)

➡ 저출생 관련 정책은 출산율을 높이는 정책인데, 이것이 실패로 돌아가면서 출산율이 높아지지 않고 저연령층 인구가 더 감소하게 될 것임을 추측할 수 있다. 또한 앞으로 전체 인구에서 고령층 인구의 비율은 더 증가할 것임을 추론할 수 있다.

2 어떤 상품의 가격이 오르면 소비자는 그 대신에 다른 상품을 구입한다. 이처럼 시장에서 소비자에게 ㉠신호등 역할을 해 주는 것이 바로 가격이다.

소비자에게 혼란을 줌.	소비자가 손해를 보게 함.
소비의 판단 기준이 됨. (○)	소비에 영향을 주지 않음.

➡ 사람들이 신호등을 보고 길을 건너도 되는지를 판단하듯이, 소비자는 상품의 가격을 보고 그것을 기준 삼아 상품을 구입할지 여부를 판단함을 추론할 수 있다.

3 역사서에는 수많은 나라와 민족이 발전하고 쇠퇴하는 과정이 기록되어 있다. 그래서 우리는 ㉠ 역사라는 거울을 들여다보면서 미래에 대한 답을 구할 수 있다.

역사의 가치를 부정하면서	우리나라의 역사를 기록하면서
우리나라의 미래를 그려 보면서	발전과 쇠퇴의 과정을 되새겨 보면서 (○)

➡ 역사서에 수많은 나라와 민족이 발전하고 쇠퇴하는 과정이 기록되어 있다고 하였다. 거울을 보고 모습을 비춰 보듯이, 역사를 보면서 우리가 어떻게 쇠퇴하지 않고 발전할 수 있을지 되새기며 역사를 통해 미래에 대한 답을 구할 수 있음을 추론할 수 있다.

연습 문제 드러나지 않은 내용 추론하기 (2) 본문 43쪽

1

자외선 차단제는 여름에만 필요하다고 생각할 수 있지만, 이는 잘못된 상식이다. 덥지 않은 봄, 심지어 추운 겨울에도 햇볕을 오래 쬐면 피부가 상할 수 있다.

① 기온이 낮으면 자외선이 더 세다.
② 피부가 타는 것은 자외선 때문이 아니다.
✔③ 계절에 상관없이 햇볕을 오래 쬐면 자외선 때문에 피부가 상한다.

➡ 윗글을 통해 여름뿐만 아니라 봄, 겨울에도 햇볕을 오래 쬐면 피부가 상하고, 이를 막기 위해 자외선 차단제를 발라야 하는 점을 알 수 있다. 이를 근거로 계절에 상관없이 햇볕을 오래 쬐어 자외선에 노출되면 피부가 상한다는 것을 추론할 수 있다.

2

돈, 직업, 사회적 지위가 행복의 조건 같지만 인간은 자기보다 더 돈이 많거나 사회적 지위가 높은 사람들을 보면 이들과 끊임없이 비교하면서 불행을 느낀다.

✔① 돈은 절대적인 행복의 조건이 아니다.
② 남들이 좋다고 평가하는 직업을 가지면 행복해질 수 있다.
③ 높은 사회적 지위를 추구할수록 더 큰 행복을 느낄 수 있다.

➡ '절대적'은 비교하거나 상대될 만한 것이 없는 것을 뜻한다. 인간은 자기보다 돈이 더 많거나, 더 나은 위치의 사람들과 비교하면서 불행을 느낀다고 하였으므로, 돈이 많다고 하여서 무조건 행복해질 수 있는 것은 아님을 알 수 있다. 이를 통해 돈이 절대적인 행복의 조건이 아님을 추론할 수 있다.

3

야생에서는 약한 동물이 잡아먹히거나, 굶어 죽는 일이 많다. 동물원이 동물의 자유를 구속하지만, 이것이 동물원 밖의 생존 위협보다 더 심각한 문제라고 보기는 어렵다.

① 동물원에는 약한 동물이 없다.
② 강한 동물은 동물원에서 자유를 누린다.
✔③ 동물원의 환경과 야생의 환경은 서로 다르다.

➡ 윗글을 통해 야생은 동물들이 생존의 위협을 받는 공간이지만, 동물원은 그렇지 않은 공간임을 추론할 수 있다.

4

우리는 일상생활에서 양심의 기능을 쉽게 확인할 수 있다. 예를 들어, 뻔뻔하게 거짓말을 하는 사람에게 우리는 "양심의 소리를 들어 보아라."라고 한다. 그런가 하면 자신이 저지른 잘못을 후회할 때 "양심의 가책을 받는다."라고 한다.

① 양심은 우리가 거짓말하는 것을 허용하지 않는다.
② 양심의 소리는 잘못을 저지른 사람만 들을 수 있다.
✔③ 양심은 우리에게 올바른 행위를 하라고 요구하는 내면의 소리이다.

➡ 거짓말한 사람에게 양심의 소리를 들으라고 말하거나, 잘못을 저지른 후 후회할 때 양심의 가책을 받는 이유는 양심이 우리의 행동에 대하여 옳고 그름과 선과 악의 판단을 내리는 도덕적 기준으로 작용하기 때문이다. 즉, 양심은 올바른 행위를 하라고 요구하는 우리 내면의 소리라고 할 수 있다.

연습 문제 빈칸에 들어갈 내용 추론하기 본문 44~45쪽

1

인간은 욕구를 조절해야 한다. 왜냐하면 [　　　　]. 그래서 나의 욕구를 충족하기 위해 한 행위가, 「다른 사람이 그의 욕구를 채우기 위해 한 행위와 충돌하는 경우가 생기고, 서로의 이익이나 권리를 침해하기도 한다.」

「 」: 욕구 충족의 결과

① 인간은 동물과 달리 욕구를 조절할 수 있기 때문이다
✔② 인간은 누구나 자신의 욕구를 채우고 싶어 하기 때문이다
③ 인간은 욕구를 억누르며 살아가는 사회적 존재이기 때문이다

➡ 빈칸의 뒤에서 사람들이 자신의 욕구를 충족하려다가 서로의 이익이나 권리를 침해할 수 있다고 하였다. 빈칸 뒤에 이어지는 내용이 사람들이 욕구를 충족하려다가 나타날 수 있는 부정적인 결과에 관한 것이므로, 빈칸에는 그 원인인 ②가 제시되는 것이 자연스럽다.

2

자동차가 보급되면서 인간의 삶은 편리해졌다. 하지만 교통사고로 발생하는 인명 피해가 늘어났으며 자동차가 배출하는 배기가스는 대기를 오염시켰다. 한편 언제 어디서든 원하는 정보를 찾을 수 있게 우리에게 광활한 정보의 바다를 열어 준 인터넷은, [　　　　]. 이처럼 과학의 산물은 편리함과 함께 또 다른 부작용과 폐해를 낳고 있다.

(자동차 보급의 장점 / 자동차 보급의 단점 ① / 자동차 보급의 단점 ② / 인터넷의 장점)

① 전통적인 의사소통 방식에 큰 변화를 주었다
② 기존에 없었던 새로운 형태의 소통 창구가 되고 있다
③ 왜곡되거나 가치가 없는 정보들을 대량으로 만들어 내고 있다

➡ 빈칸 뒤에 이어지는 결론에서 과학은 편리함과 함께 부작용과 폐해가 있음을 밝혔다. 따라서 앞부분에서 자동차의 장점과 단점을 나란히 제시한 것처럼, 인터넷과 관련해서도 이와 같이 서술할 것으로 추측할 수 있다. 빈칸의 바로 앞에서 인터넷의 편리함을 설명하고 있으므로 빈칸에는 인터넷의 부작용과 관련된 내용인 ③이 들어가는 것이 자연스럽다.

3

발달 초기에 성장 호르몬이 분비되면서 성장판을 자극한다. 그러면 성장판의 연골 세포가 분열하면서 크고 두꺼워지고 그 과정에서 뼈의 크기가 커진다. 그러다가 청소년기에 과다한 용량의 성호르몬이 분비되면 성장판이 닫히기 시작하여 뼈의 성장 속도도 줄어든다. 이처럼 [ ].

성장 호르몬 분비의 결과 ①
성장 호르몬 분비의 결과 ②
성호르몬 분비의 결과

① 성장 호르몬은 성호르몬의 분비를 촉진한다
② 성장 호르몬과 성호르몬은 몸의 성장을 함께 돕는다
③ 과도한 성호르몬은 성장 호르몬의 효과를 감소시킨다

➡ 빈칸의 앞에서 성장 호르몬의 효과를 제시한 뒤, 성호르몬이 분비되면 성장판이 닫히고 뼈의 성장 속도가 줄어든다고 하였다. 성호르몬이 과도하게 분비되면 뼈를 성장시키는 성장 호르몬의 효과가 감소하는 결과가 나타난다는 내용이므로 빈칸에는 이를 압축해 설명하는 ③이 들어가는 것이 자연스럽다.

4

같은 수신호도 문화에 따라 다르게 해석할 수 있다.「상대에게 손등이 보이도록 들어 올린 V 표시는 독일에서는 승리를, 미국에서는 숫자 2를, 프랑스에서는 평화를 의미하지만, 호주에서는 심한 욕설을 뜻한다.」이처럼 [ ]. 따라서 대화 상대의 문화를 이해하고 원활한 소통이 이루어지도록 유의해야 한다.

「 」: 문화에 따라 수신호의 의미가 다른 예

① 문화가 서로 달라도 비슷하게 생각할 수 있다
② 수신호에도 문화에 따른 차이가 반영되어 있다
③ 더 우월한 문화와 더 열등한 문화가 따로 있는 것은 아니다

➡ 빈칸의 앞부분에는 같은 수신호를 문화에 따라 다르게 해석하는 예가 제시되어 있다. 빈칸 앞의 '이처럼'을 고려할 때, 빈칸에는 앞부분의 내용을 다시 한번 정리하는 표현이 들어가야 하므로 적절한 것은 ②이다.

5

마찰력은 두 물체의 접촉면에서 한 물체의 운동을 방해하는 힘으로, 일상에서도 쉽게 찾아볼 수 있다.「체조 선수들이 경기에 들어가기에 앞서 손에 횟가루를 묻히거나, 빙판길을 달리기 전 자동차 바퀴에 체인을 감는 것은 모두 마찰력을 크게 하기 위한 것이다. 이와 반대로 자전거 체인에 윤활유를 뿌리는 것은 마찰력을 작게 하기 위한 것이다.」이처럼 우리는 이미 일상에서 [ ].

「 」: 마찰력이 작용하는 사례

① 마찰력을 최소화하는 방법을 찾아내 활용하고 있다
② 마찰력을 크게도 하고, 작게도 하면서 마찰력을 활용하고 있다
③ 마찰력을 크게 만들어서 물체의 운동 방향을 바꾸는 데 활용하고 있다

➡ 빈칸의 앞에는 일상에서 마찰력이 작용하는 사례가 제시되어 있다. 빈칸 앞의 '이처럼'을 고려할 때, 빈칸에는 마찰력을 크게 하는 경우와 작게 하는 경우를 모두 포괄하는 결론이 들어가야 하므로 적절한 것은 ②이다.

6

다국적 기업은 여러 국가에서 경제 활동을 한다. 기업이 다른 국가로 진출하여 경제 활동을 할 때 언어, 문화 등의 차이로 어려움을 겪을 수 있다. 그럼에도 기업이 외국에서 경제 활동을 하는 이유는 더 많은 이익을 얻을 수 있기 때문이다. 다국적 청바지 기업의 생산 과정을 생각해 보자.「본사에서 제품 생산을 결정한 후에는 청바지를 디자인해야 한다. 디자인은 뛰어난 디자이너가 많고 관련 정보를 빠르게 수집할 수 있는 곳에서 이루어진다. 디자인이 결정되면 제품 생산에 필요한 원료를 원료 생산국에서 구매한다. 그 다음으로 임금이 저렴한 개발 도상국에서 청바지가 만들어진다.」이처럼 다국적 기업은 [ ].

다국적 기업이 겪는 어려움
다국적 기업의 장점
「 」: 다국적 기업이 제품을 생산하는 과정

① 개발 도상국에서 제품을 생산하지 않는 것이 유리하다
② 여러 국가에서 경제 활동을 하기 때문에 경제적 손해가 생길 수밖에 없다
③ 각각의 생산 과정에 유리한 환경을 제공하는 국가를 거치면서 제품을 생산한다

➡ 다국적 기업이 여러 국가에서 경제 활동을 하는 이유는 언어, 문화 등의 차이에도 불구하고 더 많은 이익이 있기 때문이라고 설명하고 있다. 이어 다국적 기업이 제품을 생산하는 과정을 예를 들어 설명하고 있다. 빈칸 앞의 '이처럼'을 고려할 때, 빈칸에는 다국적 기업이 여러 국가에서 경제 활동을 하는 이유를 구체적으로 밝히는 내용이 들어가는 것이 자연스러우므로 적절한 것은 ③이다.

독해 실전

인문 01 인공 지능이 대신할 수 없는 것

본문 48 ~ 51쪽

STEP 1 독해 기초 확인

지문 한눈에 보기

(가) 인공 지능은 무엇일까?

인간의 학습 능력, 추론 능력, 지각 능력 등을 컴퓨터가 모방하도록 하는 기술

(나) 인공 지능이 인간의 정신 활동을 완전히 대신할 수 있을까?

(다)-1 동양의 전통적 공부법

학생이 스스로 공부하다가 문제가 풀리지 않을 때 스승에게 질문을 함.

(다)-2 서양 철학의 기원

질문을 통해 사람들의 무지를 일깨우고 진리를 찾고자 노력하는 데서 시작함.

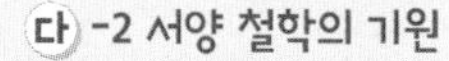

(라) 인공 지능이 대신할 수 없는 인간의 질문 능력

- 기존의 것에서 새로운 것을 알고자 함.
- 의심하고 비판하며 새로운 관점을 제기함.

(마) 질문 능력을 키우는 방법은?

책은 글쓴이가 스스로 질문하고 답을 찾는 과정을 담고 있음.
→ 책 읽기 경험이 쌓이면 질문을 던지는 힘이 길러짐.

지문 핵심 key

1 예시 답 인공 지능, 논어, 소크라테스의 변명, 질문 능력, 책 읽기 등
2 질문 능력 **3** (다)의 사례가 (라)의 주장을 뒷받침함. **4** 인간, 책 읽기

해제 이 글은 인공 지능이 인간의 정신 활동을 완전히 대신할 수 있는지 의문을 제기한 다음, 그 답으로 인간의 질문 능력은 대체할 수 없음을 밝히고 있다. 아울러 독서로 질문 능력을 기를 수 있다는 주장을 덧붙이고 있다.

주제 인공 지능이 대신할 수 없는 인간의 질문 능력과 질문 능력을 기르는 방법

STEP 2 독해 실력 확인

1 ④ **2** ① **3** ③

1 (나)에서 인공 지능이 사람의 일을 대체할 가능성이 커졌다고 언급하였다. 그러나 인공 지능이 대체할 직업이 무엇인지는 구체적으로 밝히고 있지 않다.

오답 풀이 ① (가)에서 인공 지능은 인간의 학습 능력, 추론 능력, 지각 능력 등을 컴퓨터가 모방하도록 하는 기술을 의미한다고 하였다.
② (마)에서 책 읽기로 질문 능력을 키울 수 있다고 하였다.
③ (다)에서 서양 철학의 시작은 질문을 통해 사람들의 무지를 일깨우고 진리를 찾고자 하는 노력에서 비롯되었다고 하였다.
⑤ (가)에서 심층 학습 기술의 발달로 인공 지능이 복잡한 문제까지 해결할 수 있게 되었다고 하였다.

2 윗글은 인공 지능이 인간의 모든 정신 활동을 대신할 수 있는지에 대한 의문에서 출발하여, 동서양의 역사를 예로 들어 인간의 질문 능력은 인공 지능이 대체할 수 없음을 답으로 제시하고 있다.

3 윗글에 따르면 인공 지능은 스스로 학습한 정보를 분류하고 판단하며 종합하는 단계에 이르렀다. 그러나 윗글의 (다)와 (라)에서 인간이 질문을 던지며 하는 일이라고 언급한 것들, 즉 반성하고 비판하고 의심하며 논박하는 일은 사람만이 갖춘 능력으로 적어도 현재로서는 인공 지능이 대체할 수 없다.

어휘

1 (1) 비롯되다 (2) 대체하다 (3) 제기하다 (4) 분류하다
2 (1) 의심 (2) 비판 (3) 사명 (4) 이치 (5) 반성적

인문 02 권력 언어의 탄생과 언어의 미래

본문 52 ~ 55쪽

STEP 1 독해 기초 확인

지문 한눈에 보기

가) 국제 언어가 된 영어의 위상은?
- 사용 인구가 많음.
- 국제기구의 [공][식] 언어임.
- 경제적 가치가 큼.

나) 영어가 힘이 센 언어가 된 까닭은?
- 역사 속 권력 언어: 고대 그리스어, 라틴어, 동양의 [한][자]
- 현대 기술과 문화를 미국이 주도하게 됨.

→ 문명을 주도하는 나라의 언어가 지배 언어가 됨.

다) 권력 언어가 된 영어는….
- 교육의 수준과 [정][보] 처리 능력을 평가하는 기준이 됨.
- 취직과 [승][진]을 할 때 중요한 조건이 됨.
- 학술 활동을 인정받기 위한 중요한 도구임.

라) 영어가 권력 언어로 굳어지면 어떻게 될까?
- 장점: 문화적 [교][류]가 쉽고 빨라짐.
- 문제점
  - 생각과 표현이 단순해질 수 있음.
  - 다양한 언어가 [소][멸]하고 있음.

지문 핵심 key

1 예시 답 영어, 국제 언어, 세계화, 권력 언어 등 **2** (권력 언어로서의) 영어 **3** (가)의 원인을 (나)에서 밝힘. **4** 예시 답 (영어는) 현대 기술과 문화를 미국이 주도함에 따라 권력 언어가 되었지만, 영어가 널리 쓰일수록 사람들의 생각과 표현이 단순해지고, 소수 집단의 다양한 언어가 사라질 위험이 있다.

해제 이 글은 영어가 국제 언어로서 어떤 위상을 가지는지 소개한 다음, 영어가 권력 언어가 된 원인과 그 결과를 분석하고 있다. 또한 권력 언어인 영어를 사용하는 것의 장점과 영어가 권력 언어로 굳어지며 생기는 문제점을 설명하고 있다.

주제 새로운 권력 언어가 된 영어

STEP 2 독해 실력 확인

1 ⑤　2 ⑤　3 ②

1 ㉠, ㉡, ㉢, ㉣은 모두 영어를 가리키는 말이다. 영어는 국제 언어이자 국제기구의 공식 언어이고, 미국의 기술과 문화를 전파하는 수단으로 사용되어 지배적인 언어이자 새로운 권력 언어가 되었다. 반면, ㉤은 영어가 권력 언어로 굳어지며 사라질 위험에 처한 소수 집단의 언어들을 가리킨다.

2 (라)에 따르면 이태원 상인들이 사용하는 영어는 단순한데, 이는 서로 다른 문화권의 사람들 모두가 이해하려면 가능한 한 쉬운 단어를 사용하여 간명하게 의사를 전해야 하기 때문이다. 만약 물건을 사고팔 때 쓰는 영어가 복잡하다면 그 말을 이해하기도 어려울 것이고, 따라서 거래도 쉽지 않을 것이다.

3 (라)에서 글쓴이는 영어처럼 지배력이 큰 언어를 제외하고 소수 집단의 다양한 언어들이 빠르게 소멸하고 있다고 하였다. 따라서 ⓐ와 같은 물음에 대해 글쓴이가 ②와 같이 답변할 것이라고 추측할 수 있다.

오답 풀이 영어와 영어식 사고가 지배하게 된다면, 영어가 가진 권력은 점차 늘고(①), 사람들의 생각이 단순해지며(③), 국제적 방송 매체에서 쓰이는 영어는 더 단순해질 것이고(④), 우리말에서 영어가 뿌리인 외래어의 비중이 커질 수 있다.(⑤)

어휘

1 (1) 소수　(2) 참석　(3) 평가　(4) 독점

2 (1) 모국어　(2) 외래어　(3) 문명　(4) 전파　(5) 교류

사회 03

몽골의 가옥, 게르

본문 56 ~ 59쪽

STEP 1 독해 기초 확인

지문 한눈에 보기

가 몽골의 가옥, 게르란?

- 기원: 몽골의 사냥꾼들이 사용했던 [이][동][식] 가옥 '어워휘'의 변형
- 제작 방식: 나무 뼈대에 가축의 [털]로 짠 천이나 가죽을 씌워 만듦. → 조립과 해체가 쉬움.

나 몽골의 기후는 몽골인들의 생활에 어떤 영향을 끼쳤을까?

- 여름: [비]가 집중적으로 내림.
- 겨울: 극심한 [추][위]가 찾아옴.

→ 계절에 따라 머무는 곳을 옮겨 다녀야 하는 [유][목][생][활]에 적합한 가옥인 '게르'

다 게르의 내부는 어떻게 생겼을까?

하나의 공간이지만, [다][섯] 개의 구역으로 나뉘어 있음.

라 자연 환경에 맞는 가옥을 짓고 사는 세계 각지의 사람들

예 • 열대 기후 – 땅에서 높이 띄워진 집
• 건조 기후 – [벽]이 두꺼운 집

지문 핵심 key

1 예시 답 게르, 몽골, 조드, 유목 생활, 주거 문화, 기후 등 2 게르
3 대상을 여러 부분으로 나누어 설명함. 4 해체, 가옥, 기후

해제 이 글은 유목 생활을 하는 몽골인들의 이동식 가옥인 게르를 소개하고, 몽골인들이 게르에서 살게 된 까닭이 몽골의 기후 환경과 관련이 있음을 설명하고 있다.

주제 몽골의 기후와 이동식 가옥의 관련성

STEP 2 독해 실력 확인

1 ④ 2 ⑤ 3 ②

1 (가)에서 몽골인들이 '게르'와 같은 이동식 가옥을 개발하게 된 이유가 몽골의 기후와 관련이 깊다는 것을 밝히며 글을 전개하고 있으며, (나)에서는 몽골의 기후와 게르와의 관련성을 상세하게 설명하고 있다.

2 (나)에 몽골의 유목민들이 낙타의 등에 해체한 게르를 싣고 이동하며 살아간다는 내용이 나와 있지만, 어릴 때부터 낙타를 타고 이동하는 것과 관련한 내용은 언급되어 있지 않다.

오답 풀이 ① (나)에서 겨울의 몽골은 추위가 극심하여 수많은 가축들이 목숨을 잃는다고 하였다.
② (가)에서 기원전 3000년경 몽골의 사냥꾼들이 이동식 가옥 '어워휘'를 만들었다고 하였다.
③ (다)에서 게르 내부의 남서쪽 공간에서 외부 손님을 대접한다고 하였다.
④ (가)에서 게르는 나무 뼈대에 가축의 털로 짠 천이나 가죽을 씌워 만든다고 하였다.

3 (다)에서 북동쪽(ⓑ)은 조상의 사진이나 종교적 상징물을 놓는 성스러운 공간이라고 하였다.

오답 풀이 ① 북서쪽(ⓐ)은 가족들이 머물며 거실처럼 이용하는 공간이다.
③ 중앙(ⓒ)은 난로를 놓는 공간이다.
④ 남서쪽(ⓓ)은 외부 손님을 대접하는 공간이다.
⑤ 남동쪽(ⓔ)은 취사도구와 식기류를 두고 식사 준비 등 집안일을 하는 공간이다.

1 (1) 습기 (2) 개발 (3) 유리 (4) 폭설
2 (1) 평원 (2) 정기적 (3) 정착 (4) 해체 (5) 조립

경제학과 합리적 선택

본문 60 ~ 63쪽

STEP 1 독해 기초 확인

지문 한눈에 보기

가) 영화관에서 표를 구입해서 영화를 보는 이유는?

- 일반적인 답변: 영화가 보고 싶어서
- 경제학에서의 답변: 표를 구입해서 영화를 볼 때 얻는 [편][익]과 비용을 비교하여 선택함.

나) 비용을 계산할 때 고려해야 할 것들

- 금전 비용: 지갑에서 실제로 빠져나가는 지출
- 기회비용: 한 가지를 [선][택]함으로써 포기해야 하는 다른 것 중 가장 아쉬운 것의 가치

다) 합리적 선택의 사례

경제적 행위로 얻는 편익과 [기][회][비][용]을 비교하여 편익이 큰 것을 선택함.

예 떡볶이를 먹을 때의 편익이 기회비용보다 큰 경우

↔

라) 비합리적 선택의 사례

회수할 수 없는 비용을 뜻하는 [매][몰][비][용]을 포기하지 못함.

예 매몰 비용인 연봉이 아까워 성적이 부진한 선수를 계속 경기에 출전시키는 경우

지문 핵심 key

1 예시 답 금전 비용, 기회비용, 합리적 선택, 매몰 비용 등 2 합리적 선택 3 개념을 구체적인 사례와 함께 설명함. 4 예시 답 (합리적 선택을 하려면) 기회비용보다 편익이 더 커야 하고, 매몰 비용 때문에 비합리적인 선택을 하지 않아야 한다.

해제 이 글은 경제학에서 말하는 합리적 선택을 하려면 알아야 하는 경제 개념들을 구체적인 사례를 들어 설명하고 있다.

주제 경제학에서 합리적 선택을 하는 방법

STEP 2 독해 실력 확인

1 ⑤ 2 ⑤ 3 ③

1 경제적 행위로 얻는 편익이 경제적 선택으로 포기한 것의 가치인 기회비용보다 커야 합리적 선택이다.

오답 풀이 ① (가)에서 소비자가 경제적 선택으로 잃는 것을 비용이라고 하였다.
② (나)에서 기회비용은 한 가지를 선택함으로써 포기해야 하는 다른 것 중 가장 아쉬운 것의 가치라고 하였다.
③, ④ (나)에 따르면, 지갑에서 실제로 빠져나가는 지출을 금전 비용이라고 하며, 비용을 계산할 때는 금전 비용뿐 아니라 눈에 보이지 않는 비용까지도 모두 고려해야 한다고 하였다.

2 합리적 선택은 편익이 기회비용보다 큰 경우이므로, 편익(떡볶이를 먹음으로써 얻는 만족감)이 기회비용(떡볶이를 안 먹었을 때의 만족감이나 다른 선택을 하여 얻는 만족감)보다 작다면 비합리적 선택을 한 것이다.

오답 풀이 ①, ② 떡볶이를 먹는다면 떡볶이값은 명시적 비용이다. 이때 전체 비용은 떡볶이값과 떡볶이를 먹지 않았을 때의 기회비용을 모두 포함하므로, 전체 비용에는 떡볶이값이 제외되지 않는다.
③ 매몰 비용은 이미 지불한 비용 가운데 다시 회수할 수 없는 비용이다. 따라서 지불하지 않은 비용인 떡볶이값은 매몰 비용이 아니다.
④ 떡볶이 대신 피자를 먹을 때의 금전 비용은 피자값이다.

3 B 사가 먼저 제품을 출시하여 시장에서 폭발적인 반응을 얻은 데다, A 사의 차가 B 사의 차보다 성능이 현저하게 떨어진다는 사실을 알게 되었다면 A 사는 투자를 중단하는 것이 합리적이다. 그러나 A 사는 앞서 투자한 비용인 매몰 비용이 아까워 포기하지 못하고 추가로 투자를 결정한 것이므로 비합리적 선택을 하였다고 볼 수 있다.

1 (1) 기여 (2) 부진 (3) 대가 (4) 소비자
2 (1) 회수 (2) 선택 (3) 제한적 (4) 출전 (5) 매몰

과학 05

기후 변화, 이제는 외면할 수 없다

본문 64 ~ 67쪽

STEP 1 독해 기초 확인

지문 한눈에 보기

(가) 급증하는 폭염 피해의 원인이 기후 변화라고?
- 태평양 북서부와 캐나다의 [폭][염] 피해 사례 급증
- 지구의 평균 [기][온]이 계속 상승한다면 살인적인 폭염이 지속적으로 발생할 수 있음.

↓

기후 변화의 심각성을 절박하게 인식할 필요성

(나) 기후 변화는 북극곰만의 문제일까?
대부분은 북극곰이 겪는 피해가 자신과 [무][관]하다고 생각할 것임.

→

(다) 실제로 기후 변화가 영향을 미치는 범위는?
기후 변화는 지구에 사는 모든 [생][명][체]의 생존 기반을 위협함.

↓

(라) 기후 변화를 막기 위한 대응책은?
- 글쓴이의 [주][장]: 이 위기는 북극곰뿐 아니라 지구에 사는 우리 모두의 문제임.
- 대응책: 개인의 생활 방식 변화, 국가 및 기업 차원에서의 [산][업] 구조 개선이 필요함.

지문 핵심 key

1 예시 답 폭염, 기후 변화, 평균 기온, 북극곰 등 **2** 기후 변화
3 (가)의 문제 상황에 대한 해결책을 (라)에서 제시함. **4** 생존 기반, 기후 변화, 대응

해제 이 글은 기후 변화 때문에 발생한 극심한 폭염 피해를 소개하며, 기후 변화가 우리 모두 관심을 가져야 하는 심각한 문제임을 주장하고 있다.

주제 기후 변화의 심각성

STEP 2 독해 실력 확인

1 ①	2 ②	3 ④

1 (가)에서 기후 변화로 발생한 피해가 급증하고 있음을 밝히고, (나)와 (다)에서 기후 변화가 북극곰에게만 피해를 주는 것이 아니라 지구에 사는 모든 생명체를 위협하고 있음을 근거로 들어, (라)에서 기후 변화가 우리 모두의 문제임을 주장하고 있다.

2 ㉠의 앞에는 많은 사람들이 기후 변화와 관련하여 북극곰을 떠올린다는 내용이, ㉠의 뒤에는 북극곰이 입는 피해를 알리는 것만으로 사람들의 마음을 움직일 수 있을지 의문을 제기하는 내용이 이어지고 있다. ㉠의 뒤에서는 앞에서 나온 내용과 다른 흐름으로 글이 전개되고 있으므로 ㉠에는 전환의 의미 관계를 나타내는 접속 표현 '그런데'가 들어가는 것이 적절하다.

오답 풀이 ① '또한'은 '거기에다가 더하여.'라는 뜻으로 내용을 덧붙이거나 보탤 때 쓰는 말이다.
③ '그래서'는 앞의 내용이 뒤의 내용의 원인이나 근거, 조건 등이 될 때 쓰는 말이다.
④ '그리고'는 앞의 내용에 이어 뒤의 내용을 단순히 나열할 때 쓰는 말이다.
⑤ '요약하면'은 글에서 중요한 것을 골라 짧게 말할 때 쓰는 말이다.

3 ㄱ은 (가), ㄴ은 (나), ㄷ은 (다)에 반영되어 있다.

오답 풀이 ㄹ. 윗글에서는 문제 상황과 관련해 전문가의 견해는 제시되어 있지만, 견해가 어떻게 바뀌었는지나, 이를 시간순으로 나열한 내용은 제시되어 있지 않다.

어휘

1 (1) 체온 (2) 초과 (3) 비극 (4) 급증
2 (1) 부족 (2) 한계 (3) 비관적 (4) 기성세대 (5) 기반

과학 06

만물을 쪼개면 무엇이 남을까

본문 68 ~ 71쪽

STEP 1 독해 기초 확인

지문 한눈에 보기

(가) 옛사람들이 생각한 만물 생성의 원리는?
- 동양: 음 양 오 행 설
- 서양: 4원소설

(나) 아리스토텔레스의 물질관

4 원소 + 에테르
→ 5 원소설

(다) 돌턴이 제시한 원자설은?
- 가장 작은 입자인 원 자로 물질의 구성을 설명하려 함.
- 원자설 덕분에 근대 화 학이 급진적인 발전을 이룩함.

(라) 원자설의 구체적인 내용과 아인슈타인의 업적은?
- 모든 물질은 원자로 구성됨.
- 같은 원소의 원자는 질 량이 모두 같음.

→ 아인슈타인: 브라운 운동으로 원 자의 존재를 증명함.

(마) 현대의 과학자들이 새롭게 밝혀낸 것은?
- 원자는 원자핵과 전 자로 나뉨.
- 원자는 핵분열로 쪼개지기도 함.
- 같은 원 소여도 질량이 다른 경우도 있음.

지문 핵심 key

1 예시 답 물질(의 구성), 음양오행설, 4원소설, 에테르, 원자설, 원자 등
2 원자 3 관점의 변화를 시간의 흐름에 따라 설명함. 4 예시 답 (먼 옛날부터) 물질을 구성하는 기본 성분이 무엇인지 밝히려는 시도가 있었고, 19세기에 이르러 돌턴의 원자설을 토대로 하여 현대적인 원자 개념이 확립되었다.

해제 이 글은 물질의 기본 성분과 관련하여 고대 사람들의 시각을 제시한 뒤, 19세기 근대 화학의 발전에 이바지한 돌턴의 원자설을 소개하고 있다.

주제 고대의 물질관과 돌턴의 원자설

STEP 2 독해 실력 확인

1 ③ 2 ② 3 ②

1 (다)에 따르면, 원자설 덕분에 근대 화학은 급진적인 발전을 이룩하였다.

2 (마)에서 전자는 질량이 작아 실질적인 원자의 질량은 원자핵의 질량과 같다고 하였다. 원자 질량의 대부분을 차지하는 것은 전자가 아니라 원자핵이므로 ②는 잘못된 추측이다.

오답 풀이 ① (마)에 따르면, 원자는 원자핵과 전자로 구성되었다는 사실은 현대에 이르러 밝혀졌다.

③ (마)에 따르면, 현대의 과학자들은 원자가 핵분열로 쪼개지기도 한다는 사실을 밝혀냈다.

④ (다)에서 돌턴이 원자설을 내놓은 것은 19세기라고 하였다. (라)에 따르면 원자는 눈으로 볼 수 없을 만큼 작아서 당시 기술로는 원자가 실제로 존재한다는 사실을 증명할 수 없었다. 1905년이 되어서야 아인슈타인이 원자의 존재를 확실히 증명하였다.

⑤ (마)에 따르면, 현대에 이르러 돌턴의 주장과 다른 사실들이 밝혀졌다고 하였다.

3 〈보기〉는 (가)와 (나)에 소개된 4원소설과 5원소설을 부정하고 더 이상 분해할 수 없는 단순한 물질에 대한 개념을 제시하고 있으므로, (나)와 (다) 사이에 들어가는 것이 적절하다.

어휘

1 (1) 성과 (2) 차지하다 (3) 이룩하다 (4) 증명하다
2 (1) 불멸 (2) 만물 (3) 질량 (4) 급진적 (5) 물질

기술 07 # 출동! 로봇 구조대가 간다

본문 72 ~ 75쪽

STEP 1 독해 기초 확인

지문 한눈에 보기

(가) 휴머노이드란?

- 뜻: 사람처럼 두 [손]을 사용하고, 두 [발]로 걷는 로봇
- 기존의 평가: 실생활에서 널리 활용하기 어려운 기술임.

휴머노이드 연구 변화의 발단이 된 사건

(나) 재난 상황에서 드러난 문제점은?

- 사건: [후][쿠][시][마] 원자력 발전소 사고
- 문제점: 1차 폭발 이후 원전에 들어가 적절한 대처를 할 수 없었음.

(다) 휴머노이드가 재난 구조를 한다고?

- 휴머노이드는 사람의 작업을 대신할 수 있음.
- 위급한 재난 상황에서는 [비][용] 문제에서 비교적 자유로워짐.

(라) 휴머노이드 연구 경향은 어떻게 변화했나?

- 과거: 인간의 감각 기관과 행동을 [기][계]로 구현할 수 있는지 [실][험]해 보는 데 관심이 있었음.
- 원전 사고 이후: 재난 [구][조] 임무 수행(실용적인 목표)

지문 핵심 key

1 예시 답 휴머노이드, 재난, 로봇, 휴보 등 **2** 휴머노이드 **3** (나)의 문제 상황에 대한 해결책을 (다)에서 제시함. **4** 휴머노이드, 인간, 재난 구조

해제 이 글은 후쿠시마 원전 사고를 계기로, 휴머노이드 연구의 방향이 과거와 달리 재난 상황에서 활약할 로봇을 개발하는 것으로 바뀌게 된 까닭을 설명하고 있다.

주제 재난 구조 역할이 기대되는 휴머노이드

STEP 2 독해 실력 확인

1 ③ 2 ④ 3 ⑤

1 윗글은 휴머노이드를 연구 개발하는 목적이, 공학적 관심에서 출발하여 인간과 비슷한 동작을 구현할 수 있는지 실험하는 것에서 재난 상황에서 투입할 수 있는 로봇을 만드는 것과 같은 실용적 목적으로 바뀌게 된 과정을 밝히고 있다.

2 ㉡에서 위급한 재난 상황에서는 비용을 덜 따질 수 있다고 한 것에는, 휴머노이드를 사용하는 데 많은 비용이 든다는 의미가 담겨 있다. 또한, ㉡의 뒤에서 휴머노이드 한 대의 가격은 수억 원에서 수십억 원에 이른다고 하였다.

오답 풀이 ① 휴머노이드가 인간만이 하는 동작을 따라 할 수 있어야 한다고 하였다.

② 윗글에서는 휴머노이드가 사람과 닮았기 때문에 재난 현장에 사람 대신 들어가 구조 임무를 수행할 수 있을 것이라 기대한다. 하지만 휴머노이드가 사람의 모든 일을 대신할 것을 기대하고 있지는 않다.

③ 재난 상황에서 사람이 목숨을 걸고 들어가지 않아도 된다면 비싼 비용을 감수하는 것이 낫다고 하였다.

⑤ ㉡에서 말하는 재난 상황은 휴머노이드에게 일어나는 위기 상황이 아니라 휴머노이드가 구조원으로 투입되는 상황을 말한다.

3 ⓐ는 재난 구조 임무를 수행할 수 있는 휴머노이드 개발을 독려하기 위한 대회이다. 재난 상황에서 휴머노이드가 적임자로 떠오른 이유는 휴머노이드가 사람만이 할 수 있는 동작을 따라 할 수 있기 때문이다. 따라서 우승한 휴머노이드는 사람이 따라 할 수 없는 동작이 아니라 사람이 할 수 있는 동작을 수행하였을 것이다.

어휘

1 (1) 독려하다 (2) 도달하다 (3) 감수하다 (4) 투입하다

2 (1) 터전 (2) 실용적 (3) 적임자 (4) 위급 (5) 지배적

냉장고에서 소리가 나는 까닭은

본문 76 ~ 79쪽

STEP 1 독해 기초 확인

지문 한눈에 보기

가 냉장고에서 열을 운반하는 역할을 하는 물질은?

냉매가 파이프 속을 순환하며 냉장고 내부의 열을 외부로 빼냄.

나 냉장고가 작동하는 원리 (냉매의 상태 변화)

액체 → 기체 → 액체

내부 냉각 / 압축기, 응축기

다 1920년대 미국의 가스냉장고와 전기냉장고 비교

가스냉장고	전기냉장고
• 가스 불꽃을 이용해 냉매를 기체로 만듦. • 조용하고 고장이 덜 남. • 가스 요금이 적게 듦.	• 제품 가격이 비쌈. • 덩치가 크고 소음도 큼. • 전기 요금이 많이 듦.

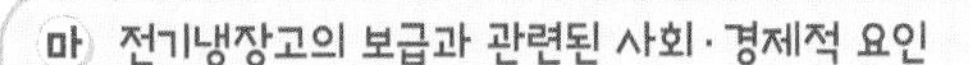

라 전기냉장고의 성공 요인

- 전기냉장고 제조 업체: 경쟁적으로 자본 투자, 기술 개선
- 가스냉장고 제조 업체: 자금 부족으로 사업 포기

마 전기냉장고의 보급과 관련된 사회·경제적 요인

- 기업들 사이의 치열한 경쟁
- 에너지 산업과의 관계

→ 복잡한 사회 · 경제적 요인들이 작용

지문 핵심 key

1 예시 답 냉장고, 냉매, 가스냉장고, 전기냉장고 등 2 (전기)냉장고 3 두 대상 간의 차이점을 밝혀 설명함. 4 예시 답 (냉장고는) 냉매를 이용해 내부 온도가 낮게 유지되며, 오늘날 전기냉장고가 가스냉장고를 누르고 성공한 데에는 복잡한 사회·경제적 요인이 작용했다.

해제 이 글은 전기냉장고가 내부 온도를 일정하게 유지하는 원리를 소개한 다음, 조용한 가스냉장고가 아닌 소음이 있는 전기냉장고가 보편화된 데 영향을 끼친 요인을 설명하고 있다.

주제 전기냉장고의 작동 원리와 기술 정착 과정

STEP 2 독해 실력 확인

1 ② 2 ② 3 ④

1 (나)에서 냉장고 속 냉매는 '액체 → 기체 → 액체'로 그 상태가 계속 변하면서 냉장고 안에서 순환한다고 하였다.

오답 풀이 ① (가)에서 냉매는 냉장고 안에 꼬불꼬불 연결된 파이프를 타고 순환한다고 하였다. 냉매는 파이프 안에서 이동하므로 윗글의 내용과 일치하지 않는다.
③ (다)에서 가스냉장고는 소음이 없었던 반면, 전기냉장고는 소음이 엄청나서 지하실에나 설치해 쓸 수 있었다고 하였다.
④ (다)에 따르면 가스냉장고는 가스 불꽃을 이용해 냉매를 기체로 만들기 때문에 냉매를 압축할 필요가 없다.
⑤ (나)에서 냉매는 액체에서 기체로 바뀌면서 주변의 열을 빼앗는다고 하였다.

2 냉장고의 '윙윙' 소리는 압축기가 작동할 때 나는 소리이다. 압축기는 기체 상태의 냉매에 압력을 가하여 냉매가 기체에서 액체로 바뀌게 돕는 기능을 한다.

3 (다)~(마)를 통해, 소음이 없고 쉽게 고장 나지 않는 등 장점이 많았던 가스냉장고가 사회·경제적인 요인의 영향으로 전기냉장고에 밀려 시장에서 살아남지 못했음을 확인할 수 있다.

어휘

1 (1) 개량 (2) 보급 (3) 순환 (4) 월등
2 (1) 경쟁 (2) 자취 (3) 성능 (4) 압력 (5) 자금

예술 09 성당을 지키는 괴물, 가고일

본문 80 ~ 83쪽

STEP 1 독해 기초 확인

지문 한눈에 보기

(가) 성당에 괴물 석상이 있다고?

중세 유럽의 성당 지붕 귀퉁이나 외벽에 달린 괴물 [석][상]
→ [저][승]에서 빗물을 모으는 풍요의 괴물로 알려진 가고일임.

(나) 설치 이유 ① - 가고일 석상에 담긴 믿음

- 악령으로부터 성당을 [보][호]해 줄 것임.
- 신앙심이 부족하면 가고일에게 잡아먹힐 것임.

(다) 가고일은 왜 입을 벌리고 있을까?

성당 내부로 침입한 [악][령]을 밖으로 뱉어 내기 위함임.

(라) 설치 이유 ② - 가고일 석상의 실용적 기능

- 석루조 기능: [빗][물]이 건물 바깥쪽으로 바로 떨어지게 함.
- 가고일의 [이][름]에 대한 추측에서도 석루조 기능을 엿볼 수 있음.

지문 핵심 key

1 예시 답 성당, 가고일 (석상), 괴물, 입, 석루조 등 2 가고일 (석상)
3 (나)의 해석을 (다)에서 부연함. 4 가고일 석상, 석루조

해제 이 글은 왜 유럽의 중세 성당에 가고일 석상을 세우게 되었는지를 가고일 석상에 담긴 믿음과 실용적 기능을 중심으로 설명하고 있다.

주제 가고일 석상을 성당에 세운 까닭

STEP 2 독해 실력 확인

1 ⑤ 2 ④ 3 ⑤

1 (라)에서 가고일 석상의 석루조 기능을 언급하고 있으나 그 외의 성당 외벽 장식물들이 실용적인지는 알 수 없다.

오답 풀이 ① (다)에서 잡상이나 사천왕상의 일부 형상이 입을 벌린 모습이라고 하였다.
② (다)에서 가고일 석상은 성당 내부로 침입한 악령을 밖으로 뱉어 내려 입을 크게 벌리고 있다고 하였다.
③ (나)에서 중세 유럽 사람들이 가고일 석상이 악령으로부터 성당을 보호해 줄 것이라고 믿었으며, 성당을 탐하면 가고일처럼 죽임을 당할 것이라고 경고하기 위해 석상을 세우기 시작했다는 이야기도 전해진다고 하였다.
④ (라)에서 가고일의 이름은 'gargle'이나 'gargouille'에서 비롯되었다는 추측을 소개하고 있다.

2 (가)의 마지막 문장에서 질문을 던지고, (나)에서 성당에 가고일 석상을 세운 이유를 설명하여 질문 뒤에 이어질 내용을 강조하였다. 그리고 (다)에서는 가고일 석상과 마찬가지로 입을 벌린 모습인 잡상과 사천왕상의 사례를 소개하고 있다.

3 (가)에서 가고일이 저승에서 빗물을 모으는 괴물이라고 언급한 점을 바탕으로 하여 추론할 때, 석루조 기능이 있는 장식을 표현하는 데 가고일이라는 전설 속 괴물의 역할을 고려했음을 알 수 있다.

1 (1) 석상 (2) 전설 (3) 외관 (4) 방문
2 (1) 침입 (2) 외벽 (3) 경고 (4) 설치 (5) 양식

장수와 행복을 기원합니다

본문 84~ 87쪽

STEP 1 독해 기초 확인

지문 한눈에 보기

가 백수백복도란?

장수를 뜻하는 '수(壽)' 자와 행운 또는 행복을 뜻하는 '복(福)' 자로 가득 찬 그림

백수백복도의 표현상 특징

나 백수백복도의 구성 요소는?

전서체 + 그림
→ 언뜻 보면 글씨가 아니라 그림에 가까울 정도로 다양한 모양임.

다 어떤 소재를 그렸을까?

민화에 등장하는 다양한 소재를 활용함.
예 대나무 잎, 해치, 신선, 닭, 학 등 장수, 행복을 상징하는 소재

라 백수백복도의 재탄생

전서체로 되어 양반들만 즐기는 어려운 그림
→ 서민들도 즐길 수 있는 쉬운 그림으로 재탄생함.

지문 핵심 key

1 예시 답 백수백복도, 민화, 전서체 등 **2** 백수백복도 **3** 전반적 → 세부적 **4** 예시 답 (백수백복도는) 전서체와 민화에 등장하는 다양한 소재로 어려운 한자를 알기 쉽게 표현해 장수와 행복을 기원하는 그림이다.

해제 이 글은 조선 후기에 유행한 민화인 백수백복도에 담긴 우리 조상들의 염원을 설명하면서 이를 표현하기 위해 사용한 소재와 표현 방법을 밝히고 있다.

주제 장수와 행복을 기원하는 마음을 담은 백수백복도

STEP 2 독해 실력 확인

1 ③ 2 ③ 3 ③

1 윗글은 조선 후기에 유행한 민화인 백수백복도에 장수와 행복을 기원하는 조상들의 마음이 담겨 있음을 소개한 다음, 백수백복도의 표현상 특징을 밝히고 있다.

2 (다)에서는 대나무 잎이나 해치, 신선 등 실제로 백수백복도에 등장하는 소재를 나열한 다음, 백수백복도에서 각 소재를 활용하여 장수와 복의 뜻을 표현하는 방법을 설명하며 백수백복도의 특징을 드러내고 있다.

3 문자에 담긴 장수와 복의 상징적인 뜻을 그림으로 표현하고, 이를 생활 공간에 두기까지 했다는 점을 고려할 때, 우리 조상들이 그림에 담긴 상징성을 중요하게 여겼음을 추론할 수 있다.

오답 풀이 ① (가)에서 백수백복도는 '수(壽)' 자와 '복(福)' 자로 가득 찬 그림이라고 하였다.
② (나)에서 백수백복도가 임진왜란 이후에 중국에서 우리나라로 전해져 널리 유행했다고 하였을 뿐, 방 안에 병풍을 두는 풍습이 언제부터 시작됐는지는 윗글을 통해 알 수 없다.
④ (라)에서 서민들이 백수백복도를 재탄생시켰다고 하였다.
⑤ (나)에서 백수백복도의 글자는 민화에 등장하는 모든 소재를 총동원하여 장식했다고 하였다.

어휘

1 (1) 기원 (2) 대칭 (3) 간결 (4) 변용
2 (1) 상징 (2) 익살 (3) 소재 (4) 덕담 (5) 희망

인문 01 〈흥부전〉이 보여 주는 조선 사회의 모습

본문 90 ~ 93쪽

STEP 1 독해 기초 확인

지문 한눈에 보기

가 흥부와 놀부가 대표하는 신분상은?

- 흥부: 몰락 양반
- 놀부: 신흥 부자

나 조선 후기에 일어난 사회 변화는?

- 화폐 거래의 활성화
- 새로운 농사법의 도입

→ 신분 변동

반영

다 조선 후기 새로운 신분상을 대변하는 흥부와 놀부의 모습은?

- 흥부: 의리와 명분을 중시하는 가난한 양반의 모습
- 놀부: 재물을 탐내는 부자의 모습

라 흥부전에 드러난 다양한 주제 의식은?

- 권선징악
- 가난을 탈출하고 싶은 백성들의 소망
- 무능한 양반에 대한 조롱
- 물질 만능주의에 대한 비판

지문 핵심 key

1 예시 답 흥부전, 몰락 양반, 신흥 부자, 조선 후기, 평민 등 2 흥부전
3 두 대상 간의 차이점을 밝혀 설명함. 4 신분 변동, 권선징악

해제 이 글은 조선 후기의 사회 변화와 연결 지어 〈흥부전〉의 등장 인물인 흥부와 놀부가 대표하는 신분상을 분석하며 〈흥부전〉의 다양한 주제 의식을 밝히고 있다.

주제 〈흥부전〉의 사회적 배경과 다양한 주제

STEP 2 독해 실력 확인

1 ④ 2 ③ 3 ④

1 (나)에서 사회 변화에 잘 적응한 평민들이 양반 신분을 사기도 했다고 하였으므로, 조선 후기에 신분 제도가 엄격히 지켜졌다고 이해하는 것은 적절하지 않다.

오답 풀이 ① (나)에서 조선 후기에는 이전과 달리 새로운 농사법이 도입되었다고 하였다.

② (나)에서 조선 후기에는 평민 계층이 분화되었다고 하였다.

③ (나)에서 조선 후기에는 평민과 다를 바 없는 처지로 몰락한 양반도 있었음을 설명하고 있다.

⑤ (나)에서 사회 변화에 적응한 평민들이 부자가 되어 양반 신분을 사기도 했다고 한 부분에서 조선 후기에 부유한 평민이 등장하였음을 알 수 있다.

2 (라)에서 경제적으로 무능하면서 신분이 낮은 계층을 무시하는 양반을 조롱하는 내용도 〈흥부전〉에 담겨 있다고 하였으므로 양반에 대한 동경을 〈흥부전〉의 주제로 보는 것은 적절하지 않다.

3 〈보기〉는 삼십 냥에 곤장을 맞기로 하고 마삯으로 다섯 냥을 먼저 받아 집으로 온 흥부가 아내와 대화를 나누는 장면으로, 매품을 팔아 생계를 유지하는 몰락 양반의 모습이 드러나 있다.

어휘

1 (1) 분화 (2) 중시 (3) 재물 (4) 우애
2 (1) 현실 (2) 부합 (3) 행세 (4) 대변 (5) 궁핍

새로운 단어는 어떻게 탄생할까

본문 94~ 97쪽

STEP 1 독해 기초 확인

지문 한눈에 보기

(가) '-족'이 붙어 형성된 새말의 사례
- 얌체족: '얌체'+'-족'
- 명품족: '명품'+'-족'
- 스펙족: '스펙'+'-족'

(나) 파생법의 원리

어근: 실질적인 의미를 지님.
\+
접사: 다른 어근에 붙어 새로운 단어를 구성함.

세분화

(다) 특수한 기능을 가진 접사의 사례

어근의 품사까지 바꿈.
예 '먹-'(동사의 어근) + '-보'(접사) → 먹보(명사)

(라) 결합 위치에 따른 접사의 구분

- 접미사: 어근 뒤에 붙음. 예 먹보
- 접두사: 어근 앞에 붙음. 예 군살

지문 핵심 key

1 예시 답 새말, 어근, 접사, 파생법, 품사 등 2 파생법 3 (가)에서 사례를 들고 (나)에서 원리를 밝힘. 4 예시 답 (새말을 만들어 내는 방법으로는) 어근에 접사를 결합하여 단어를 만드는 파생법이 있다.

해제 이 글은 새말인 '얌체족'이 만들어진 원리를 소개한 뒤, 어근과 접사의 결합에 따라 새롭게 단어가 형성되는 파생법의 원리를 설명하고 있다.

주제 어근과 접사를 활용하여 단어를 만드는 파생법

STEP 2 독해 실력 확인

1 ② 2 ④ 3 ④

1 윗글은 파생법, 어근, 접사 등의 개념을 설명하고 다양한 사례를 들어 이해를 돕고 있다.

2 어근과 접사뿐만 아니라 어근과 어근이 결합하여 단어를 형성하기도 하지만, 윗글에서는 어근과 접사가 결합하는 파생법에 한정하여 설명하고 있다.

오답 풀이 ① (나)에서 어근의 예로 '얌체', '명품', '스펙'을 제시하며 어근의 뜻을 설명하였다.
② (라)에서 접사가 어근에 붙는 위치에 따라 접미사와 접두사로 분류됨을 설명하며 접사의 종류를 밝혔다.
③ (나)에서 어근에 접사를 결합하여 새로운 단어를 구성하는 방법을 파생법이라고 함을 설명하며 파생법의 뜻을 제시하였다.
⑤ 어근과 접사가 결합한 사례로 '얌체족', '명품족', '스펙족'이나 '심술꾸러기', '장난꾸러기' 등과 같은 말을 소개하고 있다.

3 '덮개', '따개', '베개', '지우개'의 '-개'는 '그러한 행위를 하는 간단한 도구'의 뜻을 더하고 명사를 만드는 접미사이고, '사냥할 때 부리기 위하여 길들인 개'를 뜻하는 '사냥개'의 '개'는 '갯과의 포유류'라는 뜻의 어근이다. '사냥개'는 어근과 어근이 결합된 단어이므로 파생어가 아니다.

오답 풀이 ① 덮개: 덮는 물건.
② 따개: 병이나 깡통 따위의 뚜껑을 따는 물건.
③ 베개: 잠을 자거나 누울 때에 머리를 괴는 물건.
⑤ 지우개: 글씨나 그림 따위를 지우는 물건.

어휘

1 (1) 단독 (2) 이르다 (3) 다양하다 (4) 결합하다
2 (1) 널리 (2) 군침 (3) 중심 (4) 작성 (5) 생산적

도시 환경 문제와 벽면 녹화

본문 98 ~ 101쪽

STEP 1 독해 기초 확인

지문 한눈에 보기

가) 도시화로 어떤 문제가 발생할까?

- 인구 집중에 따른 산업 시설과 차량의 증가로 대기 오염이 발생함.
- 시가지의 팽칭으로 녹지가 감소함.

→ 대기 오염이 심각해짐.

나) 대기 오염 문제를 해결하기 위한 정책 - 벽면 녹화

- 뜻: 건축물이나 구조물의 벽면을 식물로 덮어 녹화 면적을 늘리는 방식
- 효과: 미세 먼지를 흡착 · 흡수하는 기능이 뛰어난 식물의 특징 이용 → 미세 먼지 농도를 낮춤.

다) 벽면 녹화 해외 사례

- 밀라노의 '보스코 베르티칼레' → 식물이 미세 먼지 · 오염 물질 · 이산화 탄소 흡수, 산소 생산
- 독일 친환경 기업이 개발한 '시티 트리' → 대기 오염 물질 저감 효과

라) 벽면 녹화 국내 사례

- '돈의문 박물관 마을' 외벽의 옥외 수직 정원
- 서울주택도시공사의 공동 주택 벽면 녹화 및 이끼 타워 설치 계획 → 도심 내 녹화 면적을 늘리려는 노력

지문 핵심 key

1 예시 답 도시화, 대기 오염, 미세 먼지, 벽면 녹화, 보스코 베르티 칼레, 시티 트리 등 **2** 벽면 녹화 **3** (가)의 화제를 (나)에서 구체적으로 설명함. **4** 대기 오염, 벽면 녹화

해제 이 글은 도시의 대기 오염 문제를 개선하기 위한 방법인 벽면 녹화의 뜻과 효과를 밝히고, 벽면 녹화 사업의 국내외 사례를 소개하고 있다.

주제 도시화에 따른 대기 오염 문제와 벽면 녹화 사업

STEP 2 독해 실력 확인

1 ④ 2 ④ 3 ③

1 윗글은 도시의 대기 오염 문제를 해결하기 위한 방법으로 벽면 녹화 사업을 제시하고, 해외 및 국내의 벽면 녹회 직업의 사례를 소개하고 있으므로 중심 내용으로 적절한 것은 ④이다.

2 함께 설치된 태양광 발전기로 시티 트리의 시스템을 가동하는 데 필요한 에너지를 얻을 수 있어서 친환경적이라고 하였을 뿐, 태양광 발전기가 미세 먼지를 제거한다는 내용은 나오지 않는다.

오답 풀이 ① 벽면 녹화를 위한 구조물이므로 친환경을 목적으로 한다고 볼 수 있다.

② 독일 베를린, 프랑스 파리 등 설치된 도시들이 모두 도시화가 고도로 진행된 장소임을 알 수 있다.

③ 물이 자동 분사되는 시스템을 갖추어 이끼가 스스로 자랄 수 있다는 것을 알 수 있다.

⑤ 시티 트리 하나가 하루에 250g의 대기 오염 물질과 연간 240톤의 이산화 탄소를 흡수한다고 하였다. 이렇게 대기를 오염시키는 물질을 흡수함으로써 공기를 정화한다는 것을 알 수 있다.

3 미세 먼지는 도심의 대기를 오염시키는 원인 중 하나이므로, 벽면 녹화를 통해 이를 제거하는 것은 도심 내 환경 문제를 해결하는 것과 관련이 깊다.

1 (1) 거주하고 (2) 완화할 (3) 기여한 (4) 개선해

2 (1) 흡착 (2) 친환경적 (3) 보편화 (4) 필터 (5) 팽창

사형 제도를 둘러싼 논쟁

본문 102 ~ 105쪽

STEP 1 독해 기초 확인

지문 한눈에 보기

가 죄를 지은 사람에게 내릴 수 있는 가장 무거운 형벌은?

범죄인의 [생][명]을 빼앗는 사형은 가장 무거운 형벌임.

→ 사형 제도를 [유][지]해야 하는가를 두고 논란이 있음.

나 사형 제도 찬성 근거

- 큰 죄를 저질렀으면 그에 맞는 형벌을 받아야 옳다고 보는 [응][보][주][의]의 원칙
- 국가가 무거운 형벌을 내리면 범죄를 [예][방]하는 효과가 있을 것임.

다 사형 제도 반대 근거

- 인간의 존엄성과 [가][치]를 부정하는 지나친 형벌임.
- 무기 징역과 같은 형벌로 대체할 수 있음.
- 잘못된 [판][결]에 따른 피해가 큼.
  예 흑인 소년 조지 사건

↓

라 앞으로 사형 제도는 어떻게 될까?

- 사형 제도와 관련한 지속적인 의문 제기
  - 헌법이 보장하는 개인의 [자][유]와 [권][리]를 해치지 않는가?
  - 범죄 예방에 정말 효과가 있는가?
- 사형 제도는 점차 [폐][지]되는 추세임.

지문 핵심 key

1 예시 답 법, 형법, 형벌, 범죄, 사형 제도 등 2 사형 제도 3 실제 사건을 제시해 주장을 뒷받침함. 4 예시 답 (가장 무거운 형벌인 사형 제도를) 유지하는 것을 두고 찬반 논란이 있지만, 전 세계적으로 사형 제도는 폐지되어 가는 추세이다.

해제 이 글은 사형 제도를 둘러싼 찬반 논쟁을 소개하고 있다. 양측 주장의 근거를 밝힌 뒤, 사형 제도를 바라보는 최근의 추세를 언급하며 글을 마무리하고 있다.

주제 사형 제도를 둘러싼 찬반 논쟁

STEP 2 독해 실력 확인

1 ③ 2 ⑤ 3 ⑤

1 윗글은 사형 제도를 유지해야 하는지에 대한 찬반 양측의 주장과 근거를 소개하고 있다.

2 (나)를 참고할 때, ㄷ은 응보주의의 원칙에 해당하고, ㄹ은 사형이 범죄를 예방하는 효과가 있을 것이라고 보고 있다. 따라서 ㄷ과 ㄹ이 ㉠'사형 제도를 찬성하는 사람들'과 비슷한 관점이다.
오답 풀이 (다)와 (라)를 참고할 때, ㄱ은 사형이 인간의 존엄성과 가치를 부정하는 지나친 형벌이라고 보는 의견에 부합하고, ㄴ은 사형을 대체할 수 있는 다른 형벌이 있다고 보고 있으므로 사형 제도를 반대하는 관점에 해당한다.

3 [A]는 죄 없는 14살의 흑인 소년 조지가 잘못된 판결 때문에 사형을 당한 사례이다. [A]를 통해 사형 제도는 판결이 잘못되었음이 뒤늦게 밝혀지더라도 빼앗은 생명을 되돌릴 수 없는 문제가 있다고 추측할 수 있다.

어휘

1 (1) 늘어났다 (2) 지키며 (3) 없애야 (4) 막아야
2 (1) 존엄성 (2) 선고 (3) 질서 (4) 집행 (5) 합당

과학 05

하나의 대륙에서 일곱 개의 대륙으로

본문 106 ~ 109쪽

STEP 1 독해 기초 확인

지문 한눈에 보기

가 대륙 이동설이란 무엇일까?

지구상의 대륙은 약 3억 년 전 하나의 [판][게][아]를 이루고 있다가, 점차 분리되어 현재와 같은 모습이 되었음.

나 베게너의 주장 1

화강암질인 대륙 지각이 현무암질인 해양 지각 위를 [빙][하]처럼 떠다닐 수 있음.

다 베게너의 주장 2

지각 아래 유동성 있는 물질이 있어, 대륙이 수직 또는 [수][평]으로도 이동할 수 있음.

라 대륙 이동설의 증거는?

- 증거 1: 남아메리카 대륙과 아프리카 대륙의 마주 보는 [해][안][선] 모양이 거의 일치함.
- 증거 2: 북아메리카 애팔래치아산맥과 유럽의 칼레도니아산맥의 지질 구조가 [연][속][적]으로 연결됨.

마 대륙 이동설의 발전 과정은?

- 발표 당시: 대륙을 이동시키는 [힘]의 근원이 명확하지 않아 큰 지지를 얻지 못함.
- 이후: [해][저] [확][장][설]을 거쳐 판 구조론으로 발전했고, 대륙 이동설의 논증들도 대부분 사실로 밝혀짐.

지문 핵심 key

1 예시 답 판게아, 베게너, 대륙 이동설, 해저 확장설, 판 구조론 등 **2** 대륙 이동설 **3** 지역이나 자연물의 실제 이름을 밝혀 설명함. **4** 대륙 이동설, 판 구조론

해제 이 글은 구체적인 증거를 제시하며 베게너의 대륙 이동설을 설명하고 있다.

주제 베게너가 제시한 대륙 이동설과 그 증거

STEP 2 독해 실력 확인

1 ① **2** ④ **3** ②

1 (마)에서 대륙 이동설이 훗날 판 구조론으로 발전하였음을 알 수 있다.

오답 풀이 ② (가)에 따르면, 베게너는 3억 년 전에는 하나의 판게아를 이루고 있던 지구상의 대륙들이 점차 분리되어 현재와 같은 모습이 된 것이라고 여겼다.
③ (나)에서 베게너가 지구의 대륙은 밀도가 낮은 화강암질로 되어 있어, 밀도가 높은 현무암질의 해양 지각 위를 빙하처럼 떠다닐 수 있다고 보았음을 알 수 있다.
④ (라)에 따르면, 같은 종류의 식물 화석이 두 대륙(남아메리카 대륙과 아프리카 대륙)에 걸쳐서 발견된다.
⑤ (다)에서 스칸디나비아반도의 땅덩어리가 솟아오르려면 밑에서 올라오는 흐름이 있어야 하며, 이는 지각 아래에 유동성 있는 물질이 존재함을 뜻한다고 하였다.

2 ㉢에서 확인할 수 있는 것은 대륙의 수직 이동이 아니라 수평 이동이다.

3 (마)에서 대륙 이동설을 발표할 당시 베게너가 대륙을 이동시키는 힘의 근원을 명확하게 설명하지 못하여 지질학자들의 지지를 얻지 못하였다고 하였으므로, 이를 설명하였다면 지지를 얻었을 것이라고 추론할 수 있다.

1 (1) 지형 (2) 해안선 (3) 지지 (4) 논증
2 (1) 주장 (2) 연속적 (3) 뒷받침 (4) 일치 (5) 지질

식량 자원의 다양성이 줄어들고 있다

본문 110 ~ 113쪽

STEP 1 독해 기초 확인

지문 한눈에 보기

가 오늘날 식량 생산 및 소비 방식의 특징은?

농업 기술의 발달과 세계화에 따라 식량 자원의 다양성이 줄어듦.

나 식량 자원의 획일화를 보여 주는 수치

- 사람들이 섭취하는 열량의 80%를 차지하는 작물은 열두 종에 불과함.
- 90%를 차지하는 작물도 열다섯 종에 지나지 않음.

다 단일 품종을 재배하여 발생하는 문제점은?

- 병충해 발생 시 그 피해가 순식간에 퍼짐.
- 멸종 위기에 처한 품종도 있음.( 커피나무, 바나나)

라 일상생활에서 실천할 수 있는 해결 방법은?

- 식량 자원을 덜 소비하기
- 고기를 덜 먹기
- 지역 생산 작물, 전통 종자나 생태 농업으로 생산한 식품 구입하기
- 자신이 직접 작물 재배하기

지문 핵심 key

1 예시 답 식량 (자원), 다양성, 획일성, 병충해, 작물 등 2 식량 (자원) 3 (가)의 현상을 (나)의 통계로 뒷받침함. 4 예시 답 (사람들이 섭취하는 식량이) 비슷해지면서 식량 자원의 다양성이 감소하는 문제가 생겼으며, 이를 해결하기 위해 모두가 일상 속에서 노력해야 한다.

해제 이 글은 오늘날 식량 자원의 품종이 획일화된 원인을 살펴보고, 이 문제를 해결할 수 있는 방법을 소개하고 있다.

주제 식량 품종이 획일화된 까닭과 해결 방안

STEP 2 독해 실력 확인

1 ④ 2 ⑤ 3 ⑤

1 윗글은 식량 품종이 획일화되며 발생한 오늘날의 식량 문제의 현황과 이를 해결하기 위한 방안을 제시하고 있다.

오답 풀이 (다)에서 생산량을 극대화하기 위해 단일 품종 작물만 심게 되었다고 하였고(①), (라)에서 사람들이 먹을 고기를 생산하기 위해 낭비되는 작물이 많다고 하였으며(②), (가)에서 농업 기술의 발달로 오히려 식량 자원의 다양성이 줄어들었다고 하였으나(③), 이들은 모두 ④를 뒷받침하는 보조적인 역할을 한다. 또, ⑤와 같은 내용은 윗글에 나오지 않았다.

2 작물 생산의 단순화로, 작물 생산량의 극대화라는 단기적인 이익은 얻었으나 지속 가능성이라는 장기적인 이익은 놓치게 되었다.

3 윗글에서는 식량 문제를 해결하기 위한 실천 방안 중 하나로, 자신이 직접 작물을 재배할 것을 제시하였으므로 개인이 농작물을 기르는 일을 자제해 병충해의 확산을 막을 수 있다고 이해하는 것은 적절하지 않다.

오답 풀이 ① (다)에서 농산물을 생산하는 업체들은 생산량을 극대화하기 위해 단일 품종의 작물만 대량으로 재배하는 경우가 많다고 하였다.
② (다)에서 단일 품종만 심으면 같은 해충 또는 병원체에 똑같이 취약하기 때문에 병충해가 발생했을 때 그 피해가 순식간에 퍼지는 것을 막기 어렵다고 하였다.
④ (다)~(라)를 통해, 식량 생산을 단순화하여 얻는 피해 또는 식량 자원의 다양성이 감소하는 문제를 해결하는 데 식량 자원을 덜 소비하는 것이 도움이 됨을 알 수 있다.

어휘

1 (1) 취약 (2) 작물 (3) 멸종 (4) 동참
2 (1) 섭취 (2) 재배 (3) 열량 (4) 세계화 (5) 병충해

기술 07

유전자 기술의 발전 방향은

본문 114 ~ 117쪽

STEP 1 독해 기초 확인

지문 한눈에 보기

가 뿔이 없는 소가 태어나려면?

과학자들의 접근: 유전자 기술을 활용함.

나 유전자 변형이란?

- GMO: 유전자를 변형한 유기체
- 특징: 한 생명체의 유전자를 다른 생명체에 붙임.
- 문제점: 안전성을 입증하기 어려움.

↔ 비교

다 유전자 편집이란?

- 유전자 편집: 한 생물 내에서 DNA의 일부를 제거하거나 강화함.
- 필요한 기술의 예: 유전자 가위 기술

라 유전자 변형 기술과 유전자 편집 기술의 차이점

- 차이점: 생명체 내에 외래 유전자를 주입하는지의 여부
- 비교적 안전성을 입증하기 유리한 유전자 편집 기술이 미래 기술로 관심 받고 있음.

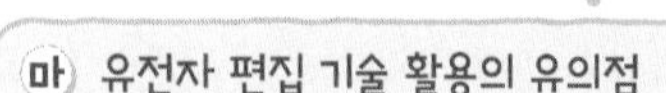

마 유전자 편집 기술 활용의 유의점

역사가 짧아 지속적인 확인과 관찰이 필요함.

지문 핵심 key

1 예시 답 유전자 기술, GMO, 유전자 변형, 유전자 편집 기술 등
2 유전자 기술 3 (라) 4 유전자, 유전자 변형, 안전, 역사

해제 이 글은 유전자 변형 기술과 유전자 편집 기술을 비교하며 유전자 기술의 발전 방향을 소개하고 있다.

주제 유전자 기술의 종류와 발전 방향

STEP 2 독해 실력 확인

1 ⑤ 2 ⑤ 3 ⑤

1 윗글은 서로 다른 생명체의 유전자를 결합하는 유전자 변형 기술에 비해 한 생물 내에서 DNA의 일부를 제거하거나 강화하는 유전자 편집 기술이 비교적 안전성을 입증하기 유리해 주목받고 있음을 드러내면서 두 기술의 특징을 비교하고 있다.

2 ⓐ의 '서리 방지 토마토'는 물고기의 유전자가 주입된 토마토이고, ⓑ의 '시베리아에서 자라는 카카오나무'는 외래 유전자를 결합하지 않고 생물체 내부에서 유전자가 편집된 작물이다. 따라서 둘의 차이는 다른 생물의 유전자가 섞여 있는가, 섞여 있지 않은가에 있다.

3 '유전자 편집 기술'은 외래 유전자를 결합하지 않고 한 생물 내에서 DNA의 일부를 제거하거나 강화하는 기술이다. 뿔 없는 소를 만들기 위해서는 먼저 소의 유전자에서 뿔을 생성하는 유전자를 찾아 해당 유전자를 제거해야 한다.

오답 풀이 ③ 외래 유전자를 찾아 소의 유전자와 결합하려 하는 것이므로 유전자 변형 기술의 관점에서 답한 것이다.

④ 유전자 기술을 활용한 것이 아니므로 유전자 편집 기술의 관점과 거리가 멀다.

어휘

1 (1) 인위적 (2) 사육 (3) 주입 (4) 변형
2 (1) 규제 (2) 제거 (3) 이식 (4) 유익 (5) 축산

기술 08 엘리베이터는 어떻게 움직일까

본문 118 ~ 121쪽

STEP 1 독해 기초 확인

지문 한눈에 보기

가) 엘리베이터는 어떤 일을 할까?

- 건물을 오르내리는 기계(=승강기)
- 엘리베이터를 타면 고층 건물도 편하게 이용할 수 있음.

나) 엘리베이터가 움직이는 원리

도르래에 걸린 줄 양 끝에 엘리베이터 카와 균형추를 매달고 가이드 레일을 따라 상하로 움직이게 함.

다) 엘리베이터를 움직이게 하는 장치

- 도르래: 줄의 반대편에 매단 짐을 수직 방향으로 움직이게 함.
- 전동기: 카가 매달린 줄을 위아래로 움직이는 힘을 제공함.
- 균형추: 전동기가 써야 하는 힘을 아껴 줌.

라) 엘리베이터의 다양한 안전장치

- 튼튼한 줄: 최대 정원 무게의 열 배 이상을 견딜 수 있음.
- 비상 정지 장치: 가이드 레일을 물어 카를 정지시킴.
- 비상용 배터리: 정전 시 가까운 층까지 움직이게 함.

마) 엘리베이터 기술 개발의 방향

전동기의 성능을 높이고 소음과 진동을 줄이려 함.

지문 핵심 key

1 예시 답 엘리베이터, 도르래, 안전장치 등 2 엘리베이터 3 구성 요소를 나누어 설명함. 4 예시 답 (엘리베이터를 움직이는 장치에는) 도르래, 전동기, 균형추가 있고, 엘리베이터에는 다양한 안전장치가 설치되어 있다.

해제 이 글은 엘리베이터가 움직이는 원리와 엘리베이터 추락 사고를 방지하는 여러 가지 안전장치를 설명하고 있다.

주제 엘리베이터의 작동 원리 및 다양한 안전장치

STEP 2 독해 실력 확인

1 ① 2 ② 3 ①

1 윗글은 엘리베이터가 움직이는 원리와 안전장치의 작동 방식 등 엘리베이터의 구동 원리를 설명하고 있다.

2 균형추는 엘리베이터 카의 반대편 줄에 매달린 장치로, 전동기가 엘리베이터 카를 끌어 올릴 때 감당해야 하는 무게를 분산시켜 힘을 절약해 준다. 따라서 엘리베이터 카의 무게를 증가시켜 안정감을 확보한다는 설명은 적절하지 않다.

오답 풀이 ① (다)에서 '도르래'는 바퀴에 홈을 파고 줄을 걸어서 돌려 물건을 움직이는 장치로, 도르래에 걸린 한쪽 줄을 잡아당기면 줄의 반대편에 매단 짐을 수직 방향으로 쉽게 들어올릴 수 있다고 하였다.
③ (나)에서 기차가 레일이 놓인 철길을 달리듯이 엘리베이터 카와 균형추도 각각의 가이드 레일을 따라 상하로 움직이게 구성되어 있다고 하였다.
④ (다)에서 카가 매달린 줄을 위아래로 당기거나 내리는 힘은 전동기가 제공한다고 하였다.
⑤ (라)에서 엘리베이터 카가 비정상적인 속도로 하강하면 비상 정지 장치가 가이드 레일을 물어서 카를 정지시킨다고 하였다.

3 ㉠은 비상 정지 장치가 가이드 레일을 '세게 눌렀다'는 뜻으로 쓰였다. 이는 '물고 늘어지다'나 '아기가 젖병을 물다'에서처럼, 아랫니 또는 양 입술 사이에 끼운 상태로 떨어지거나 빠져나가지 않도록 다소 세게 누르는 뜻의 '물다'를 비유적으로 사용한 것이다.

오답 풀이 ②는 '묻다', ③은 '밀다', ④는 '당기다', ⑤는 ㉠과 소리는 같지만 뜻이 다른 단어인 '물다'의 뜻으로, 모두 ㉠의 문맥적 의미와 거리가 있다.

어휘

1 (1) 제공 (2) 하강 (3) 쾌적 (4) 운행
2 (1) 하부 (2) 승차감 (3) 장치 (4) 수직 (5) 정원

예술 09 피아니스트의 뇌에 무슨 일이

본문 122 ~ 125쪽

STEP 1 독해 기초 확인

지문 한눈에 보기

가 경탄의 대상인 초절기교

초절기교의 뜻: 양손의 손가락을 빠르게 움직이며 어려운 곡을 연주하는 피아니스트의 [정][교]한 기술

↓

빠르게 손가락을 움직여 연주할 수 있는 비결은?

나 피아니스트의 고된 연습

- 최고의 연주자가 되기 위해 1만 시간이 넘게 연습함.
- 피아니스트의 정교한 연주 기술은 타고난 [재][능]이 아닌 꾸준한 [연][습]의 결과임.

다 연습 결과 피아니스트의 신체에 나타나는 변화

- 피아니스트가 빠르게 손가락을 움직일 수 있는 원인은 손가락 [근][력]이 아닌 [뇌]에 있음.
- 피아니스트는 손가락을 움직일 때 뇌에서 활동하는 [신][경] [세][포]의 수가 일반인보다 적음.

라 연주에 맞게 발달한 피아니스트의 뇌

적은 수의 신경 세포만으로 복잡한 손가락 움직임을 처리하는 피아니스트의 뇌 → 뇌가 피아노 연주에 [특][화]됨.

지문 핵심 key

1 예시 답 초절기교, 연습, 신경 세포, 피아니스트의 뇌 등 **2** 피아니스트의 뇌 **3** (다)에서 나타난 결과를 (라)에서 해석함. **4** 손가락, 연습, 뇌

해제 이 글은 피아니스트가 빠르고 정교하게 연주할 수 있는 비결을 뇌의 신경 세포와 관련지어 설명하고 있다. 수많은 연습의 결과 피아니스트의 뇌에 어떤 변화가 일어나는지를 과학적으로 밝히고 있다.

주제 꾸준한 연습으로 연주에 최적화된 피아니스트의 뇌

STEP 2 독해 실력 확인

1 ④ 2 ③ 3 ③

1 (다)에 따르면 피아니스트는 일반인에 비해 적은 수의 신경 세포로도 복잡한 손가락 운동을 할 수 있다. 그러나 이러한 점이 일반인보다 피아니스트의 뇌에 신경 세포가 적게 생겨난다는 것을 의미하지는 않는다.

2 적은 수의 신경 세포만을 사용해도 빠르고 복잡하게 손가락을 움직일 수 있다는 앞의 내용을 통해 미루어 짐작해 보면, 시간이나 공간, 돈 등이 넉넉하여 남음이 있다는 뜻의 '여유롭다'가 들어가는 것이 자연스럽다.

오답 풀이 ① '분주하다'는 '정신이 없을 정도로 매우 바쁘다.'라는 뜻이다.

② '성장하다'는 '사람이나 동물 등이 자라서 점점 커지다.' 또는 '사람이 꾸준히 노력을 하거나 경험을 쌓아 발전된 모습으로 자라다.'라는 뜻이다.

④ '작동하다'는 '기계 등이 움직여 일하다. 또는 기계 등을 움직여 일하게 하다.'라는 뜻이다.

⑤ '활발하다'는 '생기가 있고 힘차다.'라는 뜻이다.

3 〈보기〉는 초절기교의 비법이 손가락 근력이라고 보는 관점을 소개하며 그것이 맞는지 물음을 던지고 있다. (다)는 피아니스트와 일반인의 손가락 근력에 뚜렷한 차이가 없다는 내용으로 〈보기〉에 대한 답을 제시하고 있으므로, 〈보기〉가 먼저 나오고 (다)가 이어지는 것이 자연스럽다.

1 (1) 기교 (2) 측정 (3) 누적 (4) 현란

2 (1) 꾸준히 (2) 자유자재 (3) 절약 (4) 거뜬히 (5) 와중

사람들은 왜 화장을 할까

본문 126 ~ 129쪽

STEP 1 독해 기초 확인

지문 한눈에 보기

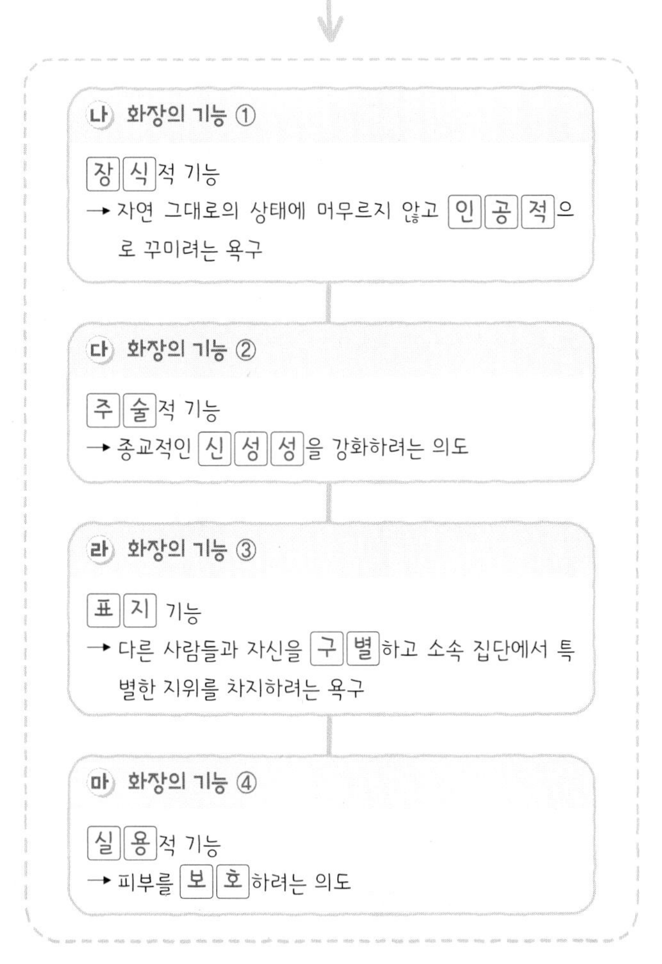

가) 사람들이 화장하는 까닭은?
• 화장하는 일은 단순히 겉모습에만 치중하는 행위가 아님.
• 화장에는 여러 가지 기능이 있음.
나) 화장의 기능 ①
장식적 기능
→ 자연 그대로의 상태에 머무르지 않고 인공적으로 꾸미려는 욕구
다) 화장의 기능 ②
주술적 기능
→ 종교적인 신성성을 강화하려는 의도
라) 화장의 기능 ③
표지 기능
→ 다른 사람들과 자신을 구별하고 소속 집단에서 특별한 지위를 차지하려는 욕구
마) 화장의 기능 ④
실용적 기능
→ 피부를 보호하려는 의도

지문 핵심 key

1 예시 답 화장, 장식, 주술적, 표지, 실용적 등 **2** 화장 **3** 설명 대상과 관련하여 다양한 관점이 드러남. **4** 예시 답 (화장의 기능에는) 장식적 기능, 주술적 기능, 표지 기능, 실용적 기능이 있다.

해제 이 글은 화장의 네 가지 기능을 소개하며, 화장하는 행위에 담긴 다양한 욕구와 의도를 설명하고 있다.

주제 화장의 네 가지 기능

STEP 2 독해 실력 확인

1 ③ 2 ④ 3 ③

1 (라)에 옛사람들이 계급을 나타내는 표지의 하나로 화장을 활용하였다는 설명이 있지만, 엄격한 계급 사회일수록 화장법이 더욱 발달하였는지는 윗글의 내용만으로 알 수 없다.

오답 풀이 ① (나)에서 화장의 장식적 기능을 설명하며 인공적으로 꾸미려는 욕구의 이유로 스스로 만족하려고 꾸민다는 점을 언급하고 있다.
② (마)에서 화장의 실용적 기능을 설명하며 피부를 보호하려는 의도에서 화장을 한다고 하였다.
④ (라)에서 화장의 표지 기능을 설명하며, 그 예로 원시 시대에 문신을 새기거나 몸을 칠하는 행위를 언급하였다.
⑤ (다)에서 화장의 주술적 기능을 설명하며 그 예로 고대부터 사람들이 신과 교류하려는 목적에서 화장을 하였다고 하였다.

2 〈보기〉는 신분에 따라 달라진 화장법의 구체적인 예시를 보여 주고 있으므로, 화장이 지닌 표지로서의 기능을 설명한 (라)를 뒷받침하는 근거로 적합하다.

3 윗글은 화장의 네 가지 기능을 소개하며, 사람들이 단지 내면의 가치를 소홀히 하고 겉모습을 꾸미는 목적으로 화장한 것이 아니라 다양한 욕구와 의도로 화장해 왔다는 점을 밝히고 있다.

1 (1) 인공적 (2) 구별하다 (3) 치부하다 (4) 강조하다
2 (1) 고귀 (2) 소홀히 (3) 신분 (4) 욕구 (5) 치장

인문 01

평화와 평등을 실현하는 길

본문 132 ~ 135쪽

STEP 1 독해 기초 확인

지문 한눈에 보기

가 '제물'이란?

가지런한 높이로 자라난 곡식처럼 모든 사물의 가치가 [동][등]하다는 의미가 담김.

↓

장자의 제물론

나 제물론이 탄생한 배경과 장자가 주장한 내용은?

- 등장 배경: 사상 논쟁이 빈번하던 중국 [전][국] 시대
- 장자의 주장: 만물은 결국 [하][나]이며, 대상을 분별하는 시비, 선악, [미][추] 등의 기준은 인간이 지어낸 것임.

다 사례를 통해 제물론을 구체적으로 이해한다면?

- 예시 ①: 사람들은 꽃은 아름답고 똥은 추하다고 생각함.
  → 둘 사이의 깊은 연관을 이해하지 못하는 [선][입][견]임.
- 예시 ②: 미인을 보고 새가 달아나 버릴 수 있음.
  → 아름다움의 기준은 인간의 편견과 [환][상]일 뿐임.

↓

라 오늘날 제물론은 어떤 의의가 있을까?

- 의의 ①: 나와 다른 사람을 [포][용]할 수 있음.
- 의의 ②: 모든 존재가 [평][등]함을 깨닫고 다른 사람을 함부로 대하지 않는 자세를 배울 수 있음.

지문 핵심 key

1 예시 답 제물론, 동등, 선입견 등 **2** (장자의) 제물론 **3** (나)의 주장이 적용된 예시를 (다)에서 소개함. **4** 제물론, 하나, 평등

해제 이 글은 구체적인 예시를 활용하여 장자의 제물론을 설명한 다음, 제물론의 현대적 의의를 제시하고 있다.

주제 제물론의 의미와 가치

STEP 2 독해 실력 확인

1 ② 2 ③ 3 ⑤

1 (가)에서는 제물에 담긴 뜻, (나)에서는 제물론의 등장 배경, (다)에서는 제물론의 이해를 돕는 구체적인 예시, (라)에서는 제물론의 의의를 다루고 있다. 윗글에서는 제물론의 한계는 다루지 않았다.

2 (나), (다)를 통해 옳고 그름을 정확하게 분별하는 기준은 없으며, 무언가를 어떠하다고 판단하는 것도 인간이 만들어 낸 편견과 환상일 뿐이라는 것을 알 수 있다.

오답 풀이 ② 한쪽으로 치우친 생각은 '편견'에 해당한다. (다)를 통해 편견이 인간의 자유로운 생각을 방해하는 환상임을 알 수 있으므로 ②는 적절한 설명이다.
④ (다)에서 똥은 추하다는 생각은 꽃과 거름이 서로 깊이 연관되어 있는 사실을 이해하지 못한 선입견이라고 하였다. 똥을 추하다고 생각하는 것처럼 만물이 서로 연관된 것을 알지 못할 때는 대상의 가치를 함부로 평가하는 실수를 범할 수 있다.

3 제물론의 관점에서 보면 <보기>의 '혜시'는 박은 바가지로 만들어 쓰는 것이라는 선입견에 갇혀 대상의 본모습을 보지 못하고 있다.

1 (1) 만연 (2) 차별 (3) 동등 (4) 절대적
2 (1) 평등 (2) 갈등 (3) 빈번히 (4) 가치 (5) 환상

인문 02 수도를 옮기고 금나라를 정벌하자

본문 136 ~ 139쪽

STEP 1 독해 기초 확인

지문 한눈에 보기

가 서경 천도 운동의 배경이 된 고려 사회의 모습은?

이자겸 등 귀족의 횡포와 왕권의 추락

서경 천도 운동의 전개 과정

나 서경 세력이 주장한 것은?

- 금나라를 정벌할 것
- 고려 임금을 황제로 칭할 것
- 수도를 서경으로 옮길 것

다 인종이 마음을 바꾸자 벌어진 일은?

- 묘청이 군사를 소집하여 서경을 수도로 새 나라를 세움.
- 묘청이 죽임을 당하며 서경 천도 운동은 실패함.

라 서경 천도 운동에 대한 평가는?

- 부정적 평가: 질서를 어지럽힌 반란
- 긍정적 평가: 중국에 대한 예속에서 벗어나려 한 개혁 운동

지문 핵심 key

1 예시 답 이자겸, 묘청, 서경 세력, 개경 세력, 서경 천도 운동 등
2 서경 천도 운동 3 일이 진행되는 과정을 순서대로 설명함.
4 예시 답 (서경 천도 운동은) 부패한 고려를 배경으로 하여 일어났으며, 묘청의 독단적 반란 혹은 개혁 운동으로 평가받기도 한다.

해제 이 글은 서경 천도 운동의 발생 배경과 전개 과정을 설명하고 그에 대한 평가를 소개하고 있다.

주제 서경 천도 운동

STEP 2 독해 실력 확인

1 ⑤ 2 ④ 3 ②

1 윗글은 고려 사회의 혼란을 배경으로 서경 천도를 주장하는 세력이 등장하게 된 사실과 서경 천도 운동의 전개 과정, 이에 대한 평가를 소개하고 있다.

2 (나)에서 이자겸의 난 이후에 인종이 왕권을 강화하고 싶어 했다고 하였다.

오답 풀이 ① (다)에서 조광은 묘청을 죽인 인물이라고 하였다.
② (나)에서 묘청은 수도를 서경으로 옮기고 북방의 금나라를 정벌하고자 했다.
③ 김부식은 개경 세력으로, 윗글에 김부식이 개경 세력에서 서경 세력으로 옮겼다는 내용은 나오지 않았다.
⑤ (나), (다)를 통해 인종은 묘청의 말을 듣고 서경에 궁궐까지 지었으나, 개경파의 반대로 수도를 옮기지 않기로 마음을 바꾸었고, 그 뒤에 묘청의 난이 일어났음을 알 수 있다.

3 서경 세력인 정지상은 북방의 금나라를 정벌하고자 하였다.

오답 풀이 ① 윗글에 이자겸이 북벌론에 찬성하거나 반대한다는 내용은 나오지 않았다.
④ 김부식은 서경 세력과 대립하던 개경 세력이었으며, 북벌론을 주장하던 이들을 없애거나 좌천시킨 인물이다.

1 (1) 배출 (2) 번창 (3) 부패 (4) 독단적
2 (1) 세력 (2) 권위 (3) 강화 (4) 횡포 (5) 모순

사회 03

세계에서 두루 쓸 수 있는 화폐, 국제 통화

본문 140 ~ 143쪽

STEP 1 독해 기초 확인

지문 한눈에 보기

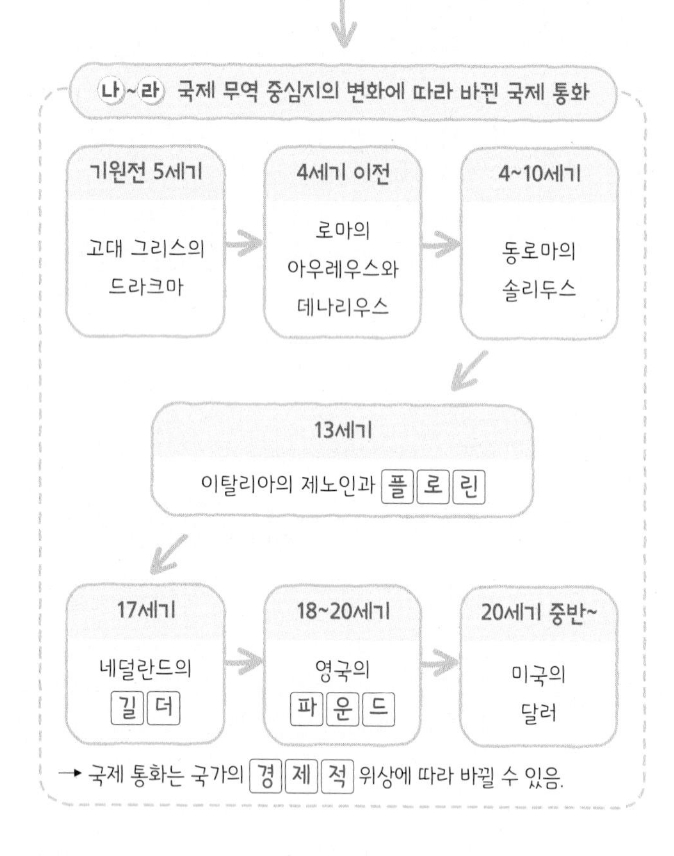

가 국제 통화란 무엇일까?
• 뜻: 세계 각국에서 널리 통용될 수 있는 중심 화폐
• 국제 통화가 되기 위한 조건
- 국제적으로 유통량이 풍부하고, 사용이 자유로워야 함.
- 신용을 고려해 화폐 발행국의 정치력, 경제력이 안정적이어야 함.
나~라 국제 무역 중심지의 변화에 따라 바뀐 국제 통화
기원전 5세기
고대 그리스의 드라크마
4세기 이전
로마의 아우레우스와 데나리우스
4~10세기
동로마의 솔리두스
13세기
이탈리아의 제노인과 플로린
17세기
네덜란드의 길더
18~20세기
영국의 파운드
20세기 중반~
미국의 달러
→ 국제 통화는 국가의 경제적 위상에 따라 바뀔 수 있음.

지문 핵심 key

1 예시 답 화폐, 국제 통화, 달러화, 드라크마 등 2 국제 통화
3 (나), (다), (라) 4 화폐, 무역, 위상

해제 이 글은 국제 통화의 뜻과 국제 통화가 되기 위한 조건을 밝힌 뒤, 국제 통화의 지위에 오른 화폐가 시대별로 어떻게 변화해 왔는지 서양을 중심으로 소개하고 있다.

주제 서구 중심으로 살펴본 국제 통화의 변천사

STEP 2 독해 실력 확인

1 ③ 2 ⑤ 3 ③

1 길더는 네덜란드의 화폐로, 17세기에는 네덜란드가 국제 무역의 중심지였기 때문에 많은 유럽 국가들이 국제 통화로 길더를 사용했다.

오답 풀이 ① (나)에 따르면, 고대 그리스에서 발행한 것은 은화 드라크마이다.
② (나)에 따르면, 로마에서 사용한 것은 로마의 금화 아우레우스와 은화 데나리우스이다.
④ (다)에 따르면, 13세기에 접어들어 이탈리아의 도시를 중심으로 국제 통화로 사용한 것은 금화 제노인과 플로린이다.
⑤ (라)에 따르면, 파운드화가 힘을 잃은 뒤로 달러화가 국제 통화의 지위를 획득하였다.

2 (가)에서 국제 통화가 되기 위해서는 국제적으로 유통량이 풍부하고, 사용이 자유로워야 하며, 신용이 뒤따라야 하므로 국가의 정치력과 경제력이 안정적이어야 한다고 하였다. 이러한 조건을 고려할 때, 현재 달러화가 국제 통화로 사용되는 이유를 ⑤와 같이 추론할 수 있다.

오답 풀이 ① 반드시 자국의 화폐가 국제 통화인 것은 아니다.
③ 국제 통화는 한 나라의 경제적 위상에 따라 바뀔 수 있는 것이지 누군가의 결정에 따라 정기적으로 바뀌는 것이 아니다.
④ 국제 통화로서 힘을 잃은 화폐는 자국 내에서 어떻게 되는지는 윗글에서 언급하지 않았다.

3 (라)에서 18세기 산업 혁명 이후 영국 런던이 국제 금융의 중심지가 되면서 영국의 파운드가 국제 통화의 자리에 올라섰으며, 국제 통화는 한 국가의 경제적 위상에 따라 결정된다고 하였다. 따라서 파운드가 국제 통화로 대두된 이유는 영국의 경제적 위상이 높아졌기 때문임을 추론할 수 있다.

어휘

1 (1) 악화 (2) 추정 (3) 지위 (4) 결제
2 (1) 발행 (2) 유통량 (3) 각광 (4) 신용 (5) 획득

사회 04

조선 시대에도 출산 휴가가 있었다

본문 144 ~ 147쪽

STEP 1 독해 기초 확인

지문 한눈에 보기

가 출산율 감소에 따른 한국 사회의 문제는?

- 한국은 OECD 회원국 중 출산율이 1명이 되지 않는 유일한 나라임.
  → 생산 가능 인구 감소로 국가의 경제 성장 잠재력이 저하될 수 있음.
- 2000년대 중반부터 저출생 문제에 대응하는 정책을 추진함.

나~다 조선 시대에도 출산 장려 정책이 있었다고?

세종 때의 정책
- 산모의 출산 후 휴가 100일 지원
- 산모의 출산 전 휴가 30일 지원
- 산모 출산 후 남편에게도 휴가 30일 지원

인조 때의 정책: 양육 중에 어려움을 겪는 가정에 물품 지원

정조 때의 정책: 결혼 적령기의 미혼 남녀에게 결혼 비용 지원

라 저출생 문제를 해결하기 위해 어떻게 해야 할까?

조선 시대 정책의 시사점: 개인의 문제를 넘어 사회 문제로 파악하여 대책을 마련함.
→ 국가 주도하에 오늘날 한국 사회에 맞는 다양하고 실효성 높은 정책을 펼쳐야 함.

지문 핵심 key

1 예시 답 저출생(대응 정책), 생산 가능 인구, 출산 휴가 등 **2** 저출생(대응 정책) **3** (가)에서 언급한 대책의 구체적인 방향을 (라)에서 제시함. **4** 예시 답 (조선 시대의 정책처럼) 오늘날 한국 사회에도 국가적 차원에서 저출생 문제를 극복할 방안이 필요하다.

해제 이 글은 역사적 기록을 바탕으로 하여 조선 시대의 정책을 소개하고 있다. 나아가 오늘날 한국 사회의 실정에 맞는 저출생 대응 정책을 도입해야 할 필요성을 말하고 있다.

주제 조선 시대 정책이 오늘날 한국 사회에 시사하는 점

STEP 2 독해 실력 확인

1 ③ 2 ⑤ 3 ②

1 윗글은 조선 시대의 다양한 출산 장려 정책을 소개하며 오늘날의 저출생 문제 해결에 시사하는 바를 밝히고 있다.

오답 풀이 ① (라)에서 출산 휴가 지원, 양육비 및 결혼 지원금 지급 등의 정책이 오늘날에도 유효하다고 언급하였으나, 이는 ③을 뒷받침하는 보조적인 내용이다.
② (가)에서 저출생 현상으로 생산 가능 인구가 감소하면 국가의 경제 성장 잠재력이 저하될 수 있어 대한민국 정부도 저출생 문제에 대응하는 정책을 추진한다고 언급하였을 뿐, 경제 성장을 위한 국가 차원의 노력 전반을 다루는 글은 아니다.
④ 윗글에서 언급하지 않은 내용이다.
⑤ (나)와 (다)에 걸쳐 세종과 인조 때의 정책이 각각 어떠한지 언급하였으나, 이 둘의 차이를 비교하는 것이 글 전체의 중심 내용은 아니다.

2 세종 이전에도 7일간의 출산 휴가가 있었다. 하지만 그 휴가 기간이 출산 후 산모가 건강을 회복하고 영아를 돌보기에는 충분하지 않다고 보았기 때문에 기간을 더 연장해 준 것이라고 설명하고 있다.

3 ⓐ의 뒤에서 조선 시대처럼 국가 주도하에 다양하고 실효성 높은 정책을 펼칠 필요가 있다고 하였으므로 ⓐ에 들어갈 표현이 '국가적'임을 추측할 수 있다.

어휘

1 (1) 시행할 (2) 모색하는 (3) 도입하기로 (4) 인지하고
2 (1) 실효성 (2) 저하 (3) 주도 (4) 다각도로 (5) 적령기

과학 05 광합성이 밝혀지기까지

본문 148 ~ 151쪽

STEP 1 독해 기초 확인

지문 한눈에 보기

가 광합성이란 무엇일까?

- 뜻: 식물이 빛 에너지를 이용하여 스스로 양분을 만드는 과정
- 광합성에 필요한 물질: 물, 이산화 탄소
- 광합성으로 생성되는 물질: 포도당, 산소

광합성의 원리를 밝히는 데 영향을 끼친 실험과 연구

나 17세기 헬몬트의 실험

버드나무와 흙의 무게 변화를 측정함.
→ 식물은 물을 먹고 자람.

다~라 18세기 프리스틀리와 잉엔하우스의 실험

- 프리스틀리의 실험: 유리종에 쥐와 식물을 넣음.
  → 식물은 동물이 살아가는 데 필요한 기체(산소)를 만듦.
- 잉엔하우스의 실험: 쥐와 식물을 넣은 유리종을 각각 어두운 곳과 해가 드는 곳에 둠.
  → 식물이 산소를 만드는 데에 빛이 필요함.

마 19세기 소쉬르와 20세기 캘빈의 연구

- 소쉬르: 빛을 받은 식물이 이산화 탄소를 흡수하여 산소를 방출하며, 광합성 과정에 물이 반드시 필요함을 밝힘.
- 캘빈: 포도당이 합성되는 과정을 밝힘.

지문 핵심 key

1 예시 답 광합성, 식물, 헬몬트, 프리스틀리, 잉엔하우스, 소쉬르, 캘빈 등 **2** 광합성 **3** 일이 진행된 과정을 설명함. **4** 실험, 물, 빛, 광합성

해제 이 글은 광합성의 뜻을 설명하고, 광합성 발견에 영향을 미친 다양한 실험과 연구를 시간의 흐름에 따라 소개하고 있다.

주제 광합성 발견의 역사

STEP 2 독해 실력 확인

1 ④ **2** ⑤ **3** ②

1 잉엔하우스는 실험 결과 빛이 있어야만 식물이 살 수 있음을 알아냈으므로 ④는 윗글의 내용과 일치하지 않는다.

2 (다)의 프리스틀리의 실험에서 유리종 안에 넣어 둔 식물이 살 수 있었던 이유는 쥐가 호흡할 때 광합성에 필요한 기체, 즉 이산화 탄소를 내보냈기 때문이다. 식물이 이산화 탄소를 이용해 광합성을 한 뒤 쥐의 생존에 필요한 기체인 산소를 방출하였고, 그 결과 유리종 안 쥐가 살 수 있었다.

오답 풀이 ① 광합성을 할수록 식물은 양분을 얻을 수 있으므로 무게가 줄어들기보다 늘어날 것이다.
② 식물의 광합성에는 빛이 필요하므로 빛이 전혀 없다면 식물은 광합성을 하지 못할 것이다.
③ 광합성의 세부 단계는 20세기에 구체적으로 밝혀졌다고 하였다.
④ 식물의 광합성에 필요한 것은 물과 이산화 탄소이며, 식물은 광합성을 통해 양분을 얻는다.

3 ㄱ은 빛이 있는 곳에서 유리종 안에 쥐만 넣은 경우, ㄴ은 빛이 있는 곳에 쥐와 식물을 함께 넣은 경우, ㄷ은 빛을 차단한 경우이다. (다), (라)를 통해 ㄱ의 경우 쥐의 생존에 필요한 산소를 내보내는 식물이 없기 때문에, ㄷ의 경우 식물은 있지만 빛이 없어 식물이 광합성을 할 수 없기 때문에 쥐가 죽게 됨을 알 수 있다.

어휘

1 (1) 흡수 (2) 오염 (3) 생존 (4) 합성
2 (1) 신선 (2) 생성 (3) 양분 (4) 정화 (5) 방출

안경을 쓰면 잘 보이는 까닭은

본문 152 ~ 155쪽

STEP 1 독해 기초 확인

지문 한눈에 보기

가 안경을 쓰면 더 잘 보이는 까닭은?

- 근시: 수정체를 통과한 빛이 망막 [앞]에 모임.
- 원시: 수정체를 통과한 빛이 망막 [뒤]에 모임.

→ 안경의 역할: 빛이 [망][막]에 모이게 빛을 굴절시킴.

나 렌즈에 상이 맺히는 원리는?

오목 렌즈는 빛이 바깥쪽으로 굴절되어 퍼져 나감.
→ 물체의 상이 똑바로 서 있고 물체가 [작][게] 보임.

볼록 렌즈는 빛이 안쪽으로 굴절되어 한 점에 모임.
→ 물체가 렌즈에서 먼 경우: 물체의 상이 뒤집혀서 [작][게] 보임.
→ 물체가 렌즈에서 가까운 경우: 물체의 상이 똑바로 서 있는 대신 물체가 [크][게] 보임.

다 근시와 원시를 교정할 때 사용하는 렌즈는?

- 근시: 더 뒤에 상이 맺히게 하기 위해 [오][목] 렌즈를 사용함.
- 원시: 더 앞에 상이 맺히게 하기 위해 [볼][록] 렌즈를 사용함.

지문 핵심 key

1 예시 답 안경 (렌즈), 수정체, 근시, 원시, 오목 렌즈, 볼록 렌즈 등
2 안경 (렌즈) **3** 서로 다른 대상을 비교함 **4** 예시 답 (근시는) 수정체를 통과한 빛이 망막 앞에 모이므로 오목 렌즈를 사용하여, 원시는 수정체를 통과한 빛이 망막 뒤에 모이므로 볼록 렌즈를 사용하여 시력을 교정한다.

해제 이 글은 오목 렌즈와 볼록 렌즈의 특징을 설명하고, 근시와 원시를 각각 알맞은 렌즈로 교정하는 원리를 밝히고 있다.

주제 안경으로 시력을 교정하는 원리

STEP 2 독해 실력 확인

1 ③ **2** ② **3** ③

1 (나)에서 볼록 렌즈를 통과한 빛은 안쪽으로 굴절하여 한 점에 모인다고 하였다. 빛이 바깥으로 굴절하여 퍼져 나가는 것은 오목 렌즈를 지날 때이다.

2 관찰 상황처럼 물체를 작게 보이게 하는 렌즈는 오목 렌즈이다. 가운데가 얇고 가장자리로 갈수록 두꺼워 오목한 렌즈는 오목 렌즈이다(ㄱ). 오목 렌즈는 물체가 멀리 있으면 뒤집혀서 작게 보이는 볼록 렌즈와 달리 똑바로 서 있는 상만 관찰할 수 있다(ㄷ).
오답 풀이 ㄴ. 렌즈를 통과한 빛이 안쪽으로 굴절하는 것은 볼록 렌즈이다.
ㄹ. 윗글에서 렌즈로 좌우가 바뀐 상을 관찰할 수 있다는 내용은 나오지 않았다. 참고로 좌우가 바뀐 상은 렌즈가 아니라 거울로 관찰할 수 있다.

3 근시인 사람은 수정체를 통과한 빛이 망막 앞에 모이므로, 오목 렌즈를 사용하면 원래보다 상이 뒤에 맺혀 물체를 잘 볼 수 있게 된다.
오답 풀이 ① 근시는 물체의 상이 망막의 앞쪽에 맺히는 것이 특징이다. 하지만 상이 망막에 제대로 맺히지 못하기 때문에 선명한 상을 보지 못하므로, 오목 렌즈로 된 안경으로 상을 뒤쪽으로 이동시켜 교정한다.
② 오목 렌즈를 사용하면 상이 원래보다 뒤에 맺힌다.
④, ⑤ 볼록 렌즈를 사용하면 상이 원래보다 앞에 맺히며, 원시일 때 볼록 렌즈를 사용하여 시력을 교정한다.

1 (1) 교정하다 (2) 퍼지다 (3) 오목하다 (4) 근시
2 (1) 투명 (2) 굴절 (3) 조직 (4) 조정 (5) 양상

기술 07

태양광 발전의 미래

본문 156 ~ 159쪽

STEP 1 독해 기초 확인

지문 한눈에 보기

가 태양광 발전이란?

- 뜻: 태 양 빛을 이용하여 전기를 생산하는 발전 방식
- 장점: 온실가스를 배출하지 않음.

나 태양 전지의 단점 개선

태양 전지: 태양 빛을 전기로 바꾸는 장치
→ 과거에 비해 가격은 저렴해지고, 효 율은 높아짐.

다 태양광 발전의 문제점

간헐성: 시간대, 날씨, 계절에 따라 전 기 생산량이 달라져 필요할 때 전기를 이용하지 못할 위험이 있음.

→

라 해결 방안과 그 한계

- 해결 방안: 배 터 리를 활용하여 사전에 생산한 전기를 저장했다가 나중에 꺼내 씀.
- 한계: 별도로 드는 비용이 비쌈.

마 태양광 발전에 대한 기대

태양광 발전은 비교적 친 환 경적이고 안전하다는 장점이 있음.
→ 기술적 한계를 개선할 것에 대한 기대

지문 핵심 key

1 예시 답 태양광 발전, 태양 전지, 간헐성 등 2 태양광 발전
3 어떤 말이나 사물의 뜻을 밝혀 풀이함. 4 태양광, 전지, 간헐성

해제 이 글은 친환경 에너지원인 태양 빛을 이용한 태양광 발전이 과거에 마주했던 기술적 과제와 개선 상황을 설명하고, 앞으로 남은 해결 과제를 소개하고 있다.

주제 태양광 발전의 한계와 해결의 필요성

STEP 2 독해 실력 확인

1 ④ 2 ⑤ 3 ①

1 윗글은 태양광 발전과 관련해 과거의 기술적 과제를 어떻게 해결하였는지 소개하고, 이어 현재의 기술적 과제와 해결 방안을 설명하고 있다.

2 태양광 발전에서 태양 빛을 전기로 바꾸는 장치는 전지이다. 과거와 달리 최근에는 태양광 전지의 효율이 높아져 태양광 에너지의 25% 이상을 전기로 바꿀 수 있다고 하였으므로 태양 빛 전부를 전기로 바꾸지는 못한다는 설명은 적절하다.

오답 풀이 ① (가)에서 태양광 발전은 화석 연료를 태우지 않아 온실가스를 배출하지 않는다고 하였다. (마)를 통해 화력 발전이 온실가스를 많이 배출하는 발전 방식임을 알 수 있다.
② (마)에서 태양광 발전은 사고 위험이 있는 원자력 발전에 비해서 안전하다는 장점이 있다고 하였다.
③ (다)에서 태양광 발전은 에너지 생산의 간헐성이라는 과제를 안고 있다고 하였다. 태양광 발전은 시간대, 날씨, 계절 등에 따라 전기 생산량이 달라지므로 안정적으로 전기를 생산하는 발전 방식이 아님을 알 수 있다.
④ (나)에서 태양 전지의 가격이 비쌌으나, 과거에 비해 현재는 태양 전지의 가격이 많이 저렴해졌다고 하였다. 따라서 태양 전지판의 가격이 비싸지고 있다는 설명은 적절하지 않다.

3 태양광 발전에서 배터리는 태양광으로 만든 전기를 저장해 두었다가 태양 빛이 없을 때 사용할 수 있게 하여 태양광 발전의 간헐성을 보완한다.

1 (1) 분명하다 (2) 중단했다 (3) 저렴하다 (4) 충분하다
2 (1) 효율 (2) 약점 (3) 대비 (4) 의존 (5) 운용

기술 08

전기 차가 움직이는 원리

본문 160~ 163쪽

STEP 1 독해 기초 확인

지문 한눈에 보기

가) 전기 차를 선호하는 사람들이 늘어난 까닭은?

연료비가 적게 들고 [소][음]이 적다는 장점이 있음.

전기 차의 구동 원리

나) 전기 에너지가 저장되는 배터리

배터리: 성능에 따라 [주][행] [거][리]가 달라짐.

다) 인버터에서 교류로 변환된 전기가 모터를 작동시킴.

- 인버터: 배터리의 직류 전기 → 모터용 [교][류] 전기
- 모터: 빠르게 [회][전]하여 동력을 만들어 냄.

라) 모터의 동력을 바퀴에 맞게 조절하는 감속기

감속기의 작용: 모터의 [회][전][수]를 줄이고 바퀴를 회전시키는 힘을 키움.

마) 전기 차 제작 과정에서의 간편성

내연 기관 차의 부품 수 2~3만여 개 ↔ 전기 차의 부품 수 [1]만여 개

바) 전기 차 소프트웨어의 용도와 중요성

① 부품 간 전기 흐름 통제
② 배터리 관리
③ [자][율] 주행 기술
④ 정보 탐색과 같은 부가 기술

지문 핵심 key

1 예시 답 전기 차, 내연 기관 등 **2** 전기 차 **3** (나), (다), (라)

4 예시 답 (전기 차를 구동하는 부품은) 배터리, 인버터, 모터, 감속기 등이며, 전기 차를 만들 때는 비교적 부품이 적게 들고 소프트웨어 성능이 부각된다.

해제 이 글은 전기 차의 필수 부품을 중심으로 전기 차가 움직이는 원리를 설명하고 전기 차의 주요 특징을 소개하고 있다.

주제 전기 차의 구동 원리

STEP 2 독해 실력 확인

1 ② 2 ③ 3 ③

1 윗글에서는 전기 차의 주요 부품인 배터리, 인버터, 모터, 감속기를 중심으로 전기 차의 구동 원리를 설명하고 있으나, 배터리의 작동 원리까지 세부적으로 설명하고 있지는 않다.

2 모터와 바퀴 사이에 있는 부품인 것으로 보아 ⓐ는 감속기이다. 전기 차의 모터는 회전 속도가 빨라 모터의 회전력을 바퀴에 효율적으로 전달하려면, 감속기가 모터의 회전 속도를 적절한 수준으로 조절해야 한다.

오답 풀이 ① 배터리에 저장된 전기는 인버터를 거쳐 모터로 공급된다.

④ 배터리의 직류 전기를 모터에 적합한 교류 전기로 변환해 주는 장치는 인버터이다.

⑤ 지면에 닿아 회전하여 자동차를 움직이게 하는 것은 바퀴이다.

3 ㉠의 앞에서 전기 차가 컴퓨터 소프트웨어의 기능이 부각되는 자동차라고 설명하고 있으므로, 전기 차 시대의 차가 '도로 위를 달리는 컴퓨터'라고 서술하는 것이 적절하다.

어휘

1 (1) 조립 (2) 선호 (3) 주위 (4) 정교

2 (1) 동력 (2) 주행 (3) 부품 (4) 통제 (5) 소음

실전 3회

천의 얼굴, 하회탈

본문 164 ~ 167쪽

STEP 1 독해 기초 확인

지문 한눈에 보기

(가) 하회탈의 특징은 무엇일까?

- 흔치 않은 목조탈이고 보수한 흔적이 있음.
- 색 표현의 완성도가 높으며, 조각 기술이 우수함.

↓

하회탈의 뛰어난 조형미

(나) 턱이 분리된 하회탈

- 마치 말하는 것처럼 턱이 실감 나게 움직임.
- 탈을 쓴 광대의 고갯짓에 따라 표정을 생생하게 표현할 수 있음.

예 양반탈, 선비탈, 중탈, 백정탈

(다) 턱이 고정된 하회탈

좌우 눈 길이, 볼 높이 등의 차이로 각도에 따라 다양한 표정이 연출됨.

예 각시탈, 부네탈, 할미탈과 같은 여성탈

좌우가 비대칭이어서 장면에 따라 다양한 감정을 표현할 수 있음.

예 초랭이탈

↓

(라) 하회탈이 한국을 대표하는 상징물이 된 비결은?

특유의 조형미 덕분에 주목받고 있음.

지문 핵심 key

1 예시 답 탈놀이, 하회 마을, 별신굿, 하회탈 등 **2** 하회탈 **3** 여러 대상을 기준에 따라 나누어 각각의 특징을 밝힘. **4** 국보, 하회탈, 조형미, 탈놀이

해제 이 글은 우리나라의 국보인 하회탈의 특징을 소개하고, 다양한 표정을 연출할 수 있는 하회탈의 종류를 예로 들어 하회탈의 뛰어난 조형미를 설명하고 있다.

주제 하회탈의 조형미

STEP 2 독해 실력 확인

1 ④ 2 ② 3 ⑤

1 윗글은 한국을 대표하는 상징물인 하회탈의 특징을 소개하고 다양한 탈의 종류를 예로 들어 하회탈의 조형미와 예술적 가치를 설명하고 있다.

오답 풀이 ① 우리나라에서 탈놀이가 성행하였다고 언급하였을 뿐 다양한 종류의 탈놀이를 소개하고 있지는 않다.
② 한국의 탈은 오래 보존된 사례가 드문 것에 반해 하회탈은 보수하여 쓴 흔적이 있다고 언급하였을 뿐 탈을 오랫동안 보관하는 방법에 대해서는 설명하지 않았다.
③ 하회탈의 외형적 특징에 대해 자세하게 소개하고 있지만 결함이나 한계는 언급하지 않았다.
⑤ 하회탈의 종류를 턱이 분리되는지 아닌지에 따라 나누어 설명하고 있지만 하회 별신굿에 등장하는 탈의 역할은 언급하지 않았다.

2 ⓐ와 ⓒ는 모두 양반탈로, 아래턱이 따로 분리된 것으로 보아 (나)에 해당하는 자료임을 알 수 있다. 반면, ⓑ는 각시탈, ⓓ는 부네탈, ⓔ는 초랭이탈로 아래턱이 따로 조각되어 있지 않은 것을 보고 (다)에 해당하는 자료임을 알 수 있다.

3 하회탈은 그 독특한 제작 방식과 조형미 덕분에 광대의 고갯짓에 따라 다양한 표정을 실감 나게 표현할 수 있다.

어휘

1 (1) 고유 (2) 독특 (3) 실감 (4) 우수
2 (1) 표정 (2) 고정 (3) 목조 (4) 흔적 (5) 생김새

예술 10

마법처럼 사라진 립스틱 자국

본문 168 ~ 171쪽

STEP 1 독해 기초 확인

지문 한눈에 보기

가 손상된 그림도 되살릴 수 있다고?

미술품 복원: 사고로 망가지거나 낡아서 손상된 미술품을 원래대로 [되][살][려] 내는 작업

나 앤디 워홀의 '욕조' 그림에 묻은 립스틱 자국

[기존의 복원 방식]		[새로운 복원 방식]
알코올, 벤젠 등을 쓰면 자국을 남길 가능성이 있음.	VS	[산][소] 원자의 강력한 분해 능력을 활용함.

다 산소 원자의 복원 원리

산소 원자
- ↗ 원작 그림 성분과는 반응하지 않음.
- ↘ [그][을][음]에만 화학 반응을 일으켜 일산화 탄소, 이산화 탄소, 물로 변해 사라짐.

라 립스틱 자국을 지운 산소 원자

[탄][화][수][소]로 이루어진 립스틱 자국에 산소 원자를 쏘아 '욕조' 그림을 원래대로 복원하는 데 성공함.
→ 미술 작품의 [생][명]을 연장하는 복원 작업

지문 핵심 key

1 예시 답 (미술품) 복원, 앤디 워홀, 산소 원자 등 **2** (미술품) 복원 **3** 실제 사건을 사례로 제시함. **4** 예시 답 (산소 원자를 활용하여) 앤디 워홀의 작품에 묻은 립스틱 자국을 지웠듯이, 과학 기술을 이용하여 미술품을 복원할 수 있다.

해제 이 글은 과학 기술을 활용하여 그림을 복원한 실제 사례를 들어 손상된 미술품을 복원하는 작업의 의의를 설명하고 있다.

주제 산소 원자를 활용한 미술품 복원 작업

STEP 2 독해 실력 확인

1 ⑤ **2** ③ **3** ④

1 윗글은 산소 원자가 그림 성분에는 반응하지 않고 그을음에만 반응한다는 사실을 활용한 과학 기술로 미술품을 복원하는 데 성공한 사례를 소개하고 있다.

2 (나)에 따르면, 알코올이나 벤젠 등을 사용하여 립스틱 자국을 녹일 수 있지만 녹은 립스틱이 그림에 스며들어 립스틱 자국이 남을 위험은 있다고 하였다. 따라서 알코올과 벤젠이 립스틱 자국을 더 선명하게 하는 것은 아니다.

3 [A]는 산소 원자의 강력한 분해 능력 때문에 생긴 문제로 골머리를 앓던 연구원들이 이를 활용하여 망가진 미술 작품을 복원하는 데 성공했다는 내용이다. 따라서 [A]의 상황과 가장 어울리는 말은 재앙과 근심, 걱정이 바뀌어 오히려 복이 되었다는 뜻의 '전화위복(轉禍爲福)'이다.

오답 풀이 ① '감탄고토(甘呑苦吐)'는 달면 삼키고 쓰면 뱉는다는 뜻으로, 자신의 비위에 따라서 사리의 옳고 그름을 판단함을 이르는 말이다.
② '유비무환(有備無患)'은 미리 준비가 되어 있으면 걱정할 것이 없다는 뜻이다.
③ '일석이조(一石二鳥)'는 돌 한 개를 던져 새 두 마리를 잡는다는 뜻으로, 동시에 두 가지 이득을 봄을 이르는 말이다.
⑤ '청출어람(靑出於藍)'은 쪽에서 뽑아낸 푸른 물감이 쪽보다 더 푸르다는 뜻으로, 제자나 후배가 스승이나 선배보다 나음을 비유적으로 이르는 말이다.

1 (1) 최소화 (2) 화재 (3) 균열 (4) 연장하다
2 (1) 표면 (2) 자국 (3) 손상 (4) 예기 (5) 반응

Memo

비문학
독해 DNA
깨우기

정답과 해설

DNA
깨우기

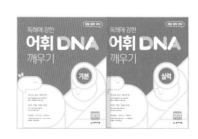

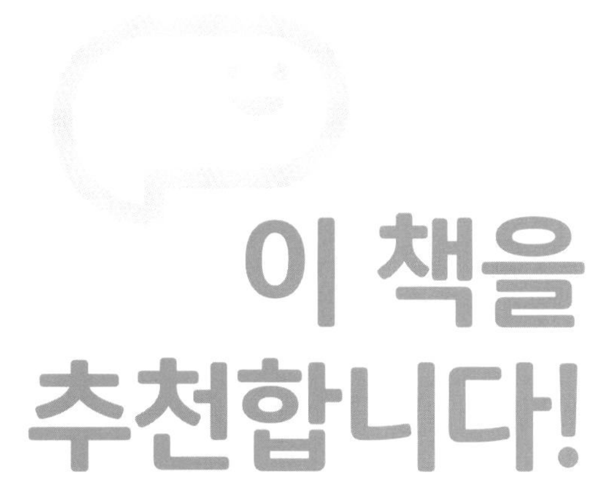

이 책을 추천합니다!

비문학 독해를 처음 시작하는 학생에게 딱 맞는 난이도입니다.
서울시 관악구 학원 강사

비문학 독해가 어렵다고 생각하는 학생들이 두려움을 극복할 수 있는 교재입니다. 중학교 입학을 앞둔 시점에 비문학 공부를 시작하기에 적합한 난이도로, 쉽고 깔끔하게 구성되어 있어요.

비문학 독해의 핵심을 담은 원리를 알려 줍니다.
서울시 송파구 학원 강사

이 책에서 다루는 독해 원리는 형식적이지 않아서 좋습니다. 독해 기초가 없는 학생들이 글을 읽을 때 꼭 알아야 하는 내용으로 알차게 구성된 교재입니다. 쉽고 친근한 예시로 접근해서 학생들이 어렵지 않게 느끼리라 생각합니다. 이런 좋은 교재가 이제야 나온 것이 안타까울 정도입니다.

문장의 뜻을 이해하지 못하는 학생들에게 꼭 필요한 책!
전라북도 익산시 학원 강사

글을 읽는 것 자체를 버거워하고, 글을 읽고 나서도 문장의 뜻을 제대로 이해하지 못하는 학생들이 많습니다. 이런 학생들에게 무작정 문제를 많이 풀게 하면 힘들어해요. 글을 제대로 읽는 방법부터 익히게 하는 교재라고 생각됩니다.

독해 원리를 연습 문제에서 바로 적용해 볼 수 있습니다.
울산시 북구 학원 강사

다른 교재들은 비문학 지문을 제대로 이해했는지 확인하는 문제만 있지만, 이 책은 문장을 의미 단위별로 끊어 읽기, 문장의 중요도 판단하기, 요약하기 등을 세심하게 짚어 주는 흔치 않은 교재입니다. 국어 공부를 어려워하는 학생들도 흥미를 느낄 수 있는 특별한 교재입니다.

중학 교과 학습 맛보기와 배경지식 쌓기까지!
경기도 성남시 강사

중학교에서 배우는 교과 내용으로 독해 지문이 구성되어, 비문학 공부를 하는 것만으로 여러 교과목을 선행 학습하는 효과가 있어요. 읽은 지문들이 배경지식이 되어, 나중에 더 어려운 비문학 지문을 읽을 때도 도움이 되겠어요.

초등과 중등 사이, 비문학 학습의 난이도 격차를 해결해 주는 교재입니다.
서울시 송파구 학부모

초등학교에 다닐 때까지는 무리 없이 글을 읽었지만 중학교에 입학한 다음부터 비문학 학습에 난항을 겪는 학생들이 많아요. 지문의 길이와 난이도가 시중에 나와 있는 어려운 중학교 비문학 교재를 접하기 전에 풀기 좋게 구성되어 있습니다.

독해 원리에서 어휘 학습까지, 체계적인 단계별 학습!
서울시 동작구 학부모

독해 원리를 익히고 연습 문제로 실력을 다진 다음, 빈칸을 채워 지문에서 중요한 요소들을 확인하고 실전 문제를 푸는 구성이어서 든든합니다. 마지막으로 어휘 학습까지 잡아 주니 금상첨화네요.

'독해 기초 확인'으로 지문을 꼼꼼히 분석할 수 있어요.
서울시 송파구 학부모

대부분의 비문학 독해 교재들은 지문 다음에 바로 실전 유형 문제가 나옵니다. 그런데 이 책은 'STEP 1 독해 기초 확인'으로 글의 핵심을 제대로 파악했는지 확인할 수 있어서 만족스럽습니다.

반복 학습으로 완성하는 비문학 학습!
서울시 서초구 학부모

이 책의 가장 큰 장점은 반복 학습이 가능하다는 점입니다. '독해 원리'에서도 같은 유형의 연습 문제를 반복해 풀게 하고 있고, '독해 실전'에서도 기초적인 지문 분석 문제와 실전 유형, 어휘 확인까지 반복적으로 학습하는 구조여서 마음에 듭니다.

귀여운 캐릭터와 함께 하는, 눈이 즐거운 국어 공부!
서울시 강남구 학부모

독해 원리나 지문 내용과 관련이 있는 사진이나 그림, 캐릭터가 교재 곳곳에 있어 아이들이 좋아할 것 같아요. 지문의 구조를 한눈에 파악할 수 있는 도식이 매번 들어가 있는 점도 좋아요.

비문학
독해 DNA
깨우기

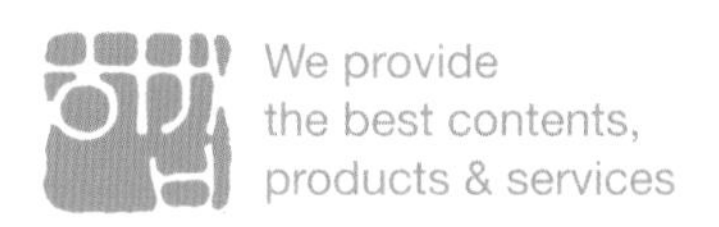

비문학 독해

0 독해 기초

발행일 2021년 12월 1일 초판 2024년 10월 1일 4쇄
발행인 (주)천재교육
주소 서울시 금천구 가산로9길 54
신고번호 제2001-000018호
고객센터 1577-0902
book.chunjae.co.kr

교재 내용 문의
교재 홈페이지 ···› 중학 ···› 교재상담

교재 내용 외 문의
교재 홈페이지 ···› 고객센터 ···› 1:1문의

발간 후 발견되는 오류
교재 홈페이지 ···› 중학 ···› 학습지원 ···› 학습자료실

※위의 홈페이지 경로를 통해 확인 및 자세한 답변을 받으실 수 있습니다.

ISBN 979-11-259-6716-3

정가 : 13,000원

해법 중학 국어

문학 DNA 깨우기

3

기출 유형

필수 문학 작품 감상하기

중·고등학교 교과서와 고1 학력평가에 나오는
주요 문학 작품으로 내신은 물론 수능까지 대비

기출 유형별 해결 방법 익히기

기출 유형에 따른 문제 해결 방법을 익히고
예상 문제에 적용하여 실력을 쌓는 체계적 구성

어휘력 챙기기

작품 이해력과 감상력을 높여 주는
상세한 어휘 학습

천재교육

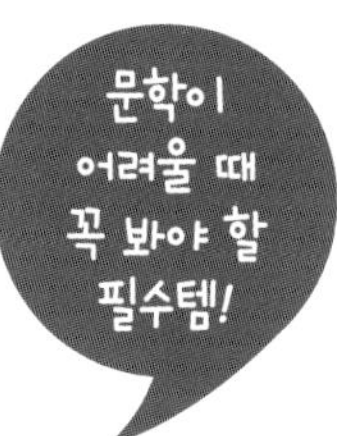

문학 DNA 깨우기 시리즈 3종

개념 편 문학 공부에 꼭 필요한 갈래별 기본 개념을 익힙니다.

중 1~2 교과서에 수록된 작품을 선정하고 기본 개념을 적용하여 풀 수 있는 문제로 구성하였습니다.

문학 작품의 감상에 꼭 필요한 갈래별 감상 원리와 방법을 익힙니다.

중 2~3 교과서에 수록된 삭품을 선정하고 감상 원리를 적용하여 풀 수 있는 문제로 구성하였습니다.

기출 문제의 유형과 풀이 방법을 안내하여 시험에 약한 학생들에게 해결책을 제시합니다.

내신은 물론 수능에서도 만날 수 있는 중3~고1 학평 수준의 작품과 문제로 구성하였습니다.

집/필/진

신장우 창문여고 교사. 고려대 국어교육 졸업. 국어 교과서 외 다수의 참고서 집필
김명종 동산고 교사. 한양대 국어교육 졸업. 국어 교과서 검토 외 다수의 참고서 집필
조형주 한성고 교사. 한양대 국어교육 졸업. EBS 문학 교재 외 다수의 참고서 집필
김수학 중동고 교사. 서울대 국어교육 졸업. 천재교육 고등 국어 교과서 외 다수의 참고서 집필
신해연 자유 기고가. 서울대 국어교육 졸업. 천재교육 중등 국어 외 다수의 참고서 집필
윤여정 백석고 교사. 연세대 국어국문 졸업. 국어 교과서 검토. 다수의 중학 국어 참고서 집필
유용한 자유 기고가. 중앙대 국어국문 졸업. 국어 교과서 개발. EBS 국어 교재 외 다수의 참고서 집필